SOMMAIRE

W9-DGG-050

Comment circuler dans Manhattan
Le plan du métro et des autobus encarté dans ce guide
vous indique comment gagner le quartier où vous désirez vous rendre.

SIGNES CONVENTIONNELS

★★★ Très vivement recommandé   (95)   Voie Inter-États
★★ Recommandé   (1)   Voie Fédérale
★ Intéressant   (24)   Voie d'État

Plans généraux	Voies urbaines	Plans détaillés (p. 38 à 118)
	Autoroute, route surélevée	
	Autoroute touristique	
	Rue de traversée principale	
	Autre rue de traversée importante	
	Itinéraire de visite et sens recommandé	
	Rue bordée d'arbres	
	Rue barrée ou interdite	
	Rue en escalier	

Obstacles

Passage inférieur
Passage supérieur ou pont
Échangeur de circulation ou possibilité d'accès
Voie ferrée
Métro surélevé

Signes divers

Point de départ de la visite
Église ou bâtiment décrit
Église ou bâtiment décrit dans une Promenade voisine
Autre église ou bâtiment, cité dans le guide
Église, chapelle repères
Bâtiment repère
Université
Château décrit
Curiosité isolée
Panorama, Vue
Cote d'altitude (en pieds)
Parc
Parc décrit
Cimetière
Cimetière décrit
Monument ou Statue
Fontaine
Hôpital
Synagogue
Usine
Gazomètre
Aéroport

AZ **B** Lettres localisant une curiosité sur le plan

Formalités. — Pour un séjour de tourisme (moins de 4 mois) aux États-Unis, il faut : un passeport non périmé ; un visa de tourisme délivré dans les Consulats des États-Unis sur présentation du passeport, le demandeur devant se munir d'une photo d'identité (format 5 × 5).

Douane. — Peuvent être introduits en franchise : 1 « quart » (environ 1 litre) d'alcool ; 300 cigarettes ou 50 cigares ; des cadeaux d'une valeur totale inférieure à 100 dollars (1 gallon supplémentaire d'alcool et 100 cigares peuvent être compris dans ces cadeaux). Il n'y a pas non plus de droits à payer sur des vêtements et objets personnels : postes de radio portatifs, caméras, appareils photographiques, machines à écrire, équipement sportif.

Soins médicaux. — Il n'y a pas l'équivalent de la Sécurité Sociale aux États-Unis. Aussi la souscription d'une assurance pour la durée du séjour n'est-elle pas toujours superflue.

Adresses utiles. — American Express, 11, rue Scribe, 75009 Paris. ☎ 266-09 99.
Consulat des États-Unis, 2, rue St-Florentin, 75001 Paris. ☎ 265-74 60.

MANHATTAN : ADRESSES UTILES

RÉPERTOIRE DES RUES INDIQUÉES DANS LE PLAN

(les rues numérotées du Sud au Nord et les avenues numérotées d'Est en Ouest ne figurent pas dans la légende).

5

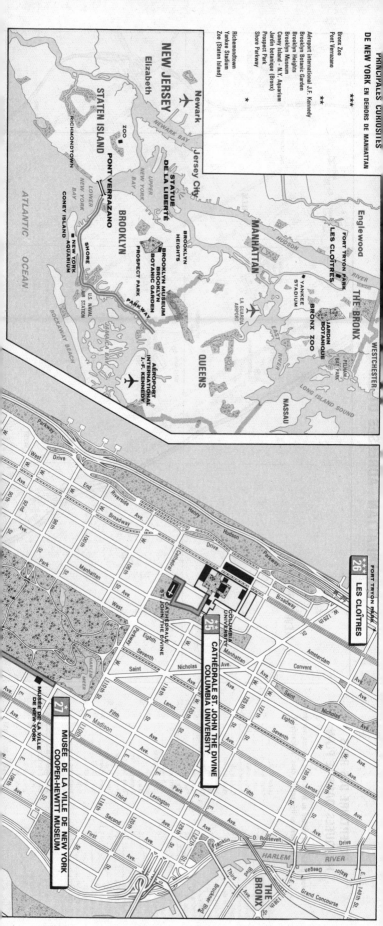

PRINCIPALES CURIOSITÉS
DE NEW YORK EN DEHORS DE MANHATTAN

***
Bronx Zoo
Pont Verrazano

**
Aéroport international J.F. Kennedy
Brooklyn Botanic Garden
Brooklyn Heights
Brooklyn Museum
Coney Island - N.Y. Aquarium
Jardin botanique (Bronx)
Prospect Park
Shore Parkway

*
Richmondtown
Yankee Stadium
Zoo (Staten Island)

NEW JERSEY

Elizabeth

Newark

STATEN ISLAND

RICHMONDTOWN

ZOO

PONT VERRAZANO

ATLANTIC

OCEAN

NEWARK BAY

Jersey City

UPPER
NEW YORK
BAY

STATUE
DE LA
LIBERTÉ

LOWER
NEW YORK
BAY

CONEY ISLAND

SHORE

NEW YORK
AQUARIUM

U.S. NAVAL
AIR STATION

PARKWAY

ROCKAWAY BEACH

BROOKLYN

BROOKLYN
HEIGHTS

PROSPECT PARK

BROOKLYN MUSEUM
BROOKLYN
BOTANIC GARDEN

HUDSON

RIVER

Englewood

FORT TRYON PARK

LES CLOÎTRES

MANHATTAN

YANKEE
STADIUM

BRONX ZOO

JARDIN
BOTANIQUE

LA GUARDIA
AIRPORT

EAST
RIVER

THE BRONX

WESTCHESTER

PELHAM
BAY PARK

QUEENS

AÉROPORT
INTERNATIONAL
J.-F. KENNEDY

LONG ISLAND SOUND

NASSAU

Parkway

West

Drive

End

Ave

Riverside

Broadway

Henry

Hudson

Drive

Parkway

West
82nd

W
90th

Park

Manhattan

W
98th

West

Ave

W
106th

FORT TRYON PARK

26 LES CLOÎTRES

25 CATHÉDRALE ST. JOHN THE DIVINE
COLUMBIA UNIVERSITY

CATHÉDRALE
ST. JOHN THE DIVINE

COLUMBIA
UNIVERSITY

Broadway

W 125th

Amsterdam

Convent

Manhattan

Ave

Saint

Nicholas

Ave

Eighth

Seventh

Saint
Nicholas

Lenox

Fifth

Ave

Ave

Madison

Park

Lexington

Third

Second

First

Franklin

D. Roosevelt

Drive

27 MUSÉE DE LA VILLE DE NEW YORK
COOPER-HEWITT MUSEUM

MUSÉE DE LA VILLE
DE NEW YORK

HARLEM

RIVER

THE BRONX

Deegan

Major

Grand Concourse

Bruckner Blvd

E 138th

12

New York County Court House
New York State Office Building — BV
Police Headquarters — AZ
U.S. Court House — BV

	Tel.	
East Side Terminal	697-3374	BV
Ferry Terminal	566-8633	AZ
General Post Office	971-7731	BV
Grand Central Terminal	736-4545	BU
Hotalings, foreign newspapers	279-5064	BV
Hotel Empire	695-0291	BU
Lost and Found (taxi)	374-5084	AZ
Manhattan Air Terminal	986-0888	BV
The Metropolitan Museum of Art	879-5500	CT
New York Coliseum	757-5000	BU
New York Convention and Visitors Bureau	687-1300	BU
New York Hilton	586-7000	BU
New York Public Library	661-7220	AZ
New York Stock Exchange	623-3000	CU
Pan Am Metroport	973-3528	AU
Passenger Ship Terminal	765-7437	AU
PATH (Port Authority Trans-Hudson)	466-7649	BV
Pennsylvania Station	736-4545	BV
Port Authority Bus Terminal	564-8484	AZ
Port Authority Downtown Heliport	248-7240	AU
Sheraton Centre	581-1000	BU
Sheraton Motor Inn	695-6500	AU
United Nations Headquarters	754-1234	CV
Waldorf Astoria Hotel	355-3000	BV
World Trade Center	466-4170	AZ
34th Street East Heliport	895-5372	CX

COMPAGNIES AÉRIENNES (jaune)

		Tel.	
A	Air Canada	421-8000	BU
B	Air France	759-9000	BU
C	Air India	751-6200	CU
D	Alitalia	582-8900	BV
D	British Airways	687-1600	BV
F	El Al	486-2600	BV
F	Iberia	793-5000	BV
E	Icelandic Airlines	757-8585	CX
J	Japan Airlines	759-9100	BU
J	KLM	759-3600	BU
K	Lufthansa	357-8400	BU
L	Olympic Airways	838-3600	BU
K	Sabena	961-6200	BU
K	SAS	841-0100	BU
E	Swissair	995-8400	BU
G	Varig	682-3100	BU

HÔPITAUX
(Voir signes conventionnels p. 4)

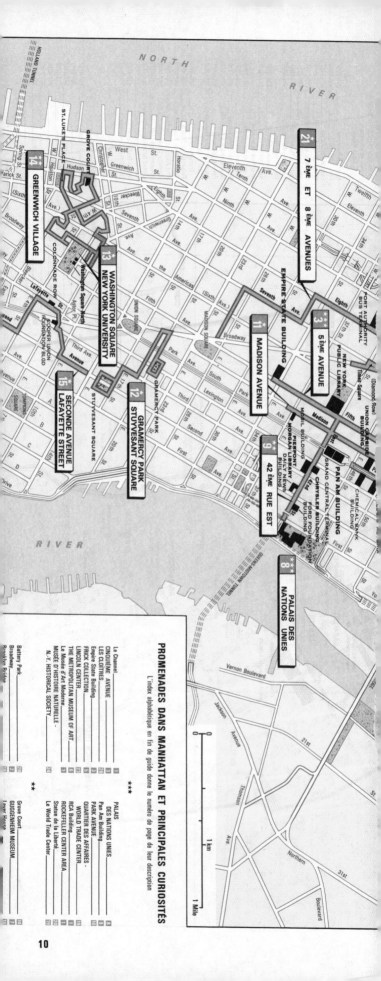

PROMENADES DANS MANHATTAN ET PRINCIPALES CURIOSITÉS

L'index alphabétique en fin de guide donne le numéro de page de leur description

0   1 km   1 Mile

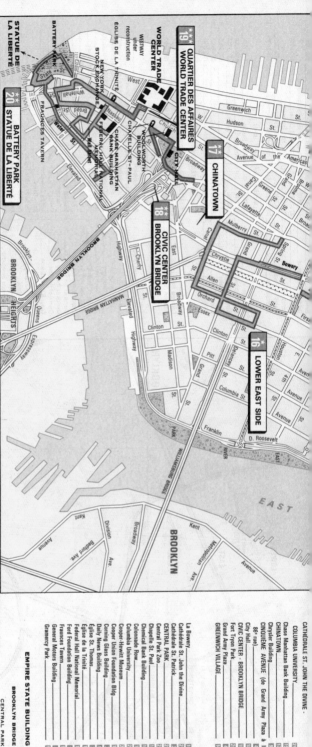

19 ★★ QUARTIER DES AFFAIRES / WORLD TRADE CENTER

17 ★★ CHINATOWN

18 ★★ CIVIC CENTER / BROOKLYN BRIDGE

16 ★ LOWER EAST SIDE

20 ★★ BATTERY PARK / STATUE DE LA LIBERTÉ

STATUE DE LA LIBERTÉ

★★★ Très vivement recommandé

★★ Recommandé

★ Intéressant

Bellevue	561-4141	BX
Goldwater Memorial	688-3500	CV
Harlem	621-3131	DR
Lenox Hill	794-4242	CU
Memorial Hospital	879-3000	CU
Metropolitan	360-6161	DT
Mount Sinai	876-1000	CT
New York Hospital Cornell Medical Center	472-5454	CU
New York University Medical Center	679-3200	BX
Rockefeller University	360-1000	CU

GRANDS MAGASINS (grls)

Alexander's	689-7800	BU
B. Altman and Co.	689-7000	BV
Bergdorf Goodman	753-7300	BU
Bloomingdales	355-5900	CU
Bonwit Teller	355-6800	BU
Gimbel's	736-5100	BV
Henri Bendel	247-1100	BU
Korvettes	867-7000	BV
Lord and Taylor	391-3344	BV
Macy's	971-6000	BV
Ohrbach's	695-4000	BV
Saks Fifth Avenue	753-4000	BV

SPECTACLES (vert)

Avery Fisher Hall	874-2424	BU
Carnegie Hall	247-7459	BU
Madison Square Garden	564-4400	BV
Metropolitan Opera House	799-3100	BU
New York State Theater	877-4727	BU
Radio City Music Hall	757-3100	BV

CULTES
(Voir signes conventionnels p. 4)

Abyssinian Baptist Church	DR
Calvary Baptist Church	CS
Cathedral of St. John the Divine	CU
Central Synagogue	CU
Christ Church Methodist	CU
Church of Jesus Christ of Latter Day Saints	BT
Church of the Ascension	AX
Church of the Covenant	CV
Church of the Holy Family	BV
Church of the Saviour	BT
Cong. B'nai Jeshurun	BT
Congregation Rodeph Sholom	CT
Fifth Avenue Presbyterian Church	BU
Fifth Avenue Synagogue	CU
First Baptist Church	BT
Grace Church	BX
Guardian Angel Church	AV
Gustavus Adolphus	BX
Hellenic Church	CU
Holy Trinity	BU
Jewish Center	BT
John St. Methodist Church	AZ
Judson Memorial Baptist Ch.	AX
Little Church Around the Corner	BV
Madison Avenue Presbyterian Church	CU
Marble Collegiate Church	BV
Middle Collegiate Church	BX
Notre-Dame	CS
Our Lady of the Rosary	AZ
Park Ave. Christian Church	CT
Park Avenue Synagogue	CT
Riverside Church	CR
Rutgers	BT
St. Bartholomew's	BV
St. George's	BX
St. Ignatius	CT
St. James	CU
St. Luke's Lutheran Church	BU
St. Mark's-in-the-Bouwerie	BX
St. Mark's Methodist	DR
St. Nicholas	AZ
St. Patrick's Cathedral	BV
St. Paul the Apostle	BU
St. Paul's Chapel	AZ
St. Peter's	AY
St. Stephen's	BU
St. Thomas'	BU
St. Vincent de Paul	BV
St. Vincent Ferrer	CU
Spanish and Portuguese Synagogue	BT
Stephen Wise Free Synagogue	BU
Temple Emanu-El	CU
Temple Shaaray Tefila	CU
Trinity Church	AZ

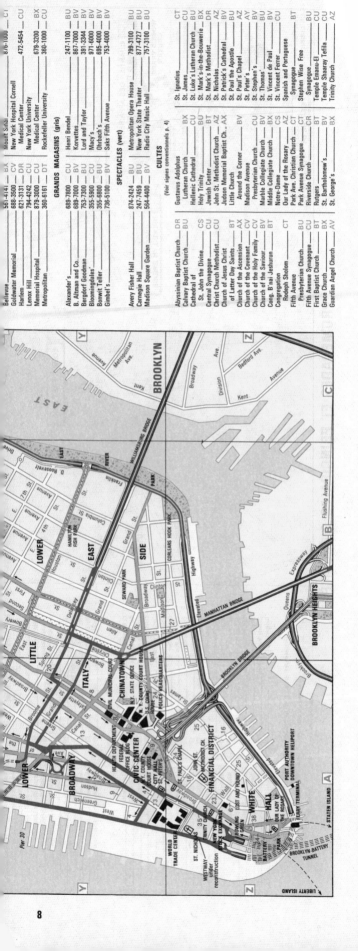

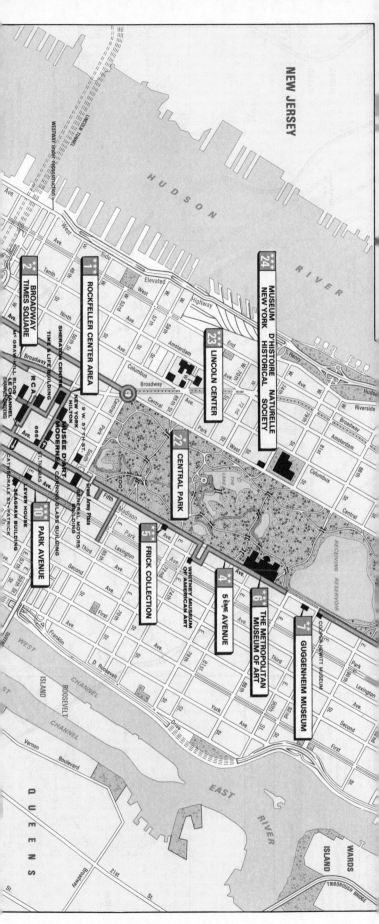

NEW JERSEY

HUDSON RIVER

24 ★★★
MUSEUM D'HISTOIRE NATURELLE
NEW YORK HISTORICAL SOCIETY

2 ★★
BROADWAY TIMES SQUARE

1 ★★★
ROCKEFELLER CENTER AREA

23 ★
LINCOLN CENTER

22 ★
CENTRAL PARK

10 ★
PARK AVENUE

5 ★★
FRICK COLLECTION

4 ★★★
5 ÈME AVENUE

6 ★★★
THE METROPOLITAN MUSEUM OF ART

7 ★
GUGGENHEIM MUSEUM

WHITNEY MUSEUM OF AMERICAN ART

COOPER-HEWITT MUSEUM

MUSÉE D'ART MODERNE

GENERAL MOTORS BUILDING

CORNING GLASS BUILDING

SEAGRAM BUILDING

LEVER HOUSE

CATHÉDRALE ST-PATRICK

ST. THOMAS Ave.

NEW YORK HILTON

SHERATON CENTRE

TIME & LIFE BUILDING

R.C.A.

Mc GRAW-HILL BLDG.
LE CHANNEL (DANIEL OHLERS)

WEST SIDE

ROOSEVELT ISLAND

WEST CHANNEL

EAST CHANNEL

QUEENS

EAST RIVER

WARDS ISLAND

TRIBOROUGH BRIDGE

RECEIVING RESERVOIR

THE LAKE

ZOO

Grand Army Plaza

WESTWAY under reconstruction

LINCOLN TUNNEL

11

6

BÂTIMENTS PUBLICS
ET AUTRES BÂTIMENTS (noir)

Civic Center (AY) :

City Hall
Civil Municipal Court Building
Federal Office Building
Health Department

Les sens uniques ne sont indiqués que sur les voies
à grande circulation.

Grand St.		AZ
Greene St.		AX
Greenwich Ave.		AU
Greenwich St.		BZ
Henry Hudson Parkway	BT-CR	CV
Hudson St.		AXY
Kenmare St.		BCY
Manhattan Bridge		CV
Queensboro Bridge		CV
Queens-Midtown Tunnel		AXY
Williamsburg Bridge		BCY

0   1 km
0   1 Mile

A

U

RENSEIGNEMENTS PRATIQUES

NOUS PARTONS POUR NEW YORK

QUAND?

La meilleure saison pour visiter New York est l'**automne**, époque à laquelle la grande cité revit après la torpeur estivale. Du 1er octobre à la mi-novembre il y a en effet souvent dans le Nord-Est des États-Unis une période privilégiée que l'on nomme « été indien ». La douceur de la température, la limpidité et le calme de l'atmosphère, la somptueuse parure pourpre des arbres, et particulièrement des érables, caractérisent cet « été indien » dont Hitchcock s'est fait le peintre dans le film bien connu « Mais qui a tué Harry? ».

Nous déconseillons le voyage à New York en **été**, surtout en juillet et août, mois de canicule durant lesquels le thermomètre monte couramment à 35°C. La chaleur est rendue très pénible à supporter en raison d'une humidité latente qui résulte du contact entre l'air chaud ambiant et l'eau froide du courant du Labrador.

Un large emploi de l'air conditionné permet cependant de pallier ces désagréments à l'intérieur de nombreux immeubles publics ou privés; les musées, comme le musée d'Art moderne ou le Metropolitan Museum (département des peintures), sont alors fort recherchés.

Rigoureux — la colonne de mercure descend jusqu'à 15°C au-dessous de 0 — l'**hiver** new-yorkais ne bénéficie pas moins d'un temps généralement sec et vivifiant. Le ciel, le plus souvent pur, peut se couvrir brusquement pour donner naissance à des pluies diluviennes ou à des chutes de neige qui paralysent momentanément la circulation. Par contraste avec le froid et le vent du dehors, l'intérieur des maisons peut alors paraître surchauffé aux Européens.

Le **printemps**, bref, ne dure que trois ou quatre semaines, aux alentours de Pâques.

Concordance des températures :

Degrés centigrades :	35°	30°	25°	20°	15°	10°	5°	0°	−5°	−10°	−15°
Degrés Fahrenheit :	95°	86°	77°	68°	59°	50°	41°	32°	23°	14°	5°

COMMENT?

Par bateau. — Depuis le désarmement du paquebot « France » de la Cie Générale Transatlantique, les deux principales compagnies assurant la liaison entre la France et New York sont la Cunard Line, britannique et la Cie Italia (Italian Line), italienne.

La Cunard Line, avec le paquebot « Queen Elizabeth 2 » relie Cherbourg à New York. La traversée se fait en 5 jours à raison de deux aller et retour par mois (le train spécial partant de Paris St-Lazare assure la correspondance avec le départ du navire) d'avril à novembre. La Cie Italia, avec le paquebot « Leonardo da Vinci », relie Cannes à New York. La traversée se fait en 8 jours à raison d'un ou deux aller et retour par mois. Toutes les unités comptent une 1re classe et une classe touriste; les passagers peuvent emporter jusqu'à 125 kg de bagages mais doivent retenir leur place 2 à 3 mois à l'avance.

A l'arrivée à New York le débarquement prend de 2 à 3 heures. L'accostage se fait au quai (pier) 34 de l'Hudson, à la hauteur de la 44e Rue pour la Cunard Line et à la nouvelle gare maritime (Passenger Ship Terminal) entre les 48e et 52e Rues pour la Cie Italia. Le contrôle des papiers a lieu sur le bateau même. Taxis à la sortie des docks.

Cunard Line c/o American Express : à Paris, 11, rue Scribe (9e) - ☏ 073-42 90.

Cie Italia (Italian Line) c/o CIT : à Paris, 3, boulevard des Capucines (2e) - ☏ 266-46 50.

Par avion. — De nombreuses compagnies aériennes desservent New York, parmi lesquelles on peut citer Air France, la TWA et la PAN AM (américaines), la Sabena (belge), la Swissair (suisse). Chacune d'entre elles organise plusieurs vols dans chaque sens de jour et de nuit.

De Paris la durée moyenne des vols par « jets » atteint environ 8 h dans le sens Europe-Amérique — contre seulement 7 h dans le sens inverse — en raison des vents contraires ou de l'encombrement de l'aéroport international J.-F. Kennedy qui oblige parfois à des attentes pour l'atterrissage pouvant aller jusqu'à 1 h.

Habituellement l'appareil survole la presqu'île du Cotentin, puis les îles anglo-normandes, côtoie le Pays de Galles et le Sud de l'Irlande, cingle vers Terre-Neuve au travers de l'Atlantique en passant au Sud du Groenland. Après avoir laissé sur la droite la Nouvelle-Écosse (Canada), l'avion longe les côtes de la Nouvelle-Angleterre avant d'arriver en vue de New York.

L'atterrissage effectué, tenez prêt votre passeport portant un visa et, dûment rempli, le formulaire de déclaration en douane que l'hôtesse de l'air vous a remis. Une fois la douane passée, vous pouvez vous rendre à Manhattan en empruntant le métro JFK Express (voir p. 137) ou l'autocar de liaison qui vous déposera à l'aérogare d'East Side Terminal (37e-38e Rue Est), pour 4 $. Des taxis, sont aussi à la disposition des voyageurs, et même des hélicoptères.

Sur l'itinéraire Paris-New York et retour, les compagnies aériennes accordent des tarifs spéciaux pour certaines durées de séjour. L'une d'entre elles, pratique des prix réduits, au départ de Luxembourg, mais le trajet est plus long et le confort moindre.

Air France : à Paris, 119, avenue Champs-Élysées (8e) ; ☏ 720-70 50 ;

2, rue Scribe (9e) - ☏ 073-41 00.

TWA : à Paris, 101, avenue Champs-Élysées (8e) - ☏ 720-15 11.

PAN AM : à Paris, 1, rue Scribe (9e) - ☏ 266-45 45.

Icelandic Airlines : à Paris, 32, rue du 4-Septembre (2e) - ☏ 742-52 26.

Heure locale. — Entre Paris et New York il y a un décalage de 5 ou 6 heures suivant les saisons, les New-Yorkais adoptant une « heure d'été » d'avril à octobre.

Formalités et Douane. — Voir p. 4.

VIVRE A NEW YORK

Voici un certain nombre de renseignements pratiques destinés à faciliter votre séjour.

HOTELS ET RESTAURANTS

Où et comment se loger? — La plupart des hôtels sont à Manhattan cependant les plus grands se trouvent à proximité des aéroports.

A Manhattan les hôtels se groupent principalement dans le centre. Les plus luxueux avoisinent la 5e Avenue, Park Avenue ; d'autres, moins coûteux sont situés à Broadway dans le quartier des spectacles. Rares sont ceux qui disposent de moins de 1 000 chambres. Les touristes qui recherchent le calme et une atmosphère moins fiévreuse se fixeront du côté de Washington Square, de Gramercy Park, de Central Park South ou du Metropolitan Museum sur la 5e Avenue.

Dans le domaine hôtelier on distingue à New York deux grandes catégories : d'une part les hôtels de type américain, comme le Sheraton Centre, le New York Hilton, vastes caravansérails ultra modernes avec d'immenses salles pour congrès (« conventions »), d'autre part les hôtels de type « continental », c'est-à-dire « européen », moins modernes et moins gigantesques, mais plus intimes, plus feutrés, comme le Pierre, le St Regis et le Plaza.

On paiera, dans les établissements les plus importants, entre 30 et 40 dollars par nuit pour une chambre à 2 personnes, dans d'autres, plus simples, seulement de 15 à 25 dollars. Réservés aux célibataires aux ressources plus modestes, des hôtels Y.M.C.A. (Young Men's Christian Association) demandent 9 dollars par chambre. Des logements à bas prix peuvent être fournis aux étudiants par le New York Student Center, situé à l'Hôtel Empire à l'angle de la 63e Rue et de Broadway, ☎ 695-0291. Le nombre de chambres vacantes dans les hôtels est souvent limité. Nous vous conseillons de retenir à l'avance ou de téléphoner pour prévenir de votre arrivée. Pour plus de renseignements, s'adresser à l'Hotel Association of New York City, 141 de la 51e Rue Ouest, ☎ CL7-0805.

A New York un hôtel même moyen offre tout le confort. Attention ! la tension du courant électrique est de 110 Volts-60 périodes.

Un système de navette (« limousine service ») relie la plupart des grands hôtels aux aéroports J.F. Kennedy et La Guardia.

Où et comment se nourrir? — Très fréquentés par la société élégante (il vaut mieux retenir sa table) aussi bien pour les repas d'affaires que pour les réunions amicales, les **restaurants** offrent une ambiance dont la variété témoigne de la vocation cosmopolite de la ville. Leur trait commun est un décor recherché et souvent original, allié au confort intime et feutré que matérialisent d'épaisses moquettes et des lumières tamisées. Les prix sont élevés.

La gastronomie procède des traditions locales mais plus encore de l'acclimatation des cuisines étrangères : française, italienne, chinoise, allemande, juive, exotique... Au demeurant les Américains s'intéressent beaucoup à la cuisine, qui fait souvent le sujet d'articles dans la presse ou d'émissions à la télévision.

Les vins californiens, corsés et généreux, s'apparentent habituellement aux Bourgogne ; les « Champagne » ont moins de caractère. Les vins européens sont de qualité dans les bonnes maisons, mais chers. On trouvera du Chianti à des prix abordables dans les « trattorias » du quartier italien et de Greenwich Village.

Si l'on veut faire un repas rapide et à moindres frais, voici plusieurs possibilités.

— les **cafétérias** nombreuses et fréquentées : boissons fraîches, sandwiches, pâtisseries, etc.

— des **steak-houses**, établissements typiquement américains, proposent toutes sortes de grillades faites devant le client : savoureux steaks géants ;

— les **drugstores**, amalgame de pharmacie, bazar, bureau de tabac, sont ouverts tard dans la nuit. On peut s'y faire servir au comptoir le petit déjeuner, des sandwiches, pâtisseries, crèmes glacées, boissons non alcoolisées...

— des **luncheonettes**, grills, coffee shops, snacks, delicatessen (sortes de brasseries), pizzerias, peu différents les uns des autres, où l'on prend un repas rapide (généralement le déjeuner) au comptoir ou sur de petites tables sommairement dressées ;

— des **sodas-fountains**, spécialisées dans les glaces et les boissons non alcoolisées.

Dans tous ces établissements on paye généralement à la caisse, en sortant.

Les repas. — Le **breakfast** (petit déjeuner) est, comme en Angleterre, un repas important comprenant thé ou café, jus de fruits, toasts avec beurre et confitures, œufs au bacon, céréales dans du lait sucré.

Le **lunch** (déjeuner) représente plutôt une collation qu'un repas. Les New-Yorkais qui ne disposent que d'un court arrêt à midi se bornent à avaler, sur un coin de comptoir, « hamburgers » (biftecks hachés et frites) assaisonnés de « ketchup » (condiment à la tomate forte), «cheeseburgers » (hamburgers avec du fromage), « hot-dogs » (saucisses de Francfort longues garnies de moutarde), tout en buvant une tasse de thé, de lait ou de café, un verre de coca-cola ou de « ginger-ale » (boisson au gingembre).

Repas principal, servi à partir de 18 h dans les restaurants, le **dinner** (dîner), presque toujours pris en famille, se compose de plats chauds.

Les dimanches on prend le « **brunch** », synthèse et contraction du breakfast et du lunch.

L'heure sacro-sainte des cocktails commence à 17 h au moment de la sortie des bureaux. Dans les bars du quartier des Affaires, les amateurs de boissons alcoolisées consomment du « **bourbon** » (whisky américain à base de maïs), du rye whisky (à base de seigle) du « scotch » (whisky écossais), les cocktails Dry Martini (vermouth sec et gin), Manhattan (vermouth et rye whisky), Tom Collins (gin, soda et citron), Daiquiri (rhum et jus de citron).

POURBOIRES

L'usage des pourboires est moins généralisé en Amérique qu'en Europe mais plus courant que les Américains ne le prétendent quand ils sont hors de chez eux.

A New York le taux moyen du pourboire est 15 %. Le chauffeur de taxi attendra toutefois 20 % par rapport au prix de la course. Dans les restaurants et les cabarets il varie entre 15 % et 20 % de l'addition ; on donnera un peu plus au coiffeur.

Dans les aérogares et les gares de chemin de fer, les porteurs s'attendent à 1 dollar pour trois bagages (tarif officiel 35 cents par valise). A l'hôtel, le valet (bell boy) qui monte les bagages dans les chambres s'attendra lui aussi à 1 dollar ; il est d'autre part d'usage de donner la pièce au chasseur qui appelle un taxi ; en cas de séjour prolongé à l'hôtel on récompensera la femme de chambre (maid) de ses soins en lui offrant 5 dollars par semaine. 50 cents ou plus peuvent être versés aux petits cireurs de chaussures. Pas de pourboire aux ouvreuses dans les salles de spectacle ni à plus forte raison, aux stewards et aux hôtesses de l'air. Rappelons enfin qu'à New York, le vestiaire (check-room) comme dans la plupart des lieux publics aux États-Unis, est habituellement gratuit et aucun pourboire n'est accepté.

La plupart des **musées** n'affichent pas leur tarif et proposent au visiteur la formule « Pay as you wish » (payez ce qu'il vous plaît). On verse d'ordinaire de 1 à 2 $.

Devises. — L'unité monétaire est le dollar qui se divise en 100 cents. Il existe des billets de 1, 2, 5, 10, 20, 50, 100, 500 et 1 000 dollars, identiques par le format et la couleur verte mais se distinguant par les effigies de grands hommes américains qui les ornent.

Les pièces de monnaie sont : le « penny » (1 cent) en cuivre ; le « nickel » (5 cents) en nickel comme son nom l'indique, la « dime » (10 cents) en argent, le « quarter » (25 cents), le half-dollar (50 cents) et le « silver dollar » (1 dollar) en argent.

QUELQUES ADRESSES UTILES

Bureau de renseignements : New York Convention and Visitors Bureau, 90 Est 42e Rue. ☏ 687-1300.
Times Square Information Center, Broadway et 43e Rue. ☏ 593-8983.

Cultes : dans le hall des hôtels est généralement affichée la liste des églises les plus proches. Nous indiquons seulement ici quelques centres de chaque culte.

Églises catholiques romaines : Cathédrale St-Patrick, 5e Avenue et 51e Rue ; Notre-Dame-de-Lourdes, 405 Ouest 114e Rue, près de Morningside Drive ; St-Jean l'Évangéliste, 348 Est 55e Rue, près de la 1re Avenue ; St-Vincent-Ferrier, Lexington Avenue et 66e Rue ; St-Vincent-de-Paul, Ouest 23e Rue, entre les 6e et 7e Avenues.

Églises catholiques orthodoxes : St-Nicolas, 155 Cedar Street ;
Holy Trinity, 319 Est 74e Rue.

Églises protestantes : Cathédrale St. John the Divine, Amsterdam Avenue et 112e Rue ; St-Bartholomew's, Park Avenue et 51e Rue ; St-Thomas, 5e Avenue et 53e Rue ; Trinity Church, Broadway et Wall Street ; Fifth Avenue Presbyterian Church, 5e Avenue et 55e Rue.

Synagogue : Temple Emanu-El, 5e Avenue et 65e Rue.

Transports :

Air France, 666 5e Avenue. ☏ 247-0100.
Pan Am, 600 5e Avenue. ☏ 973-4000.
TWA, 624 5e Avenue. ☏ 695-6000.
East Side Terminal (lignes aériennes et autocars pour aéroports) 37e Rue et 1re Avenue, ☏ 697-3374.
Manhattan Air Terminal, 100 Est 42e Rue. ☏ 986-0888.
Passenger Ship Terminal, 711 12e Avenue et 52e Rue. ☏ 466-7974.
Cunard Line (compagnie de navigation), 555 5e Avenue. ☏ 983-2500.

Divers :

« Commodités » : on les trouve seulement dans les hôtels et les établissements publics, sous la dénomination « Rest Room » ou « Comfort Room ».

Objets trouvés : taxi, ☏ 363-2810.
« Subway » ou bus, 370 Jay Street, Brooklyn. ☏ 625-6200.

Prévisions météorologiques : ☏ WE 6-1212.

Heure exacte : ☏ 936-1616.

Consulat de France : 934 5e Avenue. ☏ 535-0100.

Institutions françaises : les plus importantes sont citées p. 32.

Journaux français : Librairie de France, Rockefeller Center, 610 5e Avenue. ☏ 581-8810.
Hotalings, One Time Square et 142 Ouest 42e Rue.
Le Bookstore, French Institute Alliance Française, 22 Est 60e Rue.

Concordance des Poids et mesures

Longueurs				Poids		Volumes		
1 mile	1 yard	1 foot (pied)	1 inch (pouce)	1 ounce (once)	1 pound (livre)	1 pint	1 quart	1 gallon
1,609 km	0,914 m	0,3048 m	2,54 cm	28,349 g	0,453 kg	0,473 l	0,946 l	4,054 l

COMMENT CIRCULER A NEW YORK

Avant toutes choses l'étranger doit se pénétrer du fait que l'Américain est foncièrement discipliné, respectueux des priorités, des feux rouges, des piétons, des interdictions de stationner.

Au demeurant les infractions sont sévèrement réprimées par des amendes qui peuvent facilement atteindre plusieurs dizaines de dollars.

LE PIÉTON

Dans le quartier du centre où le trafic est intense et la circulation lente aux heures de pointe, où d'autre part le stationnement est fréquemment interdit, il y aura souvent intérêt à se déplacer à pied. Les New-Yorkais n'apprécient guère ce genre de locomotion, mais ce sera, surtout pour les étrangers, la meilleure façon de prendre « un bain de foule », d'admirer les vitrines et finalement de gagner du temps, du moins le jour. La nuit, il sera préférable, en effet, de s'abstenir de circuler à pied, surtout dans certains quartiers (éviter les parcs à la tombée du jour). Mieux vaut ne pas courir le risque d'une agression nocturne, toujours possible à New York, comme dans toutes les grandes villes cosmopolites.

L'AUTOMOBILE

Habituellement, la circulation automobile est assez facile et presque toujours régulière, sauf en fin d'après-midi, à l'heure de la sortie des bureaux, où elle devient très lente.

L'usage de l'avertisseur est interdit.

Dans la circulation on aura soin de bien choisir sa file, pour éviter de déboîter, opération difficile dans le flot de la circulation et contraire à l'usage. Sur les artères principales, il est souvent interdit de tourner à gauche.

Certaines rues peuvent être interdites à la circulation des voitures particulières. Par exemple les 49e et 50e Rues entre les 3e et 7e Avenues (en semaine de 11 h à 16 h).

Où et comment stationner. — Il est difficile de stationner dans Manhattan surtout dans le Sud (Downtown) pendant les jours ouvrables, en dehors des parkings aménagés dans certains musées et autres sites touristiques ou des garages dont les étages sont accessibles par ascenseurs. Hors des garages, le stationnement est souvent payant et onéreux, qu'il s'agisse de parcs gardés ou d'espaces taxés au moyen de compteurs de stationnement.

Location de voitures. Il est remarquablement aisé de louer une voiture à New York et les « Car Rentals » sont nombreux. Ceux qui n'ont pas de carte de crédit, doivent déposer une assez forte caution (200 dollars).

Le tarif moyen des modèles de type « compact » s'élève à 16 dollars environ à la journée plus 24 cents par mile parcouru ou bien 139 dollars à la semaine (gratuit pour les 700 premiers miles ; 21 cents par mile supplémentaire). Avec un chauffeur, il faut compter au moins 20 dollars par heure ou bien 75 cents par mile parcouru, pourboire non compris.

On peut louer une voiture pour New York à Paris même ou dans certaines grandes villes d'Europe, en s'adressant aux représentants des grandes compagnies de location américaines, telles que Hertz, Avis, etc.

L'essence revient à environ 14 cents le litre, mais son prix peut varier suivant les marques.

LES TAXIS

Reconnaissables à leur couleur jaune, les taxis n'ont pratiquement pas de stations réservées et ils opèrent constamment « en maraude » ; aux heures de pointe, il n'est pas facile d'en trouver. Il faut les héler ou les faire siffler par les portiers des hôtels.

On paye en moyenne la valeur de 90 cents pour le premier 1/7 mile et 10 cents pour chaque 1/7 supplémentaire. Il est d'usage de donner 20 % de pourboire au conducteur mais pas moins de 25 cents.

Tous les chauffeurs de taxi ont leur nom inscrit dans la voiture et sont séparés du client par une vitre épaisse, un tiroir sert à encaisser le prix de la course.

LES « BUSES » (Autobus)

Les autobus sont extrêmement nombreux et si leur destination est indiquée à l'extérieur des voitures, leur itinéraire peut paraître mystérieux au profane. La majorité d'entre eux parcourt l'axe Nord-Sud de Manhattan ; toutefois, ceux qui portent la mention « Crosstown » traversent l'île dans sa largeur. Les différentes lignes se distinguent par leurs numéros.

Fréquents, les arrêts ont lieu tous les deux « blocs » environ. La montée se fait à l'avant où le chauffeur perçoit, par le truchement d'une tirelire à timbre, les 50 cents *(appoint indispensable)* qui donnent droit à n'importe quel parcours sur la ligne ; à défaut, on pourra payer avec un jeton de métro (demi-tarif le dimanche pour métro et bus).

La descente s'effectue par la porte centrale. Pour demander l'arrêt, tirer sur la corde qui court au-dessus des vitres du véhicule. Lorsque celui-ci s'est arrêté, une lumière s'allume au-dessus de la porte qu'il faut pousser pour sortir.

Les autobus roulent toute la nuit, à l'exception de la ligne de la 5e Avenue, toutefois le service est réduit après minuit.

Un « block » (pâté de maisons) correspond à l'espace compris entre 4 voies dans un plan urbain quadrillé. Ce terme est couramment employé à New York.

LE « SUBWAY » (Métro)

Le métro est le moyen de transport public le plus utilisé de New York et le plus pratique pour les longues distances. Depuis 1940, les réseaux des trois compagnies différentes (IND, IRT, BMT) qui le constituaient ont été réunis en une seule exploitation.

L'ensemble développe 380 km (Paris, 177 km) et transporte près de 4 000 000 de voyageurs par jour (Paris, 4 000 000).

La plupart des trains circulent jour et nuit et roulent parfois à vue, notamment au moment des heures de pointe ; ils comptent de 2 à 10 voitures. Le métro de New York est efficace et rapide, certains circulant à 80 km/h. Depuis quelques années, le confort a été amélioré par l'apparition de nouvelles voitures à air conditionné et à meilleure suspension. Mais si le fracas des roues sur les aiguillages est grisant, il n'en fait pas moins regretter le confort et le silence des réalisations modernes sur pneumatiques de Paris ou de Montréal.

A l'origine, le métro new-yorkais était presque entièrement aérien, d'où le surnom de « El » (Elevated). Aujourd'hui, il est en majeure partie souterrain (Subway) sauf sur quelques tronçons dans les « boroughs » extérieurs.

Le tarif du transport est unique, quel que soit le parcours. Un jeton coûte 50 cents ; on l'introduit dans l'appareil de contrôle au moment de franchir le tourniquet.

Nous n'indiquons sur notre plan, encarté dans ce guide, que l'implantation des stations. *Se procurer le plan officiel (gratuit) du métro aux guichets des stations.*

Du bon usage du métro new-yorkais. — Le métro de New York peut paraître déroutant au nouveau venu ou au voyageur inattentif, aussi donnons-nous, ci-dessous, quelques indications pratiques.

Stations. — Tout d'abord, il faut savoir que souvent les entrées d'une même station ne correspondent pas entre elles. L'une donne accès aux directions vers le Nord, ou « haut de la ville » (Uptown), l'autre, située de l'autre côté de la rue, dessert les directions vers le Sud ou « bas de la ville » (Downtown). Il importe donc de faire attention aux indications qui figurent au dessus des portes d'entrées avant de s'engager.

On remarquera aussi que beaucoup de noms de station sont abrégés : Broadway devient Bway, Brooklyn se transforme en Bklyn, Pennsylvania en Penn, Washington en Wash, Eastern Parkway en Eastn Pkwy etc.

Les trains. — Une fois parvenu sur le quai, avant de monter dans un train, il convient de s'assurer qu'il dessert bien la destination choisie. En effet, en raison d'un jeu de bifurcations particulièrement riche, les trains passant dans une gare peuvent avoir jusqu'à cinq terminus différents.

Chaque train se différencie par un indicatif en lettres ou en chiffres visible en tête du convoi et sur les voitures. Celles-ci portent également le nom de la ligne et son terminus inscrits en noir sur blanc dans des voyants lumineux.

Il importe aussi de bien faire la différence entre trains express et trains omnibus.

Les trains omnibus circulent sur les voies latérales ; les express, sur les voies centrales. Ces derniers ne desservent que certaines stations.

Les correspondances. — Quelques stations de correspondance permettent de changer de ligne ou de direction sans acquitter à nouveau le droit d'entrée. Toute possibilité de correspondance est représentée sur notre plan.

Il faut noter enfin que les stations de correspondance ne portent pas forcément le même nom sur toutes les lignes desservies.

Quelques termes utiles :

Entrance	= Entrée	**Terminal**	= Terminus
Exit	= Sortie	**Transfer**	= Correspondance
Token	= Jeton	**Rush Hours**	= Heures de pointe
Local	= Omnibus	**Elevated**	= Ligne aérienne

Pour circuler dans Manhattan, utilisez le plan du métro et des autobus encarté dans ce guide.

POSTE - TÉLÉGRAPHE - TÉLÉPHONE

La poste centrale de New York (U.S. General Post Office) se trouve à Manhattan, sur la 8e Avenue entre la 31e et la 33e Rue ; elle est ouverte jour et nuit. Pour adresser le courrier en poste restante aux États-Unis, il faut mettre la suscription : « General Delivery », Main Post Office.

On peut se procurer des timbres par trois ou quatre mais à tarif plus élevé, dans les machines automatiques installées dans de nombreux lieux publics. Sur la voie publique les boîtes aux lettres sont peintes en rouge et bleu, mais il est également possible de poster la correspondance dans les boîtes privées des hôtels et de nombreux buildings.

Les télégrammes à l'intérieur des États-Unis sont acheminés par une compagnie privée, la Western Union (☎ 962-7111). Pour connaître l'emplacement du bureau le plus proche, composer le n° 354-9751. La Western Union et d'autres compagnies se chargent des télégrammes transatlantiques notamment French Cables qui accepte la dictée du message par téléphone : consulter l'annuaire.

Innombrables sont les cabines téléphoniques. Pour téléphoner à New York même il suffit de décrocher le récepteur, d'introduire une « dime » (10 cents) ou 2 « nickels » (5 cents) dans la fente, d'attendre la tonalité et de composer le numéro. Les communications interurbaines ou transatlantiques sont obtenues en faisant le 0, indicatif du central. Une communication téléphonique de trois minutes avec la France revient à 10,20 dollars (taxe exclue). En composant le (800)225-3050, on obtient n'importe quel renseignement pratique en français.

SPECTACLES ET DISTRACTIONS

New York, et surtout Broadway, constitue, pour les provinciaux tout comme les autochtones en mal d'amusement, un pôle d'attraction puissant.

Se reporter, pour plus de détails aux journaux ou aux hebdomadaires tels que « Cue », publication analogue à notre « Officiel des Spectacles », « New York Magazine » et « The New Yorker » qui propose une sélection de ce qu'il considère comme les meilleurs spectacles. Pour connaître les manifestations dans les parcs, s'adresser au Park Departement Events, ℡ 755-4100.

De nombreux musées, bibliothèques ou autres institutions organisent des spectacles culturels (soirées musicales, conférences, films). De plus, chaque « borough » possède son centre de culture.

Opéra et concerts. — Temple de l'art vocal, le Metropolitan Opera est depuis 1966 installé au Lincoln Center *(voir p. 106)*. La saison d'opéra, très suivie en raison de la qualité des artistes qui prêtent leur concours, dure de novembre à mars. Il y a beaucoup d'abonnés et la majorité des fauteuils est retenue longtemps à l'avance.

Au New York State Theater, le New York City Opera donne des représentations d'opéras avec un moins grand luxe de moyens. Les places, d'un prix relativement modéré, sont plus faciles à obtenir que pour le Metropolitan Opera.

Les salles de concert sont nombreuses. Les plus célèbres, où se font connaître orchestres et grands artistes internationaux, sont Carnegie Hall (n° 154 Ouest, 57e Rue) et Avery Fisher Hall au Lincoln Center *(détails p. 106)*.

A la belle saison, des spectacles *(gratuits)* ont lieu dans les parcs des cinq « boroughs » : concerts du Philharmonic Orchestra *(en août)*, ballets, opéras *(fin juin à fin août)* du Metropolitan Opera et du New York City Opera *(pas de sièges, se munir d'une couverture, venir tôt pour être bien placé)*.

Théâtres (Legitimate Theaters). — Broadway *(détails p. 45)* qui reste le grand centre du « New York by night » pour ses représentations théâtrales, se réserve la primeur de ces comédies musicales, spécialités américaines qui font ensuite le tour du monde. Les pièces à succès se jouent à bureaux fermés et les places doivent être louées 4 à 5 mois à l'avance.

Si l'on ne peut obtenir de billets sur les lieux du spectacle, on tentera sa chance auprès des agences ou aux bureaux des hôtels *(commission, environ 1,25 dollar par place ; les titulaires de « credit cards » peuvent retenir des places par téléphone)*.

Les théâtres « Off-Broadway » moins coûteux, localisés surtout dans Greenwich Village, Upper East et West Sides, se spécialisent dans des pièces d'avant-garde, jouées dans de petites salles (300 places). Les théâtres « Off-Off Broadway », localisés surtout dans le quartier de la Bowery, se spécialisent dans des pièces d'avant-garde expérimentales ou improvisées. Proche du public, ce théâtre nouveau n'impose pas véritablement de prix d'entrée, ne demandant qu'une simple contribution de la part du spectateur. *S'informer des programmes en appelant le 757-4473 ou consulter le périodique Village Voice.*

Le théâtre estival de plein air connaît une grande popularité : c'est ainsi que Shakespeare est joué en nocturne à Central Park *(de fin juin à fin août, entrée gratuite)*. Etant donné l'affluence, venir une heure à l'avance.

Cinémas (Movie Theaters). — Comme les théâtres, ils se pressent autour de Times Square et de la 42e Rue, les cinémas d'exclusivité se regroupant plutôt dans Upper East Side, à l'Est de Central Park. Presque tous sont permanents de midi à minuit et beaucoup passent des films érotiques. Les salles consacrées aux films d'art et d'essai sont réparties de Grand Army Plaza à la 3e Avenue et du côté de Greenwich Village. Des documentaires et des films sur l'Art sont programmés au Musée d'Art Moderne et au Whitney Museum.

Cabarets et « boîtes ». — Il y en a une multitude depuis le simple caveau pour étudiants de Greenwich Village, au décor fantaisiste ou macabre, les trépidantes discothèques, jusqu'aux « supper-clubs » (dîners dansants) ou aux « night-clubs » à spectacle. Ces derniers sont souvent situés dans les grands hôtels. De remarquables ensembles de jazz constituent l'attrait majeur de leur programme à tous. Dans la plupart des établissements de luxe, il est indispensable de retenir sa table.

Sports. — Les deux sports les plus populaires sont le « football », variante de rugby et surtout le base-ball *(voir p. 130)*. Les matches se déroulent souvent en semaine. Le basket-ball et la boxe ont aussi de fervents adeptes.

La saison de « football » dure seulement de septembre à décembre. Celle du base-ball bat son plein d'avril à octobre : en raison de la chaleur les matches se disputent souvent en nocturne, au Yankee Stadium *(p. 129)* ou au Shea Stadium *(réservation indispensable)*. Le Giants Stadium, faisant partie du complexe sportif de Meadowlands (East Rutterford, New Jersey), accueille les Football Giants, les Soccer Cosmos et autres manifestations.

Le Madison Square Garden *(détails p. 101)* est le cadre de manifestations sportives de qualité : concours hippiques, rodéos, hockey sur glace, basket-ball, boxe, etc.

Il y a des courses de chevaux toute l'année : pur sang *(de septembre à décembre)* à l'Aqueduct (CZ, *plan p. 139, Queens*) et au Belmont Race Tracks (DY, *plan p. 139, Long Island près de la limite Est de Queens*) ; trot attelé *(de janvier à août)* aux Roosevelt *(plan p. 144, Long Island)* et Yonkers Raceways *(plan p. 25, Westchester)* ; le grand Sports Complex de Meadowlands offre les deux genres de courses.

A New York, comme dans le reste de l'Amérique, on désigne les heures du matin « ante meridiem » par a. m. et celles de l'après-midi « post meridiem » par p. m. Exemple : 9 a. m. : 9 h (matin).

5 p. m. : 17 h (après-midi).

Jours fériés. — Les jours de fêtes chômés à New York sont le 1er janvier (New Year's Day), le 12 février (Lincoln's Birthday), le 3e lundi de février (Washington's Birthday), le dernier lundi de mai (Memorial Day), le 4 juillet (Independence Day), le 1er lundi de septembre (Labor Day), le 2e lundi d'octobre (Columbus Day), le 2e lundi de novembre (Veterans'Day), l'avant-dernier jeudi de novembre (Thanksgiving Day), le 25 décembre (Christmas Day).

Shopping. — A Manhattan, les principaux centres de commerce de détail sont les supermarchés (surtout pour l'alimentation et les produits d'entretien) et les grands magasins. Ceux-ci sont généralement ouverts, tous les jours sauf le dimanche, de 9 h 45 du matin à 18 h (20 h ou 20 h 30 un ou deux jours par semaine) ; ils possèdent un bureau de renseignements dont les employés polyglottes peuvent vous aider à faire vos achats.

Le commerce de luxe est concentré dans le centre, entre Park Avenue, Madison Avenue, 5e Avenue, et sur la 57e Rue.

Principales manifestations touristiques

Dates	Lieu	Nature de la manifestation
Janvier-Février ..	Chinatown	Jour de l'An chinois (p. 87).
17 mars	5e Avenue	Grande parade de St-Patrick (p. 51).
Mai	Washington Square	Exposition d'œuvres d'art en plein air.
	De la 36e à la 57e Rue	Festival international de la 9e Avenue.
Juin	5e Avenue	Parade portoricaine.
	De la 2e à la 9e Avenue	Festival de la 52e Rue.
13 juin	Soho (Sullivan Street)	Fête de saint Antoine de Padoue.
	Central Park et à travers la ville	Festival d'été (jusqu'en août) : concerts gratuits au Mail et pièces de Shakespeare au théâtre de plein air (Delacorte Amphitheater). Représentations dans plusieurs parcs.
Juillet	A travers la ville	Festival de jazz de Newport.
4 juillet	5e Avenue (Lower Manhattan)	Parade de l'Independence Day.
19 septembre ...	Quartier italien (Mulberry Street)	Fête de la St-Janvier, patron des Napolitains.
Septembre	Atlantic Avenue, Brooklyn	Carnaval des Antillais américains.
	Washington Square	Exposition d'œuvres d'art en plein air.
1er dimanche d'octobre	De la 29e à la 52e Rue	Parade polonaise sur la 5e Avenue.
12 octobre	5e Avenue	Parade du « Colombus Day » (chars en forme de caravelles pour célébrer la découverte de l'Amérique par Christophe Colomb).
Début novembre	Madison Square Garden	Concours hippique.
4e jeudi de novembre	Broadway, Herald Square	Parade Macy du Thanksgiving Day (p. 124).
Décembre	De la 34e à la 54e Rue	Festival de Noël de la 5e Avenue.
	Rockefeller Center	Arbre de Noël géant; fleurs de Noël (Poinsethyas) (p. 39).

LES ENFANTS A NEW YORK

Musées : Muséum d'Histoire naturelle; Brooklyn Children's Museum; Chinese Museum; Fire Department Museum; Hayden Planetarium; Junior Museum au Metropolitan Museum of Art; The Long Island Automative Museum à Southampton; Whaling Museum à Cold Spring Harbor.

Promenades : Central Park; Réserve de Jamaica Bay; Old Bethpage Restoration à Long Island; Richmond Restoration à Staten Island; le port de South Street; Stony Brook à Long Island.

Points de vue : Tour de Manhattan en bateau; Empire State Building; World Trade Center.

Parcs d'attraction : Coney Island; Jones Beach; Montauk State Park et Sunken Meadow à Long Island; Robert Moses State Park à Fire Island.

Zoos : Bronx Zoo; New York Aquarium; Staten Island Zoo.

PROGRAMMES DE VISITE

Ces programmes sont destinés aux visiteurs qui ne disposent que de quelques heures pour visiter New York. En deux jours, même quatre, on ne peut connaître une ville aussi gigantesque. Nous nous sommes efforcés, du moins, de ne rien négliger parmi les curiosités de tout premier ordre.

Le touriste trouvera dans le guide tous renseignements historiques ou pratiques sur les musées et les monuments ainsi que des plans qui le guideront dans sa visite.

Visites-Conférences. — Le musée de la Ville de New York (Museum of the City of New York) organise des promenades commentées des monuments et des quartiers de New York, d'avril à octobre, sauf en août. Durée de chaque promenade : environ 2 h ; renseignements au musée, 1220 Fifth Avenue, New York 10029, ☎ LE4-1672. D'autres associations (Municipal Art Society, visite par roulement de six quartiers, le dimanche de mai à octobre) organisent des visites-conférences dont les programmes sont publiés dans la presse (New York Magazine, Cue, etc.).

Promenades aériennes. — Des survols de New York en hélicoptère (durée minimum : 6 mn) sont organisés, si le temps le permet. S'adresser à Island Helicopters, héliport : 34ᵉ Rue et East River, ☎ 895-5372 ou 751-5978. Il est prudent de réserver.

Promenades en bateau. — Croisière de 3 h autour de l'île de Manhattan. Embarquement quai 83, au pied de la 43ᵉ Rue Ouest, du 31 mars au 12 novembre. Horaire variable suivant les mois ; en pleine saison de 9 h 45 à 17 h, sinon de 10 h 30 à 14 h. Circle Line, ☎ 563-3200. Prix : 6 \$; enfants : 3 \$.

PROGRAMME DE 2 JOURS

1ᵉʳ Jour	**Impression générale de New York**

La matinée sera consacrée à une promenade en autocar★★★ qui permettra d'avoir une idée générale de New York.

Se rendre au n° 900 de la Huitième Avenue où se trouve la gare des autocars de la Gray Line qui assure la visite commentée de la ville et prendre le « Grand Tour » (premiers départs à 9 h 15 ; durée de la promenade, 4 h 30 environ ; prix : 9,50 \$). Certains jours ont lieu des visites commentées en français ; s'informer sur place (765-1600) ou dans les hôtels (se procurer le dépliant). Le « Grand Tour » permet de parcourir les quartiers les plus typiques de Manhattan et de voir l'extérieur des principales curiosités ; trois arrêts sont prévus, l'un à Chinatown, le second à Battery Park et le dernier à St. John the Divine.

Déjeuner à Clinton

A l'extrémité Ouest de la 42ᵉ Rue (Pier 83) est situé l'embarcadère des bateaux de la Circle Line, qui effectuent, en 3 h environ, un circuit★★★ autour de l'île de Manhattan en empruntant l'Hudson, l'East River et Harlem River (départ toutes les demi-heures de midi à 15 h 30, de fin mars à mi-novembre ; prix : 6 \$). Visite commentée. Renseignements à 563-3200 et dans les hôtels (se procurer le dépliant).

Ce périple permet d'avoir une vue d'ensemble du site de New York, de découvrir l'activité du port, et d'admirer les perspectives spectaculaires sur les gratte-ciel et les grands ponts new-yorkais ; le passage entre la pointe de Manhattan et la statue de la Liberté, la vision du palais des Nations Unies se détachant devant les gratte-ciel de la 42ᵉ Rue, enfin le débouché de Harlem River sur l'Hudson sont particulièrement impressionnants.

Dîner et soirée à Broadway

La soirée sera passée à Broadway★★ (p. 46) illuminé où l'on pourra assister à un spectacle.

2ᵉ jour	**De Rockefeller Center à Greenwich Village**

Rockefeller Center★★★ (p. 38) et les gratte-ciel récents de l'Avenue of the Americas (6ᵉ Avenue) constituent un remarquable ensemble d'urbanisme, où l'on se promènera agréablement.

Puis prendre un des autobus qui sillonnent la 5ᵉ Avenue (p. 47) et descendre à la 34ᵉ Rue. Du sommet de l'Empire State Building★★★ (p. 47) on découvre un panorama extraordinaire sur New York et les environs.

Reprendre un autobus sur Park Avenue (ligne n° 1) pour gagner le Quartier des Affaires★★★ et Wall Street (p. 94) où l'on assistera en fin de matinée à la sortie des bureaux qui déversent sur le trottoir un flot d'employés.

Déjeuner à Wall Street

De là, il faut prendre le métro (ligne 4, 5 ou 6) jusqu'à la gare Grand Central Terminal. A pied, par la 42ᵉ Rue★★ (p. 72) bordée de gratte-ciel datant pour la plupart d'entre les deux guerres, on atteint le palais des Nations Unies★★★ (p. 69) ; la visite se fait sous la conduite d'une hôtesse.

Cheminer ensuite dans la 49ᵉ ou la 50ᵉ Rue jusqu'à Park Avenue★★★ (p. 75) : impressionnante perspective sur le Pan Am Building.

Dîner et soirée à Greenwich Village

Terminer la soirée à Greenwich Village★★ (p. 82) où l'on ne manquera pas de passer quelques instants dans une « boîte » de l'endroit pour écouter les musiciens de jazz ou les chanteurs de Folks (chants populaires).

JOURNÉE SUPPLÉMENTAIRE

Les personnes disposant de plus de temps, pourront se consacrer à la visite d'un des autres « boroughs », dont ils trouveront une sélection des curiosités à la fin du guide : le Bronx (p. 127 à 130), Brooklyn (p. 131 à 136), Queens (p. 137 à 139), Staten Island (p. 140-141).

Culture Bus Loops. — La New York City Transit Authority organise deux circuits culturels les samedis, dimanches et jours fériés. Le billet valable pour la journée, permet au voyageur de monter et de descendre à n'importe quel arrêt, mais n'inclut pas la visite des différentes curiosités. On peut acheter un billet dans les guichets du métro aux heures des circuits. Pour les Loops I et II à Grand Central Terminal, Penn Station Port Authority Terminal et Times Square ; pour le Loop II à Brooklyn Borough Hall et Atlantic Avenue.

Le **M 41, Culture Bus Loop I,** parcourt le centre et le Nord de Manhattan dans le sens des aiguilles d'une montre s'arrêtant 22 fois. Parmi les curiosités touristiques : le Lincoln Center, le Metropolitan Museum of Art, le Rockefeller Center, les Nations Unies et l'Empire State Building. Départ de 10 h à 18 h toutes les 20 minutes en juillet et août, toutes les 30 minutes le reste de l'année.

Le **B 88, Culture Bus Loop II,** parcourt Brooklyn et le Sud de Manhattan s'arrêtant 32 fois. Parmi les curiosités touristiques : Brooklyn Heights, Prospect Park, Brooklyn Museum, Brooklyn Botanic Garden, Chinatown, Little Italy, les Nations Unies, Greenwich Village, Battery Park et South Street Seaport. Départ toutes les 30 minutes de 9 h à 18 h.

La Transit Authority organise également le Shopper's Special. En semaine, pour 75 cents par jour, il est possible de voyager de façon illimitée, en dehors des heures de pointe, dans le rectangle 59e et 32e Rues, 3e et 8e Avenues. Pour le même tarif, le Night on the Town Bus Ticket permet de voyager la nuit, du lundi au samedi de 18 h à 2 h, sauf sur les bus « express ».

PROGRAMME
DE 2 JOURS

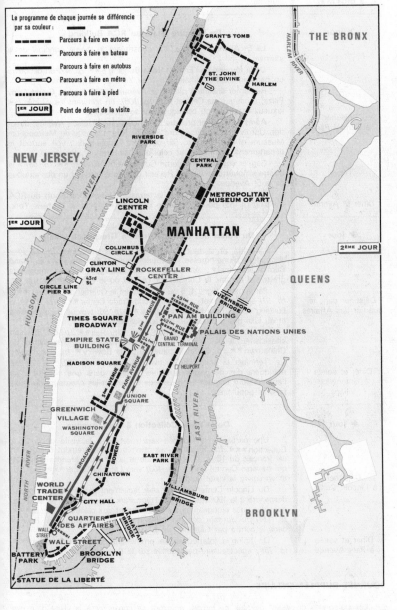

Le programme de chaque journée se différencie par sa couleur :

- – – – Parcours à faire en autocar
- ········· Parcours à faire en bateau
- ———— Parcours à faire en autobus
- o—o—o Parcours à faire en métro
- ■■■■■■ Parcours à faire à pied
- [1ER JOUR] Point de départ de la visite

Pour circuler dans New York, utilisez le plan du métro et des autobus encarté dans ce guide.

PROGRAMME
DE 4 JOURS

1er Jour

De Rockefeller Center à Broadway

On consacrera la matinée à Rockefeller Center ★★★ *(p. 38)* et aux gratte-ciel récents de l'Avenue of the Americas (6e Avenue), puis au musée d'Art moderne ★★★ *(p. 42)*, d'où l'on gagnera Times Square.

Au début de l'après-midi, prendre, à l'angle de Broadway et de la 42e Rue, le bus « Crosstown » M 106 en direction de l'Hudson et descendre au terminus. A côté se trouve l'embarcadère des bateaux de la Circle Line qui effectuent en 3 h environ un circuit ★★★ autour de l'île de Manhattan en empruntant l'Hudson, l'East River et l'Harlem River (départ toutes les demi-heures de midi à 15 h 30, de la fin mars à mi-novembre ; prix : 6 $).

Déjeuner à Clinton ou au musée d'Art moderne

Visite commentée : renseignements à 563-3200 et dans les hôtels (se procurer le dépliant).

Ce périple se fait dans le sens contraire de celui des aiguilles d'une montre. Il permet d'avoir une vue d'ensemble du site de New York, de découvrir l'activité du port et d'admirer des perspectives spectaculaires sur les gratte-ciel et les grands ponts new-yorkais : le passage entre la pointe de Manhattan et la statue de la Liberté, la vision du palais des Nations Unies se détachant devant les gratte-ciel de la 42e Rue, enfin le débouché de Harlem River sur l'Hudson sont particulièrement impressionnants.

Dîner et soirée à Broadway

La soirée sera occupée par une flânerie dans Broadway ★★ *(p. 45)* illuminé.

2e jour

De l'Empire State au RCA Building

La 5e Avenue ★★★ *(p. 47)* constituera le thème principal de la journée.

De la terrasse de l'Empire State Building ★★★ *(p. 47)* on découvre un panorama extraordinaire sur New York et ses environs.

Remonter ensuite à pied la 5e Avenue *(p. 47)* jusqu'à Grand Army Plaza, à hauteur de Central Park *(p. 105)*, en admirant les vitrines des luxueux magasins ou boutiques qui se succèdent.

Déjeuner à Central Park

Après le déjeuner prendre un autobus sur Madison Avenue, direction Uptown, et en descendre à la 82e Rue. La visite du Metropolitan Museum of Art ★★★ *(p. 58)* occupera l'après-midi : voir surtout le département du mobilier et celui des peintures.

Gagner ensuite le moderne Guggenheim Museum ★★ *(p. 68)* à la bizarre silhouette en ellipse. Revenir dans le centre par un des autobus de la 5e Avenue.

Dîner 5e Avenue

Après le dîner, monter à la terrasse (Observation Roof) du RCA Building *(p. 39)* pour y jouir de la vue ★★★ nocturne de New York.

3e jour

Du Palais des Nations Unies à Greenwich Village

Le matin, on visitera le palais des Nations Unies ★★★ *(p. 69)* sous la conduite d'une hôtesse. Parcourir ensuite la 42e Rue jusqu'au Grand Central Terminal ★, en admirant au passage quelques imposants gratte-ciel comme le Chrysler ★★ *(p. 73)* ou le Pan Am ★★★ *(p. 74)*.

Déjeuner dans le quartier des Affaires

Par le métro (ligne 4, 5 ou 6), atteindre le Quartier des Affaires ★★★ *(p. 91)* et Wall Street ; visiter le World Trade Center ★★★ *(p. 91)* et le building de la Chase Manhattan Bank ★★ *(p. 96)* typique du gigantisme et du luxe des grandes sociétés américaines.

A peu de distance de Wall Street, City Hall ★★ *(p. 88)*, par son classicisme à la française, fait contraste avec l'exotisme de Chinatown ★★ *(p. 87)* et la pauvreté de la Bowery ★ *(p. 85)*.

Dîner et soirée à Greenwich Village

Terminer la soirée à Greenwich Village ★★ *(p. 82)*, où l'on ne manquera pas de passer quelques instants dans une « boîte » de l'endroit pour écouter les musiciens de jazz et les chanteurs de Folks (chants populaires).

4e jour

De la Frick Collection à Park Avenue

Une partie de la matinée sera réservée à la visite de la Frick Collection ★★★ *(p. 56)* et de ses œuvres particulièrement choisies en art français du 18e s. A la 5e Avenue et la 67e Rue, prendre le bus 29 qui traverse Central Park ★ *(p. 103)* vers Lincoln Center ★★★ *(p. 106)* et en suivre la visite guidée.

Déjeuner à Lincoln Center

Du Lincoln Center on peut aller facilement par le métro (ligne A : descendre à la 190e Rue) à Fort Tryon Park ★★ *(p. 113)* d'où se dégagent des vues plongeantes sur l'Hudson, et aux célèbres Cloîtres ★★★ *(p. 114)* qui abritent des merveilles d'art médiéval européen. Revenir dans le centre par l'autobus n° 4.

Dîner et soirée à Park Avenue

On finira la journée en se promenant dans Park Avenue ★★★ *(p. 75)* : spectaculaire perspective sur le Pan Am Building.

JOURNÉE SUPPLÉMENTAIRE

Les personnes disposant de plus de temps, pourront se consacrer à la visite d'un des autres « boroughs », dont ils trouveront une sélection des curiosités à la fin du guide : le Bronx *(p. 127 à 130)*, Brooklyn *(p. 131 à 136)*, Queens *(p. 137 à 139)*, Staten Island *(p. 140-141)*.

Le programme de chaque journée se différencie par sa couleur :

········ Parcours à faire en bateau

──────── Parcours à faire en autobus

o═══o═══o Parcours à faire en métro

▪▪▪▪▪▪▪▪ Parcours à faire à pied

1ER JOUR Point de départ de la visite

LES CLOÎTRES

FORT TRYON PARK

190 ST. FT. WASH AV.

WASHINGTON BRIDGE

HARLEM RIVER

THE BRONX

NEW JERSEY

RIVER

HUDSON

RIVERSIDE PARK

HARLEM

MANHATTAN

CENTRAL PARK

GUGGENHEIM MUSEUM

METROPOLITAN MUSEUM OF ART

1ER JOUR

LINCOLN CENTER

82 ème RUE

MADISON AVE

FRICK COLLECTION

4ÈME JOUR

COLUMBUS CIRCLE

MUSÉE D'ART MODERNE

CLINTON

ROCKEFELLER CENTER

62 ème RUE

GRAND ARMY PLAZA

QUEENS

CIRCLE LINE PIER 83

R C A BUILDING

RUE

PARK AVENUE

PAN AM BUILDING

GRAND ARMY PLAZA

QUEENSBORO BRIDGE

TIMES SQUARE BROADWAY

5 ème AVENUE

GRAND CENTRAL TERMINAL

42 ème RUE

PALAIS DES NATIONS UNIES

2ÈME JOUR

EMPIRE STATE BUILDING

34 ème RUE

HELIPORT

3ÈME JOUR

GREENWICH VILLAGE

WASHINGTON SQUARE

NORTH RIVER

EAST RIVER

CITY HALL

CHINATOWN

WORLD TRADE CENTER

WALL STREET

QUARTIER DES AFFAIRES

WILLIAMSBURG BRIDGE

BROOKLYN

CHASE MANHATTAN BANK

MANHATTAN BRIDGE

WALL STREET

BROOKLYN BRIDGE

STATUE DE LA LIBERTÉ

LA CITÉ ET L'ÉTAT DE NEW YORK

Situation. — Sur la côte orientale des États-Unis, New York est baignée par l'océan Atlantique que refroidit ici le courant du Labrador mais qui ne tempère pas la canicule estivale. La ville occupe un site portuaire *(détails p. 28)* remarquable à l'embouchure de l'Hudson et de l'East River qui est en réalité un bras de mer, tout comme la Harlem River. Elle jouit au Sud d'une baie profonde que protègent deux îles, anciennes moraines frontales d'un glacier quaternaire. Entre ces deux îles un détroit, les « Narrows », donne accès à la baie, une des plus vastes et des plus sûres du monde.

New York est à la même latitude que Naples. L'altitude varie de 1,50 (Battery Park) à 120 m (Washington Heights). Le climat est de type continental *(détails sur les saisons p. 13)* avec prédominance des vents d'Ouest, encore que l'on y hume le souffle vif de l'air marin.

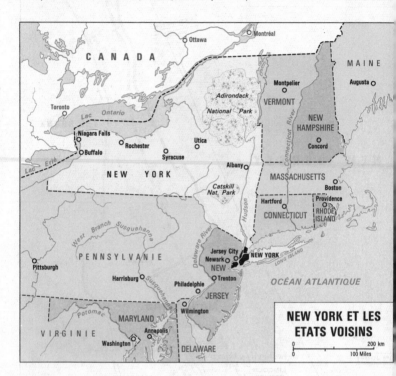

NEW YORK ET LES ÉTATS VOISINS

Dimensions et population. — La superficie des cinq « boroughs » *(voir ci-dessous)* constituant New York atteint quelque 800 km²; leur plus grand axe, du Nord-Est au Sud-Ouest, mesure 55 km environ.

Le total de la population de New York dépasse 7,4 millions dont 20 % pour Manhattan. Si l'on compte d'autre part les « commuters », travailleurs demeurant en grande banlieue qui viennent chaque jour à New York, on arrive à 10 000 000. Des chiffres de cette importance ne se retrouvent qu'à Londres ou à Tokyo. La composition de la population est très hétérogène, en raison des arrivées successives d'immigrants *(détails p. 30)*.

Les cinq « boroughs ». — Depuis 1898, New York, auparavant limitée au seul Manhattan comprend cinq « boroughs » (bourgs) dont les limites sont les mêmes que celles des comtés primitifs auxquels ils se sont substitués : ce sont **Manhattan** (comté de New York), **Brooklyn** (comté de Kings), **Queens, le Bronx** et **Staten Island** (comté de Richmond). Les comtés de l'État de New York correspondent aux divisions administratives du temps de la colonisation, qui sont encore partiellement en vigueur : ils équivalent en surface aux arrondissements français. Les cinq « boroughs » de New York, plus les comtés de Nassau et Suffolk (Long Island), Westchester, Rockland et Putman constituent **« Greater New York »**.

Le Bronx est le seul des cinq « boroughs » qui fasse partie du continent alors que Manhattan et Staten Island sont des îles et que Brooklyn et Queens forment l'extrémité de Long Island. New York constitue, comme l'ont remarqué les géographes, un archipel, une «cité sur l'eau ».

Les cinq « Boroughs » ne sont pas uniformément bâtis et ne constituent pas une agglomération au sens strict du mot. Des lambeaux d'espaces libres subsistent sur les franges de Brooklyn et de Queens; quant à Staten Island, c'est encore la campagne à l'exception de St-George et de quelques villages. Il y a là possibilité d'une extension future, surtout depuis l'achèvement du pont Verrazano.

Tableau comparatif des « boroughs »

Manhattan	le Bronx	Brooklyn	Queens	Staten Island
58 km²	107 km²	210 km²	280 km²	148 km²
1 417 000 h.	1 343 000 h.	2 398 000 h.	1 967 000 h.	328 000 h.

La région métropolitaine de New York. — On appelle ainsi la « région économique » qui inclut 29 comtés environnant New York. Douze de ces comtés dépendent de l'État de New York, neuf du New Jersey et un du Connecticut. L'ensemble s'étend sur 18 000 km² et compte environ 12 millions d'habitants. En dehors de la métropole on y trouve Newark (390 000 habitants) et cinq villes de plus de 100 000 habitants.

Deux grands organismes président au développement de la région métropolitaine de New York : ce sont la Port Authority of New York and New Jersey *(détails p. 29),* qui couvre 17 comtés dans les États de New York et du New Jersey, et le Triborough Bridge and Tunnel Authority.

L'État de New York. — La cité de New York a donné son nom à cet État, le 11e des 13 États primitifs de l'Union, État que Washington avait gratifié d'un surnom flatteur : il l'appelait l'« Empire State ».

Quatre fois plus vaste que la Belgique l'État de New York s'étend de l'Hudson aux Grands Lacs et aux chutes du Niagara ; au Nord il touche au Canada. Il est divisé en comtés et sa capitale n'est pas New York mais Albany (la cité de New York fut capitale de 1784 à 1797).

Le pavillon de New York, à bandes verticales bleu, blanc, orange, est inspiré du drapeau des Pays-Bas au 17e s. ; les Français ont tendance à le confondre avec leur emblème national.

VOIES D'ACCÈS ET DE TRAVERSÉE

La carte ci-dessous indique les principales routes d'accès à Manhattan, les voies de traversée et de contournement des autres « boroughs » ; elle situe d'autre part les ponts, tunnels, gares ferroviaires ou routières, aérodromes ou héliports les plus fréquentés par les touristes, ainsi que l'aérogare.

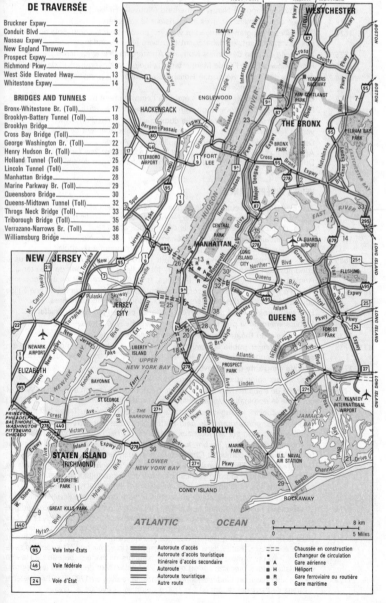

VOIES D'ACCÈS ET DE TRAVERSÉE

Bruckner Expwy	2
Conduit Blvd	3
Nassau Expwy	4
New England Thruway	7
Prospect Expwy	8
Richmond Pkwy	9
West Side Elevated Hway	13
Whitestone Expwy	14

BRIDGES AND TUNNELS

Bronx-Whitestone Br. (Toll)	17
Brooklyn-Battery Tunnel (Toll)	18
Brooklyn Bridge	20
Cross Bay Bridge (Toll)	21
George Washington Br. (Toll)	22
Henry Hudson Br. (Toll)	23
Holland Tunnel (Toll)	25
Lincoln Tunnel (Toll)	26
Manhattan Bridge	28
Marine Parkway Br. (Toll)	29
Queensboro Bridge	30
Queens-Midtown Tunnel (Toll)	32
Throgs Neck Bridge (Toll)	33
Triborough Bridge (Toll)	35
Verrazano-Narrows Br. (Toll)	36
Williamsburg Bridge	38

NEW YORK

DANS LE PASSÉ

LES INDIENS · NOUVELLE-AMSTERDAM

A l'origine, des Indiens, surtout des Algonquins, peuplaient la région de New York. Chaque tribu possédait un territoire déterminé, vivant au sein de petits villages faits de huttes d'écorce. Pêche, chasse, culture assuraient leur nourriture.

1524 Le premier explorateur européen, **Giovanni da Verrazano**, un Florentin au service du roi de France François 1er, découvre l'île de Manhattan *(voir p. 97).*

1609 Recherchant une route vers le Nord, pour le compte de la compagnie hollandaise des Indes orientales, **Henry Hudson** à bord du Half Moon, remonte le fleuve qui porte aujourd'hui son nom.

1613 Adriaen Block, autre navigateur, contraint de s'installer sur l'île, annonce la venue des premiers colons. Des restes de son bateau, le Tigre, sont encore visibles au musée de la ville de New York *(voir p. 118).*

1614 La province s'appelle Nieuw Netherland (Nouvelle-Hollande).

1619 Arrivée des premiers esclaves africains sur le sol américain.

1624 32 familles d'émigrants français et wallons, envoyés par la compagnie hollandaise des Indes occidentales débarquent du navire Nieu Nederlandt.

1625 La ville se nomme désormais Nouvelle-Amsterdam (**Nieuw Amsterdam**).

1626 Peter Minuit achète l'île de Manhattan aux Indiens pour l'équivalent de 24 dollars.

1628 Au nom de l'Église Réformée Hollandaise, arrivée du premier pasteur. Mise en chantier de la première église.

1639 Un danois, Johannes Bronck, s'établit à l'emplacement du Bronx actuel.

1647 **Peter Stuyvesant** est nommé gouverneur général *(voir p. 85).*

1653 Nouvelle-Amsterdam est reconnue comme ville et dotée d'un statut. Peter Stuyvesant fait construire un mur de protection à l'emplacement de Wall Street.

1664 Dans le cadre de la guerre contre la Hollande, les Anglais s'emparent de Nouvelle-Amsterdam sans tirer un seul coup de feu, la rebaptisent **New York** en l'honneur du Duc d'York, qui reçoit les territoires du nouveau continent détenus par son frère, le roi Charles II d'Angleterre.

VERS L'INDÉPENDANCE

1667 Traité de Breda : en échange de Surinam (Guyane hollandaise), l'Angleterre prend à la Hollande la province de Nieuw Netherland dont fait partie New York. L'administration passe totalement sous la dépendance anglaise.

1673 Les Hollandais reprennent la ville, changent son nom en Nouvelle Orange, mais l'année suivante par le traité de Westminster la rendent aux Anglais.

1689 Cette année marque en Angleterre la fuite du roi Jacques II. A New York, sous la conduite de l'allemand Jakob Leisler, les Hollandais essayent de résister aux Anglais. Guillaume III de Nassau-Orange, roi d'Angleterre, met fin à la rébellion.

1693-1703 New York connaît un plein essor, citons entre autres la construction d'une église anglicane, l'édition des premiers journaux, l'apparition de réverbères, etc.

1725 Premier journal officiel, la New York Gazette, publiée par **William Bradford.**

1729 Établissement de la première synagogue dans Beaven Street.

1732 Ouverture d'un théâtre dans le quartier de Maiden Lane.

1733-1735 **John Peter Zenger** publie le New-York Weekly Journal, journal d'opposition, qui sera brûlé l'année suivante par les Anglais. Zenger est traduit en justice *(p. 91).*

1741 Révolte sanglante des esclaves noirs.

1760 Treize États coloniaux existent dans tout le Nouveau Monde.

1763 Le traité de Paris met fin à la guerre de Sept ans (the French and Indian War) et confirme la domination anglaise sur la région de New York.

1764 Loi mal accueillie, le Sugar Act, visant à enrichir les caisses du Trésor britannique.

1765 Réunion des représentants de neuf États pour protester contre la Loi du Timbre (Stamp Act), droit sur les journaux et documents par l'apposition d'un timbre.

1766 Abrogation de la Loi du Timbre, la population new-yorkaise fait une véritable ovation à **William Pitt**, comte de Chatham, le principal vainqueur.

1767 La **loi Townshend** (The Townshend Acts), du nom de son créateur, chancelier de l'Échiquier, impose lourdement les colonies sur les produits importés. L'abrogation de cette loi, trois ans plus tard, se solde par le massacre de Boston.

1775-1783 Guerre d'Indépendance connue aussi sous le nom de **American Revolution.**

1776 L'**Indépendance** est proclamée le 4 juillet. La Déclaration d'Indépendance, rédigée par Thomas Jefferson, est lue aux soldats de Washington dans City Hall Park. Les Américains doivent s'imposer par une victoire sur les troupes anglaises. En août c'est la bataille de Long Island, Georges Washington à la tête de son armée doit battre en retraite. Retiré dans Morris-Jumel Mansion *(voir p. 121)* il réorganise la lutte et livre un combat victorieux sur les hauteurs de Harlem (bataille de Harlem Heights). Victoire précaire, car en octobre les Anglais sont de nouveau les maîtres.

1778 La France reconnaît l'Indépendance américaine, suivie en 1783, par l'Angleterre au **traité de Paris** qui reconnaît les Treize Colonies et évacue le pays.

NEW YORK ET L'UNION

1784	New York devient capitale de l'État et un an plus tard capitale fédérale.
1789	La **Constitution** des États-Unis est effective. Le 30 avril, le premier président George **Washington** prête serment sur le balcon de Federal Hall *(voir illustration et p. 95)* devant une foule en liesse.
1790	Premier recensement, New York : 33 000 habitants. Philadelphie devient capitale fédérale.
1792	Début de la Bourse, en plein air, sur Wall Street *(voir p. 94)*. Réélection de G. Washington à la présidence.
1797	La capitale de l'État de New York est transférée à Albany.
1807	**Robert Fulton** essaye son bateau à vapeur, le Clermont, sur l'Hudson.
1812	New York est durement touchée par une nouvelle guerre anglo-américaine, notamment le port, en raison du blocus qui paralyse son activité.
1814	Le traité de Gand met un terme au conflit. Reprise des opérations portuaires. Le développement des bateaux à vapeur facilite la venue de nombreux émigrants sur le Nouveau Monde.
1825	Ouverture du **canal Érié**, faisant de New York l'avant-port des Grands Lacs.
1825	Apparition de l'éclairage au gaz.
1828	South Street, centre nerveux du port, connaît une extraordinaire animation.
1835	En décembre un gigantesque incendie ravage une grande partie de la cité.
1853	Exposition universelle à Crystal Palace *(voir p. 50)*.
1858	Naissance de Théodore Roosevelt, futur président des États-Unis, dans une maison proche de Gramercy Park. Construction de Central Park.
1860	Abraham Lincoln est élu président des États-Unis.
1861	Début de la **guerre de Sécession**, New York se bat du côté des Nordistes.
1863	Sanglantes émeutes à cause des inégalités dans l'incorporation de recrues (pour 300 dollars on pouvait échapper à la conscription) : Draft Riot.
1865	Fin de la guerre civile. La vie new-yorkaise s'épanouit, les gens s'enrichissent, le mécénat apparaît, des musées sont bâtis. Assassinat de **Lincoln** peu de temps après la victoire de l'Union. Cérémonies grandioses lors du passage du cortège funèbre à New York *(voir p. 88)*.
1868	Mise en service du premier métro aérien (« the El »).
1870	Ouverture de Central Park dont la construction avait commencé en 1858.
1882	Éclairage des rues à l'électricité.
1883	Inauguration du **Brooklyn Bridge** *(voir p. 90)*.
1886	Inauguration de la **statue de la Liberté** *(voir p. 100)*.
1893	Ouverture de l'hôtel Waldorf Astoria sur la 5e Avenue.
1898	De longues discussions aboutissent à la création du Grand New York (**Greater New York**), comprenant les cinq boroughs de Manhattan, le Bronx, Brooklyn, Queens et Staten Island. New York est alors la plus grande ville du monde avec une population de plus de 3 millions d'habitants.

NEW YORK AU VINGTIÈME SIÈCLE

1902	Achèvement de l'un des premiers gratte-ciel, le **Flatiron Building** *(voir p. 126)*.
1904	Mise en service du premier métro souterrain, coût du voyage 25 cents.
1913	Ouverture de Grand Central Terminal. Exposition internationale d'art moderne : **Armory Show.**
1920	Wall Street devient la première place financière du monde.
1927	**Lindbergh** réussit la première liaison aérienne sans escale de New York à Paris, et se voit accorder un « ticker tape parade » *(voir p. 88)*.
1929	En octobre, la panique financière à la bourse de New York, annonce la Grande Dépression. Manifestations imposantes sur la 5e Avenue.
1931	Achèvement de l'**Empire State Building** commencé deux ans plus tôt *(voir p. 47)*.
1939-1940	Exposition universelle à Flushing Meadows, 44 millions de visiteurs
1945	Les « **Nations Unies** » se réunissent plusieurs fois à New York.
1948	Inauguration du New York International Airport (baptisé J.F. Kennedy International Airport en 1963) dans Queens.
1951	Ticker Tape Parade : New York acclame le héros du Pacifique, le général Mac Arthur, qui détient avec 2 850 t, le record de la quantité de papier ramassé par les services de nettoiement.
1952	Les Nations Unies trouvent leur installation officielle au bord de l'East River *(voir p. 69)*.
1957	Le paquebot « United States » des United States Lines remporte le ruban bleu, record de vitesse sur la traversée de l'Atlantique.
1958	Grands projets d'urbanisation : Lincoln Center, World Trade Center, etc.
1964-1965	Exposition universelle sur le même emplacement qu'en 1939-1940.
1969	Ticker Tape Parade : la population new-yorkaise réserve aux premiers explorateurs de la lune, Neil A. Armstrong, Michael Collins et Edwin E. Aldrin, un accueil triomphal.
1973	Ouverture du World Trade Center dans Manhattan.
1975-1976	Nombreuses festivités pour le **Bicentenaire de la nation américaine.**

L'ÉCONOMIE NEW-YORKAISE

Activités portuaires, bancaires et industries de transformation sont les grandes sources de la richesse de New York. Cependant d'autres secteurs se sont fortement développés : industries du vêtement (ateliers du Garment Center), commerces (maisons d'édition), « services » comme les firmes de publicité de Madison Avenue et transports.

Le port. — Aménagées à l'origine au long de la côte Sud-Est de Manhattan, à hauteur de l'actuelle Fulton Street, les installations portuaires de New York s'étendirent dans le courant du 18e s. à la rive opposée regardant l'Hudson ; la « quarantaine » s'effectuait alors face à St. George (Staten Island).

De nos jours le port s'étend de part et d'autre de l'Hudson et sur tout le pourtour de la baie, l'emplacement primitif sur l'East River étant délaissé. L'estuaire avec ses 1 200 km aménageables, permet d'accueillir 250 navires en même temps et de répartir les activités du port autour de huit baies. Le cordon littoral de Manhattan dont l'emplacement ne se prête guère aux opérations modernes de chargement et déchargement des marchandises, doit se voir converti en zones commerciales, résidentielles et récréatives (à l'Est, Manhattan Landing Project et à l'Ouest, Battery Park City). La généralisation des conteneurs, nouveau mode de transport du fret, nécessitant de vastes terre-pleins et l'emploi de grands portiques a fait émigrer cette technique vers les rivages des autres boroughs ou du New Jersey. Ainsi Elisabeth dans le New Jersey, est le plus grand terminal à conteneurs du monde.

Le port de New York tient le 2e rang dans le monde pour le trafic après Rotterdam et devant Yokohama.

Ses atouts naturels. — Dans l'ordre d'importance, on peut les énumérer ainsi :
   — une vaste rade parfaitement sûre et dépourvue d'écueils ;
   — des profondeurs minimum de 13,50 m dans les chenaux d'accès aux môles ;
   — la proximité de l'océan et des eaux toujours libres de glaces ;
   — une atmosphère généralement dépourvue de brumes ;
   — un fond rocheux, ayant peu de tendances à l'ensablement ;
   — une amplitude de marée ne dépassant pas 1,50 m à la pointe de Manhattan.

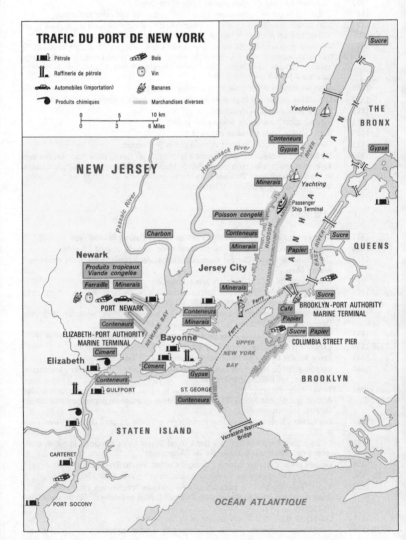

Son trafic. — Toutes les 28 minutes en moyenne, un navire de haute mer jette ou lève l'ancre dans le port, ce qui correspond à environ 18 000 mouvements par an.

1976 Trafic (en tonnes)	New York	Rotterdam	Yokohama	Marseille	Anvers	le Havre
	117 000 000	280 000 000	113 805 000	103 980 000	87 000 000	82 000 000

Le trafic, en augmentation bien que l'arrière-pays soit plus accessible par l'embouchure du St-Laurent et les Grands Lacs, porte surtout sur les pétroles déchargés aux môles (« piers ») de Bayonne, les produits tropicaux et les grains (môles de Brooklyn), le papier, les pondéreux, etc. *(voir carte p. 28)*.

Le nombre de voyageurs en 1976 était de 382 000, New York venant en tête de ligne pour 180 liaisons régulières de paquebots.

Entre l'Europe et l'Amérique ce sont des unités prestigieuses qui assurent les relations : Queen Elizabeth 2, Rotterdam, Statendam, Oceanic, Leonardo da Vinci, Mikhail Lermontov, Sagafjord, Royal Viking et Gripsholm.

Pour recevoir les paquebots, le nouveau **Passenger Ship Terminal** a été inauguré le 23 novembre 1974. Il comprend six môles d'amarrage situés entre les 48e et 52e Rues. Ensemble fonctionnel moderne, cette gare maritime s'élève sur trois niveaux : le niveau du sol est destiné aux marchandises ; le second, vastes salles d'accueil confortablement aménagées, aux passagers et aux bagages ; le troisième niveau, immense parking découvert, aux véhicules. Une rampe surélevée, d'une longueur de 510 m permet d'accéder en voiture au deuxième niveau et facilite, par sa largeur, les opérations de départ et d'arrivée des passagers.

Équipement et entretien. — Les 1 630 quais ou môles du port mesurent près de 1 250 km de long, soit la distance de Paris à Madrid. L'ensemble des docks couvre 120 ha et on compte 400 postes de mouillage en eau profonde. La plupart des entrepôts sont climatisés et plusieurs quais équipés pour la manutention des conteneurs.

New York dispose de possibilités d'expansion portuaire dans le Bronx, où l'on a bâti des entrepôts et des frigorifiques près du marché de Hunts Point.

Huit compagnies de chemin de fer évacuent les marchandises dans l'intérieur des États-Unis et au Canada. Elles utilisent un parc de 5 000 wagons parmi lesquels beaucoup transitent de New Jersey à New York par le truchement de barges que poussent de petits remorqueurs, ce qui permet de décongestionner le trafic ferroviaire par tunnels.

Les bateaux de servitude atteignent le nombre considérable de 4 000 unités qui donnent une animation constante à la rade. Aux barges, aux remorqueurs, aux vedettes, aux bateaux-pompes, aux ferrys s'ajoutent les dragues chargées de l'enlèvement des déchets jetés à la mer par les équipages. En effet on retire quotidiennement du fond des eaux 56 t de débris tels que ferrailles, boîtes de conserves, bouteilles, animaux morts, emballages, etc. ; une dizaine de cadavres humains est ramenée annuellement à la surface.

La Port Authority. — Le port est administré par un organisme autonome, la Port Authority of New York and New Jersey, fondé en 1921 sous les auspices des États de New York et de New-Jersey. La Port Authority se charge de l'organisation du trafic, de l'entretien et de l'amélioration des installations portuaires dans un rayon de 40 km autour de la statue de la Liberté.

Sous l'administration de la Port Authority sont placés en outre six des principaux ponts ou tunnels new-yorkais, la ligne ferroviaire PATH (Port Authority Trans Hudson) qui relie Manhattan au New Jersey, la gare routière Port Authority Bus Terminal, deux héliports, les 3 aéroports de la Guardia *(p. 139)*, Kennedy International *(p. 137)*, Newark, ce dernier sur l'État de New York. C'est aussi à la Port Authority qu'a été confiée la réalisation, entre Church Street et West Side Highway, à hauteur de Fulton Street, du **World Trade Center**, énorme réalisation *(voir p. 91)*.

Un organisme distinct la **Triborough Bridge and Tunnel Authority** a construit et gère d'autres ponts et tunnels à l'intérieur de New York.

Une place financière. — Quiconque parcourt Manhattan reste saisi par le nombre des banques rencontrées et le luxe rassurant qu'elles affichent.

Dès le 18e s. en effet l'économie new-yorkaise s'est développée sous le signe du crédit, la Bank of New York ayant été fondée en 1784, la Banque des États-Unis par Alexander Hamilton en 1791, la Bank of Manhattan à la même époque. Les banques new-yorkaises financent 21 % du commerce extérieur des États-Unis. A cette activité se joignent la célèbre bourse des valeurs dite New York Stock Exchange *(p. 95)*, les bourses du coton, du sucre, du cacao, du caoutchouc... Enfin, la quasi-totalité des grandes compagnies américaines d'assurance maritime ont leur siège à New York sans parler des sociétés étrangères couvrant les États-Unis.

Des industries très spécialisées. — New York n'est pas à vrai dire une ville industrielle et les cheminées d'usines y sont rares. Cependant, grâce à l'immigration, les ateliers de confection du Garment Center *(p. 101)* y prospérèrent dès le 19e s. Les autres activités sont plutôt le fait de petites affaires et concernent l'électronique, l'imprimerie et quelques industries chimiques ou alimentaires localisées dans le Bronx, à Brooklyn ou à Long Island City.

Commerce et « services ». — En dehors du commerce de gros et de luxe, florissant, il faut citer les grands magasins, les agences de publicité (Madison Avenue), les maisons d'édition (5e Avenue et Madison Avenue), les directions de sociétés avec leur cortège de bureaux d'ingénieurs-conseils, d'avocats, de spécialistes en organisation et en « prospective ». Dans ce domaine, des salaires élevés, des contacts fréquents avec l'étranger, une vie culturelle active, déterminent une activité créatrice dont le rayonnement rejaillit sur toute l'Amérique.

LA POPULATION

Un des traits marquants de New York reste traditionnellement son cosmopolitisme accentué et le nouvel arrivant y est frappé par la diversité de la population. Les minorités, d'abord rassemblées par affinités ethniques ou nationales dans certains quartiers, ont tendance, une fois assimilées, à se diffuser dans toute la ville.

Produit d'une assimilation dont la puissance est constante, le New-Yorkais est fier de son appartenance à une communauté dont il glorifie l'exubérante vitalité et la prospérité financière. Ce complexe de supériorité se traduit aussi par l'acuité d'un humour parfois féroce et par une certaine indifférence à ce qui se passe en dehors de la métropole.

Évolution de la population de 1624 à 1976 :

Date	Nombre d'habitants	Événements marquants
1624	200	Le premier bateau de colons affrêté par la Compagnie des Indes occidentales comprend surtout des protestants d'origine française.
1656	1 000	Des Anglais, des Écossais, des Allemands, des Scandinaves rejoignent les premiers émigrants.
1756	16 000	
1790	33 000	
1800	60 000	La population new-yorkaise compte alors environ 50 % d'habitants d'origine anglo-saxonne.
1856	630 000	Au milieu du siècle, des Allemands et des Irlandais arrivent en foule.
1880	1 911 700	A partir de 1880, des émigrants de l'Europe de l'Est et des Italiens du Sud arrivent en masse. Ce courant persistera jusqu'en 1924.
1900	3 437 200	A partir de 1900 le chiffre de population concerne les cinq « boroughs » au lieu du seul Manhattan.
1920	5 620 000	Après la Première Guerre mondiale, la migration noire devient importante, en provenance du Sud des États-Unis et des Antilles.
1924		Une loi sur l'immigration limite le nombre des entrées des nouveaux arrivants étrangers.
1930	6 930 500	Le pourcentage d'accroissement de la population new-yorkaise commence à diminuer.
1950	7 892 000	Après la Seconde Guerre mondiale une forte colonie de Portoricains s'établit à New York.
1960	7 782 000	De 1950 à 1960 la population de New York a diminué en raison de l'installation progressive de nombreux New-Yorkais en banlieue, suivant un processus commun à beaucoup de grandes cités. Depuis 1960 environ des intellectuels ou des artistes reviennent habiter le centre, notamment Greenwich Village.
1970	7 896 000	
1976	7 454 000	

Une population très diverse

Au 19e s. et au début du 20e s. l'expression « citoyen à trait d'union » servait à désigner les Américains d'origine étrangère venus grossir la population des États-Unis - « Irish-Americans » (Irlandais), « German-Americans » (Allemands), etc.

Nombreux à New York, en raison de la situation géographique de la ville, ils furent longtemps tenus à l'écart de la bonne société par l'aristocratie d'origine hollandaise ou anglaise. Aujourd'hui cette différence s'est considérablement atténuée ; elle a même pratiquement disparu surtout en ce qui concerne les citoyens d'origine irlandaise, allemande et les Israélites.

La souche italienne. — L'immigration italienne ne commença guère qu'après 1870. Elle était surtout le fait de pauvres gens, qui rentraient dans leur patrie après avoir amassé un pécule. Petit à petit ils firent venir leurs familles. Longtemps ils travaillèrent à la construction sous le contrôle des « padroni ».

Généralement d'origine napolitaine ou sicilienne, les Italiens ont reconstitué l'atmosphère de leur région dans des quartiers typiques (Little Italy). L'esprit de famille y est particulièrement développé. Catholiques pratiquants ils subissent l'influence des prêtres qui ont fondé chez eux maintes écoles primaires.

Si les Italiens s'adaptent difficilement, ils deviennent ambitieux pour leurs enfants qu'ils dirigent volontiers vers des emplois de fonctionnaires. Actuellement on compte surtout parmi eux des restaurateurs, des épiciers, des transporteurs, etc.

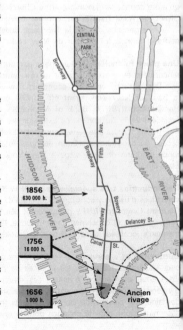

L'origine russe ou ukrainienne. — Les grandes vagues d'émigration en provenance de Russie étaient surtout composées, avant 1914, par des représentants des diverses minorités (Ukrainiens, Polonais, Lithuaniens...).

La Révolution de 1917 n'amena à New York qu'un petit nombre de Russes blancs en comparaison du grand nombre de ceux qui s'installèrent à Paris et dans d'autres capitales européennes. Beaucoup d'Ukrainiens et de Russes figuraient parmi les personnes déplacées qui se sont installées à New York après la 2e Guerre mondiale.

La communauté juive. — Venus d'Espagne et du Portugal, après être passés par la Hollande et l'Amérique latine, les juifs Sefardim s'installèrent à New York au 17e s. De 1880 à 1910, le quartier de Lower East Side fut le refuge de 1,5 millions d'entre eux : un grand nombre s'implantèrent à Brooklyn. En prenant une part active à la vie économique et culturelle de la cité, beaucoup se sont fait un nom.

Les Noirs. — Bien que leur origine remonte à l'époque coloniale hollandaise, ce n'est qu'à partir de 1900 que leur nombre s'accroît. Aujourd'hui la population noire de New York est de l'ordre de 2,2 millions d'habitants (Harlem, Brooklyn, le Bronx et Queens). Venus principalement du Sud rural, les Noirs se sont adaptés difficilement à la société industrielle du Nord.

La communauté noire contribue largement à la vie culturelle de la ville et du pays : jazz des années 20, littérature (Harlem Renaissance) et plus près de nous, le théâtre où se manifestent de grands talents notamment dans le Off-Broadway et Off-Off Broadway.

Parmi les fêtes noires célébrées à New York, citons le Black Solidarity Day (4 novembre), la Negro History Week (3e semaine de février) et l'anniversaire de Martin Luther King (12 janvier) événement national.

Les Portoricains d'origine. — La progression du nombre des Portoricains, de langue espagnole, a été exceptionnellement rapide : ils sont passés de 500 en 1910 à 40 000 en 1940 pour atteindre 613 000 en 1960, et 812 000 à l'heure actuelle; la raison en est que depuis 1917 ils sont citoyens de l'Union et peuvent se déplacer sans visa.

Ils se sont d'abord installés, dans le quartier d'East Harlem (El Barrio), puis ils ont essaimé dans Upper West Side, Brooklyn et le Sud du Bronx. Les plus fortunés logent à Washington Heights. Beaucoup sont employés dans le Garment Center *(voir p. 101)* et dans les hôtels, les restaurants, etc.

Les Portoricains qui se sont heurtés à des barrières économiques et sociales, apportent à la ville une petite note latine, empreinte d'un certain charme.

La souche germanique. — Parmi tous les immigrants, ce sont sans doute les Allemands et les Autrichiens qui se sont le plus rapidement assimilés. Composés de protestants et catholiques, de conservateurs et libéraux, de travailleurs manuels et intellectuels, ils ne forment pratiquement plus un groupe cohérent. Ayant abandonné leur langue d'origine ils ne sont plus liés que par quelques rares traditions.

Arrivés surtout dans la seconde moitié du 19e s. à la suite des lois sur la conscription en Prusse, les immigrants d'origine germanique s'installèrent alors autour du Tompkins Square, entre les 7e et 10e Rues Est. Un petit noyau homogène subsiste à Yorkville *(voir p. 125)*.

La souche irlandaise. — L'émigration irlandaise remonte au 17e s. Elle devient massive après la grande famine qui dévasta l'Irlande de 1846 à 1850, au point qu'en 1890 le quart de la population new-yorkaise était d'origine irlandaise. Puis cette proportion décrut sensiblement.

Dans la seconde moitié du 19e s., les Irlandais étaient considérés commes des gens d'allure rustique, travailleurs et pieux, aimant la dive bouteille, le bal et la bagarre. Actuellement ils constituent un groupe bien équilibré ayant des représentants dans les professions libérales ou juridiques, dans la politique et les syndicats.

Localisés autrefois dans Lower East Side, les New-Yorkais d'origine irlandaise sont maintenant dispersés dans toute la ville et sa banlieue. La majorité d'entre eux est de religion catholique et célèbre par de grandes démonstrations la fête de St-Patrick, patron de l'Irlande *(voir p. 51)*.

Les Chinois. — L'Extrême-Orient a fourni un contingent de Chinois fuyant la guerre civile, la plupart de Canton. Une partie de ces réfugiés est rassemblée dans le célèbre quartier de Chinatown *(voir p. 87)*.

Autres origines. — Parmi les ressortissants d'Europe orientale arrivés au début de ce siècle et à la fin du siècle dernier, on note beaucoup de Polonais, qui forment une communauté homogène, liée par la religion — ils sont presque tous catholiques — et un folklore encore vivace : la grande parade polonaise *(voir p. 19)* témoigne abondamment de la vitalité de leurs traditions nationales.

Dans Queens, on trouve une présence grecque non négligeable.

La libéralisation de la loi sur l'immigration a contribué à une arrivée massive de Sud-Américains et d'Asiatiques, parmi ces derniers, environ 40 000 Japonais.

Religions

A New York, comme dans le reste des États-Unis la religion protestante est divisée en plusieurs sectes de fidèles : ce sont en particulier les épiscopaliens, qui sont assez proches des catholiques tout au moins par la liturgie, les presbytériens, les luthériens, les baptistes, les méthodistes, les Quakers *(voir p. 137)*, les revivalistes, la Christian Science, etc. Les Catholiques et les Israélites représentent tout de même une forte proportion de la population. Les catholiques sont à peu près également répartis entre l'archevêché de New York et son évêché suffragant de Brooklyn.

La ville de New York compte plus de 3 600 édifices religieux.

LES FRANÇAIS A NEW YORK

Hier

Si l'on fait abstraction des explorateurs à qui l'on doit la découverte de New York, Français de naissance ou d'adoption *(détails p. 97)*, les premiers Français à avoir élu domicile sur Manhattan sont originaires du Nord de la France.

Quelques-uns arrivent avec les Hollandais, tels Peter Minuit *(voir p. 26)*, l'orfèvre Le Roux et l'architecte Jacques Cortelyou. Ce dernier demeure à Long Island, près de Fort Hamilton, au débouché de l'actuel pont Verrazano ; en 1660 il achève un plan de New York à vol d'oiseau.

D'autres protestants, chassés par la Révocation de l'Édit de Nantes (1685) se groupent en communautés correspondant à leur lieu d'origine : ils forment Bayonne et New Rochelle. Parmi eux, **Etienne de Lancey** (1663-1741) devint l'un des hommes les plus riches de New York *(p. 94, Fraunces Tavern)*, son fils James (1703-1760) présida en tant que juge aux assises du procès Zenger *(p. 91)*.

Au temps de l'indépendance. — A la fin du 18e s., **La Fayette, de Grasse** et **Rochambeau** — qui ne firent que passer à New York — sont loin d'être les seuls à illustrer l'intérêt que portent les Français au nouvel État.

Futur auteur du plan de Washington, le **Major L'Enfant** (1754-1825) réside à New York de 1788 à 1790 comme architecte du gouvernement alors que la ville tient momentanément le rang de capitale. Il fait construire, à l'emplacement de l'actuel carrefour Grand Street-Centre Street, l'immense pavillon à galeries destiné à abriter les 6 000 convives du banquet du 23 juillet 1788 en l'honneur de la Constitution. A la même époque, il transforme l'hôtel de ville, sur Wall Street, en Palais du Gouvernement (Federal Hall). Enfin l'Enfant dirige les travaux d'agrandissement de la chapelle St-Paul dont le décor intérieur refait sur ses indications.

Les émigrés. — La Révolution française engendre un courant d'émigration vers l'Amérique de Français de toutes conditions, nobles, artistes sans travail, négociants ruinés, hommes politiques menacés par la guillotine, planteurs chassés de St-Domingue par les Noirs révoltés. Leur nombre atteindra 25 000 dont la majorité s'installera à Philadelphie et à New York.

Issu d'une famille dijonnaise de robe, **Févret de St-Mesmin** (1770-1852), très doué pour les arts, débarque en 1792 à New York. A partir de 1794, il cherche à gagner de l'argent. C'est alors qu'il dessine et grave en couleurs deux vues panoramiques de New York, l'une prise de Long Island et l'autre de Mount Pitt. Plus tard il entreprend d'exécuter de petits portraits au physionotrace, instrument qui permet de reproduire en gravure un profil de personnage, en une séance de pose.

(D'après une estampe, photo Rémy)

Févret de St-Mesmin.

Joseph-François Mangin qui vécut à New York de 1794 à sa mort (1818), est nommé en 1795 ingénieur en chef des fortifications de New York. Il devient ensuite architecte-voyer de la ville dont il publie en 1803 un plan détaillé. Il conçoit aussi les dessins d'édifices maintenant disparus tels le Park Theatre et la Prison d'État, ou encore existants bien que remaniés comme la première cathédrale St-Patrick et le fameux City Hall.

Talleyrand séjourne près de New York en 1795 dans une propriété dominant l'Hudson à hauteur de l'actuelle 75e Rue. Il reconstitue sa fortune en spéculant sur les terrains.

Proscrits par Napoléon, le **général Moreau** et le baron **Hyde de Neuville** trouvent refuge à New York, respectivement en 1806 et 1807. L'un est républicain, l'autre a conspiré avec les Chouans. Moreau passe six ans à New York. Quant à Hyde de Neuville, c'est un homme accueillant ; sa femme a évoqué la vie new-yorkaise dans des gouaches charmantes.

Après Waterloo. — Quelques-uns des fidèles de Napoléon se réfugient en Amérique.

A New York ont élu domicile Régnault de St-Jean d'Angély, ancien Procureur Général près de la Haute Cour impériale et le colonel Combe, un Forézien, qui a épousé une riche Américaine et gère de vastes domaines à Utica dans l'État de New York. De temps à autre une réunion amicale les rassemble chez le négociant Jumel *(p. 119)* ou au restaurant Villegrand.

Milbert et Audubon sont des dessinateurs naturalistes. **Milbert** (1766-1840) s'établit à New York de 1815 à 1824 : on lui doit un itinéraire pittoresque du fleuve Hudson, enrichi par ses soins de dessins lithographiés. Quant au fameux **Jean-Jacques Audubon** (1785-1851), élève de David, la New York Historical Society lui a consacré une section de son musée *(voir p. 109)*.

Alexis de Tocqueville, écrivain politique, visita New York, en 1831 ; en 1835, paraissait sa « Démocratie en Amérique ». A partir de 1840 la condition des émigrés français change. Ce sont des tailleurs, des coiffeurs, des horlogers, des garçons de café, des cuisiniers ; ces derniers ont fait triompher la cuisine française. Les Français forment une communauté ayant son quartier, son quotidien (le Courrier des États-Unis) et sa milice, la « garde La Fayette ».

Aujourd'hui

Les Français sont près de 50 000. On trouve parmi eux des professeurs, des médecins, des commerçants, des techniciens de la mode, des propriétaires de galeries d'art, des coiffeurs, des gens de maison, des restaurateurs et des cuisiniers.

Corses, Languedociens, Bretons, Alsaciens forment des colonies groupées au sein d'associations régionales ou professionnelles (Vatel Club, Société Culinaire Philanthropique).

Les institutions françaises sont diverses : églises protestantes ou catholiques comme St-Vincent-de-Paul (116-120e Ouest 24e Rue), Hôpital Français (324 Ouest 30e Rue), Lycée Français (3 Est 95e Rue et 7 Est 72e Rue) Chambre de Commerce, sociétés culturelles comme la Maison Française de New York University, l'Alliance Française et l'Institut Français maintenant réunis en une seule organisation (22 Est 60e Rue).

ARCHITECTURE ET URBANISME

De l'entrepôt en bois du commerçant hollandais au gratte-ciel orgueilleux de la puissante société internationale, l'architecture new-yorkaise est passée par divers stades, subissant l'influence européenne avant de trouver sa voie avec l'ère industrielle.

Grâce à l'action de la City Landmarks Preservation Commission, un nombre important de sites et quartiers historiques a pu être préservé.

L'architecture « coloniale ». — Elle a fleuri à l'époque où les « colonies d'Amérique » étaient sous la tutelle anglaise, au 18e s. ; mais la tradition s'en est poursuivie jusqu'au 19e s.

L'architecture coloniale, dite aussi **« géorgienne »**, est inspirée du style en usage en Angleterre, au temps des rois George (1714-1830). Souvent peints en blanc, les bâtiments relevant de ce style sont habituellement construits en bois ou en briques et complétés par un portique ou un péristyle à colonnes ; des pierres en chaînages ornent souvent les angles. Un escalier donne accès à l'entrée. Les baies sont pouvues d'un entablement et d'un linteau saillants.

Parmi les rares exemples de style colonial ou géorgien subsistant à New York citons Fraunces Tavern, Morris-Jumel Mansion, Gracie Mansion et la chapelle St-Paul *(p. 90)*.

Les « Revivals ». — Le 19e s. voit se multiplier dans l'architecture les réminiscences (« Revivals ») de la manière antique ou médiévale.

Le **« Greek Revival »** (1820-1860) inspiré des temples ou des mausolées de la Grèce Antique s'applique, à New York, plus aux églises et aux monuments publics qu'aux demeures privées. En témoignent l'église St. Mark's-in-the-Bowery, le Federal Hall National Memorial qui reproduit le plan et l'élévation d'un temple dorique, la Colonnade Row, la tombe de Ulysses S. Grant évoquant le mausolée de l'antique Halicarnasse. Avec leur portique à colonnes ioniques, les maisons de Washington Square sont aussi des souvenirs de la vogue du néo-grec au milieu du 19e s.

Le **« Gothic Revival »** (1830-1860) s'est manifesté, comme il est naturel, dans les églises notamment à la première cathédrale St-Patrick *(p. 86)* bâtie au début du 19e s. par le Français Mangin, à l'actuelle cathédrale St-Patrick, à Trinity Church et à Grace Church.

Le **« Romanesque Revival »** (1840-1900) se retrouve également dans des églises, telle la Marble Collegiate Church.

A la fin du 19e s. les architectes cultivèrent le « Revival » avec éclectisme, pastichant les styles européens pour les milliardaires : le féodal, le Louis XII, le Renaissance, le Tudor se firent concurrence. Mais les préférences allaient à la Renaissance italienne dont les architectes en vogue, McKim, Mead and White, se firent les propagateurs zélés. notamment à la Morgan Library, aux Villard Houses et à la Vanderbilt Mansion.

Le style **« Beaux Arts »** précède de dix ans le **« Neo-Classicism »** (1900-1920), avec plus d'ornementation sculptée dans les frontons et balustrades.

Les « brownstones ». — Tel est le terme employé pour désigner les habitations de pierres brunes (brown stones) élevées dans la deuxième moitié du 19e s. avec le grès tiré des carrières du Connecticut et du New Jersey. Comptant deux ou trois étages les « brownstones » sont uniformément pourvues de degrés formant escalier d'accès perpendiculaire à la façade, escalier dont la répétition à l'infini dans certaines rues, engendre de curieuses perspectives. Les rampes et les garde-fous de fonte ne manquent pas de fantaisie.

A l'origine maisons bourgeoises, parfois luxueusement aménagées, les « brownstones » ont souvent dégénéré et furent compartimentées en plusieurs logements. Encore nombreuses il y a quelques années dans le centre de Manhattan, où elles sont peu à peu remplacées par des gratte-ciel, elles survivent dans certaines rues de Harlem, Murray Hill, Gramercy Park, Greenwich Village, Chelsea et Upper West Side ainsi que dans Brooklyn (Park Slope, Cobble Hill, Brooklyn Heights, Boerum Hill, Fort Greene et Clinton Hill). Intellectuels et artistes sont en train de les remettre à l'honneur.

LES GRATTE-CIEL

Dessinant sur le ciel ce profil hérissé qu'on a surnommé « skyline », les « skyscrapers » (gratte-ciel), défi de l'homme à la nature, ont donné à New York le gigantisme et le caractère prométhéen qui ont frappé et continuent à frapper les foules.

Gratte-ciel d'hier. — Au début du 20e s., l'accroissement de la population *(voir p. 30)* et du prix des terrains poussèrent les architectes à construire en hauteur. Bridés au début par le poids des matériaux ils allaient s'en libérer grâce à l'emploi de la fonte, de l'acier, puis du béton. A la même époque se généralisait l'installation des ascenseurs.

L'adoption de techniques nouvelles n'engendra pas, dans les premiers temps, un style architectural original. C'est ainsi qu'un des premiers grands gratte-ciel, le Flatiron Building, édifié en 1902 sur une armature d'acier, présente un décor « Renaissance florentine », à pilastres de bossages et corniche très saillante. Le Woolworth Building, terminé en 1913, pastiche le gothique avec sa tour à pinacles et ses niches aux gâbles fleuronnés. D'autres sont inspirés du décor classique français, plus particulièrement de Versailles ; quelques-uns enfin se couvrent d'abondantes sculptures à la manière du style « nouille » 1900 : ce sont les fameux **« wedding-cakes »** (gâteaux de mariage).

Peu après la Première Guerre mondiale, des changements dans l'élévation interviennent. En effet une loi (**Zoning Law**) est venue réglementer, dans certains quartiers, la hauteur des buildings par rapport à la largeur des rues, pour éviter que celles-ci ne deviennent trop obscures. Il en est résulté ces constructions bizarres et pas toujours harmonieuses, en forme de tours à décrochements successifs, qui bordent certaines voies.

Le style architectural évolue alors aussi : la tendance est aux lignes verticales, aux arêtes vives, aux surfaces planes, dépouillées d'ornements : le Chrysler, l'Empire State, le RCA sont les. plus beaux exemples de cette époque fertile en réalisations.

Gratte-ciel d'aujourd'hui. — De nos jours, l'acier et le béton sont quelque peu délaissés au profit de l'aluminium et du verre dont l'utilisation permet de gagner du poids et du temps. C'est un spectacle fascinant de voir les poutrelles se placer les unes à côté des autres et s'ajuster par boulonnage, comme dans un jeu gigantesque de « meccano », tandis que, plus bas s'insèrent les panneaux de séparation entre étages et ces parois de verre fumé sur lesquelles glisse le reflet des nuages.

Achevés, les gratte-ciel se présentent comme des tours légèrement en retrait par rapport à la rue, dégageant des espaces libres aménagés en patios ou en jardins qu'animent des fontaines. Leurs lignes, lisses et pures, n'évitent pas toujours une certaine froideur. La génération des années 65-70 a vu s'ériger des gratte-ciel d'une conception nouvelle comme les tours jumelles du World Trade Center, dont l'ossature porteuse comprend un noyau central et des piliers périphériques permettant ainsi d'avoir un espace intérieur sans pilier. Les façades sont composées de panneaux d'acier recouverts d'aluminium. D'un genre diffé-

rent, des gratte-ciel comme 9 Ouest 57e Rue, dans un cadre de travertin, ne manquent pas d'originalité avec leur cambrure à la base. Citicorp sur Lexington Avenue entre les 53e et 54e Rues, avec son sommet biseauté marque une nouvelle étape dans la construction.

Des architectes renommés ont attaché leur nom à des gratte-ciel érigés ces derniè-res années : Mies Van der Rohe et Philip Johnson au Seagram, Gropius et Belluschi au Pan Am, Saarinen au C.B.S. (Columbia Broadcasting System).

Presque tous les gratte-ciel sont utili-sés par des bureaux (les derniers-nés : Gal-leria, Olympic Tower allient néanmoins bureaux et appartements) que desservent des batteries d'ascenseurs omnibus, semi-express, express dont le vitesse peut atteindre 32 km/heure. Le lavage des vitres est un pro-blème majeur, résolu à l'aide de plates-formes mobiles, montées souvent par les Indiens, insensibles au vertige. Un détail amusant enfin : les gratte-ciel new-yorkais, comme presque tous les buildings américains, ne comportent pas de 13e étage, celui-ci étant, dit-on trop difficile à louer...

(D'après photo éditions Sun, Paris)

Park Avenue - Perspective sur le New York
General Building et le Pan Am.

Les zones de gratte-ciel s'étendent au Sud et au centre de Manhattan. Au Sud s'érigent les plus anciens augmentés en 1962 du Chase Manhattan Building auquel s'adjoignent les tours du World Trade Center qui atteignent 412 m de haut. Au centre de Manhattan, les gratte-ciel sont denses sur Park Avenue, la 5e Avenue, l'Avenue of the Americas, la 3e Avenue et Lexington Avenue.

A New York, des trous pratiqués à hauteur d'homme dans les clôtures des chantiers per-mettent au public de suivre la marche des travaux. Certains entrepreneurs poussent la délica-tesse jusqu'à faire percer des ouvertures à hauteur de chien.

Le développement, l'aménagement de la ville sont placés sous la responsabilité d'un cer-tain nombre d'organismes publics. Parmi ceux-ci figure la New York City Planning Commis-sion dont les tâches multiples vont de la préparation du budget en matière d'urbanisme à la réglementation de la construction.

Pour l'heure, la ville de New York met en œuvre toute une série de projets en encoura-geant la création de zones spécialisées : Times Square Theater District, quartier regroupant des théâtres dans un périmètre donné ; en définissant une nouvelle direction aux quartiers dits « commerciaux » du bas Manhattan, par l'implantation de logements, centres récréatifs, etc. ; en portant dans des boroughs comme Brooklyn ou Queens (Jamaica) un effort de décentralisa-tion culturelle, générateur de zones d'attractions qui donneront aux « Banlieues-dor-toirs » une vie plus humaine.

SCULPTURE

Tous ceux qui viennent à New York sont accueillis par la statue de la Liberté, la célèbre sculpture de Bartholdi. La ville de New York, avec ses sculptures est un véritable musée à ciel ouvert particulièrement riche en œuvres du 20e s.

Dans le passé, les sculptures se distinguaient par leur caractère religieux ou officiel : tombe du général Montgomery de Jean-Jacques Caffieri (St. Paul's Chapel), façade de l'ancienne U.S. Custom House de Daniel Chester French et Augustus Saint-Gaudens, statue de Washing-ton en uniforme de général de A. Stirling Calder (Washington Arch, face Nord).

Parcs, espaces verts comptent aussi bon nombre de statues érigées en hommage à une figure historique : Peter Stuyvesant, le gouverneur hollandais de la Nouvelle Amsterdam (Stuy-vesant Square) : Washington à cheval et Abraham Lincoln par Henry Kirke Brown (Union Square), Benjamin Franklin en imprimeur par Plassman (près de Pace University), Abraham de Peyster maire de New York par G.E. Bissel (Bowling Green), Washington et Lafayette par Bar-tholdi (Morningside Park).

La physionomie de la ville a quelque peu changé ces dernières années, grâce à l'apparition de plazas et mini-parcs, parties intégrantes du paysage urbain. Le New-Yorkais comme l'étran-ger s'arrêtera pour contempler les sculptures s'y trouvant.

Le Rockefeller Center se caractérise notamment par la statue en bronze doré représentant Prométhée dérobant le feu du ciel, de même Atlas portant le ciel sur ses épaules (International Building) est une image classique de la ville.

Le Palais des Nations Unies rassemble des œuvres de toutes les nationalités, pour ne citer que la sculpture représentant la Paix (Yougoslavie) et devant le Secrétariat, se reflétant dans l'eau d'un bassin, une sculpture de Barbara Hepworth.

La Chase Manhattan Bank, compte deux pièces intéressantes : sur la plaza inférieure, une fontaine du sculpteur japonais Isamu Noguchi ; sur la plaza supérieure, une sculpture noire et blanche de Jean Dubuffet « Groupe de Quatre Arbres » en fibre de verre, d'une hauteur de 13 m, qui fut commandée par David Rockefeller pour célébrer le 25e anniversaire de la banque dans Wall Street.

A l'extérieur de Lincoln Center, on verra dans le bassin central un bronze de Henry Moore « Reclining Figure » (Silhouette allongée) et sur la plaza Nord « Le Guichet » de Alexander Calder.

Au milieu du bassin de la plaza du World Trade Center, un immense globe en bronze se mouvant imperceptiblement est l'œuvre de l'allemand Fritz Koening.

En outre, de nombreux buildings frappent par leurs ornements. Ainsi le chiffre 9, pièce rouge en métal creux d'Ivan Chermayeff (9 Ouest 57e Rue), le bronze « Amor » de Robert Cook et Luis Sanguino (345 Park Avenue), le cube de Nogushi (140 Broadway), « Contrappunto » de Beverly Pepper (777 3e Avenue), « Night Presence IV » de Louise Nevelson (terre-plein central, Park Avenue et 92e Rue) et « Bellérophon domptant Pégase », bronze de Lipchitz (devant le Law Building de l'université de Columbia).

Les jardins de certains musées ou buildings offrent également un choix intéressant de sculptures modernes : Whitney Museum, musée d'Art Moderne avec « Monument » de Picasso et 55 Water Street, pour ne citer que ceux-là.

PEINTURE (l'École de New York)

Depuis une cinquantaine d'années, un marché de la peinture moderne s'est créé à New York. Les nouvelles formes d'expression y ont trouvé un public chaleureux, prêt à s'enthousiasmer pour toutes les audaces, des galeries nombreuses, des musées actifs et riches, comme le musée d'Art moderne, le Guggenheim, le Whitney.

Un précurseur : Marcel Duchamp. — Au début de ce siècle les peintres américains se bornaient à imiter les maîtres européens et particulièrement ceux de l'École de Paris. Seuls quelques artistes de l'École du Pacifique manifestaient un talent original, mais leur production trouvait peu d'écho.

Frère du peintre Jacques Villon, Marcel Duchamp, né en 1887 près de Rouen, se fixe à New York en 1913. La même année il fait scandale en exposant son fameux Nu descendant un escalier, composition dans laquelle il exprime ses recherches sur la représentation du mouvement.

Associé à Picabia, il pose les bases du mouvement « Dada » *(sur les dadaïstes, voir aussi p. 44)* et lance ses « ready made » provocateurs, constitués par des objets simples, même vulgaires, que l'artiste présente comme des œuvres d'art, lui-même se bornant à donner un titre à l'œuvre : c'est ainsi que Duchamp expose la Roue de bicyclette, ou cette Fontaine qui n'est autre qu'un urinoir acheté dans un grand magasin.

L'« Action Painting ». — Les événements de 1940 amenèrent à New York des peintres européens chassés par la guerre : les Français Chagall, Léger, Masson, l'Allemand Ernst et le Néerlandais Mondrian ; ils contribuèrent à créer une ambiance artistique new-yorkaise.

Avec l'Action Painting, l'École de New York trouva sa personnalité. L'Action Painting est une façon de peindre, où intervient surtout l'instinct : l'artiste sous l'empire d'une exaltation sacrée, s'extériorise à coups de pinceau, dans un corps à corps avec sa toile.

Pollock (1912-1956) fut un des maîtres de l'Action Painting. Il avait l'habitude de poser sa toile, non tendue, à même le sol et d'y jeter ses couleurs, parfois mêlées de sable ou de verre pilé, formant une pâte qu'il travaillait à l'aide de bâtons, de truelles ou de couteaux.

Avec Pollock on peu citer Kline (1910-1962) aux grandes symphonies blanches et noires qu'imprègne l'angoisse de vivre. Rothko (1903-1970), d'origine russe, brosse de vastes compositions aux couleurs blêmes, chargées de poésie. Son ami new-yorkais , A. Gottlieb, né la même année, symbolise le cosmos et le chaos par des disques lumineux tachés de noir. W. de Kooning, né à Rotterdam en 1904, aux États-Unis depuis 1926, s'oppose aux précédents par un expressionnisme brutal. B. Newman (1905-1970), natif de New York, peint d'immenses toiles d'une seule couleur.

Pop'Art et Op'Art. — Depuis 1960 s'est développée à New York une nouvelle tendance que ses initiateurs ont baptisée du nom de « Pop'Art ». Les tenants de « Pop'Art » introduisent dans leurs œuvres quantité d'objets hétéroclites, déchets de la civilisation industrielle, détournés de leur usage, tels que photos de magazine, paquets de cigarettes, ouvre-boîtes... Leur but est de redécouvrir l'objet et de rattacher l'art à la vie populaire. **Rauschenberg**, le « pape du Pop'Art », a obtenu un Grand Prix à la Biennale de Venise en 1962.

L'« Op'Art » (Optical Art) révèle à l'œil le mouvement. Ayant ses sources dans les œuvres d'Albers, de Delaunay et de Duchamp, les compositions « cinétiques » (mouvantes) de Vasarély, il est illustré par les peintures transformables d'Agam et les constructions « cybernétiques » (animées) de Schœffer.

Dans la seconde moitié des années 60 un nouveau courant a vu le jour le « Minimal Art », fortement inspiré par Barnett Newman, dont la peinture atteste rigueur et sévérité. Obtenant déjà une large audience internationale, le « Minimal Art » tend à réduire les formes à leurs plus simples éléments en faisant abstraction de toute expression personnelle de la part de l'artiste. Parmi les adeptes de ce courant venant en réaction contre l'Action Painting, citons Jack Youngerman, Ellsworth Kelly, Frank Stella et Kenneth Noland.

QUELQUES LIVRES

Ouvrages généraux, tourisme

En français

New York, par P. et L. Blacque-Belair *(Seuil, coll. Petite Planète)* : vivante description de la ville.

New York, par A. Burgess *(Time Life, coll. Les grandes cités)* : reportage et belles illustrations.

Ça c'est New York, par J.-M. Chourgnoz et M. Pampuzac *(en vente chez l'auteur, 69 Lucenay)* : reportage.

New York *(Ed. Berlitz)* : mini-guide illustré de belles photos en couleur.

Les musées de New York, par Fred W. McDarrah *(Hachette, les Guides Bleus)* : musées et sites préservés, avec photographies de l'auteur.

En anglais

New York, par Fred W. McDarrah *(Corinth Book, New York)* : album de photos.

Histoire, art

En français

Le Metropolitan Museum de New York, par J.-J. Rorimer *(Cercle d'Art, Paris)* : de Giotto à Renoir.

New York, par D. Ashton *(Albin Michel, Paris)*.

En Anglais

A I A Guide to New York City, par N. White et E. Willensky *(Macmillan Company, New York)* : guide illustré, écrit par des architectes de l'American Institute.

Beyond the Melting Pot, par N. Glazer, et D. P. Moynihan *(M.I.T. Press, Cambridge, Mass)* : les Noirs, les Portoricains, les Juifs, les Italiens et les Irlandais à New York.

Classic New York, par A.L. Huxtable *(Doubleday, New York)* : étude sur l'architecture classique à New York du 17e au 19e s.

History Preserved, a Guide to New York City Landmarks, par H. Goldstone et M. Dalrymple *(Simon & Schuster, New York)* : introduction à l'architecture et l'histoire de New York, à travers ses boroughs.

New York Landmarks, par A. Burnham *(Wesleyan University Press, Middletown Connecticut)* : répertoire photographique des monuments historiques new-yorkais.

Old New York in Early Photographs, par M. Black *(Dover Publications, New York)* : reportage photographique de 1853 à 1901.

The Story of New York, par S.E. Lyman *(Grown Publishers, New York)* : photos et reproductions de documents anciens.

Littérature

En français

Nous donnons ici les titres de quelques essais ou romans ayant pour cadre New York.

Gatsby le Magnifique, par F. Scott Fitzgerald *(Le Livre de Poche)* : Long Island, en 1925.

Manhattan Transfer, par J. Dos Passos *(Gallimard, Paris)*.

Mémoire du proche avenir, par A. Chabrier *(Flammarion, Paris)*.

New York, par P. Morand *(Flammarion, Paris)*.

Oublier Palerme, par E. Charles-Roux *(Grasset, Paris)*.

Révolte dans la maffia, par R. Martin *(Stock, Paris)*.

Trois chambres à Manhattan, par G. Simenon *(Presses de la Cité, Paris)*.

En outre certaines œuvres de O'Henry, Truman Capote, Salinger, Henry Miller, Kérouac, traduites en français, se déroulent à New York ainsi que de nombreux romans policiers, tels ceux de l'écrivain noir Chester Himes.

En anglais

A Walker in the City, par A. Kazin *(Harcourt, Brace Jovanovich Publications)*.

Here is New York, par E. B. White *(Harper & Row, New York)*.

New York a stimulé l'imagination de bien des écrivains étrangers et américains : Ville fascinante, « Centre de l'Univers », creuset où toutes les races se mêlent sans se fondre, « anthologie de la civilisation urbaine »... De Knickerbocker, nom de plume de Washington Irving, auteur d'Une histoire de New York en 1809, en passant par le conteur Edgar Allan Poe et le poète Walt Whitman, à l'Espagnol Federico Garcia-Lorca (Poète à New York), au Russe Andrei Vorznesensky (Aéroport à New York), tous ont été impressionnés par cette gigantesque cité.

Surnommée « The Big Apple » (La grosse Pomme), New York reste le fruit tentateur des appétits les plus divers.

« Paradis des architectes, enfer des urbanistes », royaume des gratte-ciel, tout a été dit, mais aller à New York c'est encore découvrir un monde !

MANHATTAN

Manhattan, un des cinq « boroughs » de New York *(carte p. 25)* et le moins étendu d'entre eux, compte 25 km dans sa plus grande dimension alors que sa largeur n'excède pas 5 km (Paris : 12 km sur 10 km). Près de 1,5 million d'habitants y vivent, sur les 7,7 millions que totalise New York City.

Le « borough » qui se dépeuplait de 1950 à 1960, connaît un renouveau de population en raison du retour de certains habitants de grande banlieue.

Centre nerveux de New York, Manhattan forme une île traversée en écharpe par Broadway (le « grand chemin ») qui suit le tracé d'une ancienne sente indienne. D'origine indienne également serait son nom, signifiant « céleste contrée », encore que certains philologues affirment qu'en langage algonquin, Manhattan désignerait « l'île des collines ».

La croissance de la ville s'étant effectuée du Sud vers le Nord, on distingue, à la pointe de l'île, un quartier ancien caractérisé par la disposition irrégulière des rues, et, à partir de la 14e Rue,

au-delà d'Union Square, une section moderne bâtie sur plan régulier avec des artères tirées au cordeau.

Une activité fébrile et une série de réalisations extraordinaires distinguent Manhattan. Les plus hauts gratte-ciel, les banques les plus riches, les hôtels les plus démesurés, les plus luxueux restaurants, les magasins les plus grands, les foules les plus denses mettent « knock-out » l'étranger déjà frappé par l'étroitesse et l'austérité de certaines rues sans arbres ni fleurs, la nudité des façades, les bouches d'égout crachant la vapeur, la violence des courants d'air soulevant çà et là des tourbillons de poussière. Cependant des plazas plantées d'arbres, aux fontaines en cascade, des parcs « de poche » (vest pocket parks) ont fait leur apparition, aérant ainsi les quartiers dont certains sont ornés de sculptures brillamment colorées.

Le touriste s'habituera à ce gigantisme et, au cours de ses promenades, découvrira avec étonnement l'extraordinaire variété des visages qu'offre Manhattan. Avenues bordées de luxueux magasins, rues où s'alignent de petites maisons brunes à escalier extérieur, quartiers résidentiels aux immeubles gardés par des portiers galonnés, « villes dans la ville » comme Chinatown, la « Petite Italie », Greenwich Village et Harlem, seront la matière de passionnantes études sociologiques.

La nuit, Manhattan deviendra un spectacle inoubliable, vue des « hauts de Brooklyn » ou du sommet de l'Empire State Building. En effet les tours piquetées de milliers de lumières, les enseignes lumineuses intermittentes, les feux des avions et ceux des bateaux, les phares des automobiles, composent alors un dessin animé en couleurs dont Walt Disney lui-même aurait pu être jaloux.

West Side *désigne la partie de Manhattan située à l'Ouest de la 5e Avenue.*

East Side   "   *la partie de Manhattan située à l'Est de la 5e Avenue.*

Downtown   "   *le Sud de Manhattan, (Bas de la ville).*

Midtown   "   *le centre de Manhattan, (Centre de la ville).*

Uptown   "   *le Nord de Manhattan, (Haut de la ville).*

Pour l'Américain cependant, New York est une cité de pionniers en proie à une fièvre perpétuelle, où, sans cesse, un gratte-ciel chasse l'autre. Pour lui c'est aussi une sorte de Babylone où se rencontrent tous les plaisirs, tous les spectacles qu'évoquent en lettres de feu, les noms de Times Square, Broadway et de Greenwich Village. C'est encore le « shopping » dans les magasins où l'on trouve de tout et qui font de la ville un immense bazar.

C'est enfin le symbole du creuset, le fameux « melting-pot », où se fondent l'Ancien et le Nouveau Continent pour engendrer ce monde fascinant : l'Amérique.

Lower Manhattan.

Parcours : 2 km — Durée : 3 1/2 h (sans la visite guidée ni celle des musées).

Au cœur de Manhattan, le Rockefeller Center Area est constitué par un imposant ensemble de gratte-ciel aux lignes harmonieuses construits pour la plupart avant la Seconde Guerre mondiale. Un dédale de passages souterrains forment galeries marchandes. Une rue privée, Rockefeller Plaza, joint la 48e à la 51e Rue; elle est symboliquement interdite à la circulation un jour par an.

Occupant une surface de 8,8 ha, les 19 immeubles qui appartiennent au Rockefeller Center sont principalement à usage commercial. Ils totalisent 557 étages et abritent plus de 60 000 employés, soit environ la population d'Annecy. Si on ajoute le nombre de touristes qui visitent chaque jour le Rockefeller Center, la population s'élève à 250 000 personnes.

L'Université de Columbia, propriétaire du terrain, touche un loyer d'environ 9 millions de dollars par an.

RCA BUILDING _____ Ⓐ
RADIO CITY MUSIC HALL
  ENTERTAINMENT CENTER _____ Ⓑ
STEVENS TOWER _____ Ⓒ
CELANESE BUILDING _____ Ⓓ
McGRAW-HILL BUILDING _____ Ⓔ
EXXON BUILDING _____ Ⓕ
TIME & LIFE BUILDING _____ Ⓖ
SPERRY RAND BUILDING _____ Ⓗ
EQUITABLE LIFE BUILDING _____ Ⓙ
CBS BUILDING _____ Ⓚ
J.C. PENNEY BUILDING _____ Ⓛ
SHERATON CENTRE _____ Ⓝ
SHERATON CITY SQUIRE _____ Ⓟ
NEW YORK HILTON _____ Ⓡ
BURLINGTON HOUSE _____ Ⓢ
MUSEUM OF AMERICAN FOLK ART __ Ⓣ
AMERICAN CRAFTS COUNCIL _____ Ⓤ
DONNELL LIBRARY CENTER _____ Ⓥ
INTERNATIONAL BUILDING _____ Ⓦ
THE MUSEUM OF MODERN ART _____ Ⓧ

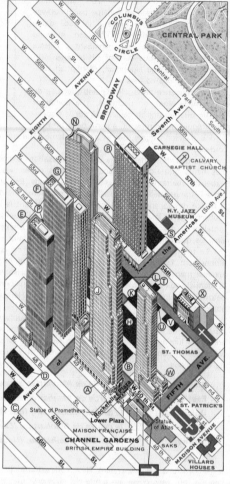

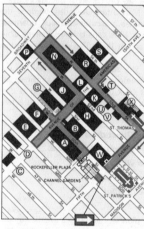

Un site bucolique. — Aux alentours de l'an 1800 des prairies coupées de haies vives s'étendaient à l'emplacement de l'actuel Rockefeller Center, lorsqu'un médecin écossais, **David Hosack**, professeur à l'Université de Columbia, les aménagea en jardin botanique à l'intention de ses étudiants. Dans de vastes serres croissait une abondante variété de plantes médicinales, tandis que les jardins proprement dits étaient plantés de fleurs et d'arbustes rares. Le public y était admis le dimanche et les jours fériés. Puis Hosack trouva que l'entretien du jardin lui coûtait trop cher. En 1881, il décida de vendre son terrain à l'État, qui l'offrit à l'Université de Columbia laquelle le loua derechef à des fermiers, pour 100 dollars par an.

Lotissements et « brownstones ». — Lorsque, vers 1850, la ville fut divisée en sections régulières, on commença à bâtir à l'emplacement de l'ancien jardin botanique et, dans les dernières années du 19e s., il y avait là un quartier résidentiel élégant. De somptueux hôtels particuliers y voisinaient avec les « brownstones », maisons bourgeoises plus modestes en pierre brune dont on peut encore voir quelques exemplaires dans la 53e Rue.

Au début de notre siècle le quartier devint bruyant, en raison notamment de la construction d'un « elevated » (métro aérien), aujourd'hui démoli, sur l'Avenue of the Americas. Aristocrates et bourgeois déménagèrent, laissant leurs belles demeures à des habitants moins fortunés qui, lors de la « prohibition », y installèrent des bars clandestins (speakeasies).

John D. Rockefeller Junior. — C'est en 1928 qu'intervint ce grand financier new-yorkais qui serait d'origine française, issu d'une famille aveyronnaise, les Roquefeuille. Par un bail passé à l'Université de Columbia, il obtenait la jouissance du terrain et des bâtiments pour une période

(D'après document Museum of the City of New York)

Rockefeller Center Area, au début du 19ᵉ s.

de vingt-quatre ans, renouvelable jusqu'en 2015, puis d'après les nouvelles clauses de 1953, jusqu'en 2069; au-delà de cette date, les bâtiments reviendraient à l'Université. Lui et ses associés avaient l'intention de construire un gigantesque Opéra, lorsque survint la grande crise financière de 1929. Changeant son fusil d'épaule, Rockefeller Junior décida alors de construire le centre d'affaires qui a connu le destin que l'on sait. Le noyau central, avec le RCA Building, a été terminé en 1940; un des architectes en fut Wallace K. Harrison qu'on retrouvera à l'ONU et au Lincoln Center.

On raconte que pendant la construction du Rockefeller Center, le propriétaire avait l'habitude de surveiller lui-même l'avancement des travaux. C'est l'origine du « peephole », trou dans la palissade qui est pratiquée depuis sur les chantiers.

VISITE

Nous proposons ici un itinéraire de visite rapide des principaux buildings de Rockefeller Center et de l'Avenue of the Americas. Des visites guidées comprenant « l'Observation Roof » et les coulisses du Radio City Music Hall sont aussi organisées du lundi au samedi de 9 h 45 à 16 h; durée de la visite : 1 h environ; prix 2,50 $; départ toutes les 20 mn d'avril à septembre, toutes les 45 mn d'octobre à mars. Prendre les billets dans le hall du RCA Building et descendre au salon d'attente (Concourse Waiting Room), dans les sous-sols; une brochure en français est à la disposition des visiteurs.

Partir du trottoir Est de la 5ᵉ Avenue, devant les vitrines du magasin Saks : vue sur le « Channel », passage entre la Maison Française, à gauche, et la Maison Anglaise (British Empire Building) à droite, aux toits en terrasse couverts de jardins à la française; la perspective est close par le RCA Building dont la fine silhouette se détache sur le ciel.

■ LE CHANNEL★★★

Agréable lieu de détente, ce jardin est nommé **« Channel Gardens »** en raison de son étroitesse et de sa situation entre la Maison Française et la Maison Anglaise. Il est jalonné de bassins à jeux d'eaux que cernent des parterres de fleurs. Des bancs s'offrent au promeneur fatigué d'avoir trop flâné devant les vitrines des boutiques voisines parmi lesquelles la « Librairie de France ». A Noël, un spectaculaire décor lumineux attire la foule.

Le Channel descend en pente douce vers **Lower Plaza,** sorte d'esplanade creusée dans le sol, servant de terrasse en été à d'élégants cafés-restaurants, transformée en patinoire l'hiver. En haut de l'escalier une inscription reproduit le « Credo » personnel de John D. Rockefeller Junior.

Sur un des côtés de Lower Plaza brille la statue en bronze doré de Prométhée représenté alors qu'il vient de dérober le feu sacré pour le donner à l'humanité.

(D'après photo Rockefeller Center Inc.)

Le Channel.

Derrière le Prométhée s'élève chaque année, en décembre, le grand arbre de Noël, haut de plus de 20 m et scintillant de milliers de lampions multicolores que les promeneurs viennent admirer tout en écoutant des cantiques.

■ RCA (Radio Corporation of America) BUILDING★★★

Bâti en béton, haut de 259,07 m et comptant 70 étages, la plus élevée des « tours » de Rockefeller Center est aussi la plus harmonieuse par l'élancement et la pureté de ses lignes, dont la rigidité est adoucie par de légers ressauts.

Son entrée principale, 30 Rockefeller Plaza, donne accès au grand hall, qu'ornent, dans sa partie antérieure, d'immenses peintures murales de l'artiste espagnol José Maria Sert, évoquant l'histoire du progrès humain. *C'est dans ce hall que se trouvent les services de visite accompagnée de Rockefeller Center.*

Terrasse★★★ (Observation Roof). — *Accès possible de 10 h à 21 h, du 1ᵉʳ avril au 30 septembre; de 11 h à 19 h, le reste de l'année. Prendre les billets au 65ᵉ étage (prix : 1,75 $) et emprunter l'ascenseur marqué « Observation Roof », qui « fait » du 27 km/h, 2 étages à la seconde.*

De la plate-forme supérieure du RCA Building on découvre un magnifique **panorama** ★★★ sur New York avec notamment une très belle perspective axiale sur le bas Manhattan et les deux tours du World Trade Center. Au-delà de Manhattan, dans le fond à gauche, se découpe le pont Verrazano *(voir p. 133)*. On repérera facilement les grands buildings de Manhattan, parmi lesquels l'Empire State au Sud, le Chrysler, partiellement caché par le Pan Am au Sud. Sur le toit du RCA, remarquer le radar du National Weather Service (Service Météorologie national).

Le 65e étage abrite un célèbre restaurant panoramique new-yorkais : le Rainbow Room.

Sous-sols ★ (The Concourse). — Ils sont immenses et on y trouve d'innombrables boutiques ou galeries d'exposition. Les sous-sols du RCA Building sont reliés à ceux des buildings voisins formant un véritable dédale.

En longeant la 50e Rue vers l'Avenue of the Americas, on passe devant le **Radio City Music Hall**, vaste cinéma music-hall dont l'architecte Edward Durell Stone est mort à New York, en 1978. Les **Rockettes** ont fait la célébrité de cet établissement; cette troupe de « girls », fondée en 1926 à St-Louis dans le Missouri était venue à Paris pour l'exposition de 1937. Depuis, la plus grande salle de spectacle du monde, restaurée dans le style Art Déco d'origine, a pris le nom de **Radio City Music Hall Entertainment Center.**

Une série d'élégants buildings avec de vastes plazas, borde le côté Ouest de l'Avenue of the Americas. Marcher vers le Sud jusqu'à **Stevens Tower** située au n° 1185. Cette tour-bureaux de 42 étages faite de verre et de marbre blanc, abrite un théâtre privé et un restaurant. En traversant la 47e Rue, on arrive au **Celanese Building** (45 étages) dont l'architecture n'est pas sans rappeler celle des deux nouvelles constructions au Nord de Rockefeller Center.

■ McGRAW-HILL BUILDING ★

Située en retrait de la rue, cette élégante tour de 51 étages domine une plaza au pavage de granit. Au centre un « triangle solaire » en acier indique les positions du soleil aux solstices et aux équinoxes. De la plaza on accède au hall intérieur et à la librairie McGraw-Hill riche en manuels techniques et économiques. Derrière le building, un tunnel de verre traverse une cascade et rejoint un endroit planté d'arbres. Des tables et des chaises sont à la disposition du passant désirant s'évader un instant.

Le spectacle intitulé **« New York Experience »** raconte par le son et l'image l'histoire passée et présente de la ville. Des effets spéciaux combleront les amateurs de sensations fortes. *Ouvert de 11 h à 19 h du lundi au jeudi; 20 h les vendredi et samedi; de 12 h à 20 h les dimanches et jours fériés; prix : 3,20 $.* En passant, visiter l'exposition « Little Old New York » sur New York au début du siècle *(entrée gratuite).*

■ EXXON BUILDING

Siège de Exxon Corporation (New Jersey) cette tour rectangulaire de 54 étages, 228,59 m de hauteur, est le gratte-ciel le plus élevé de Rockefeller Center après le RCA Building. S'élevant au-dessus d'une plaza verdoyante, les piliers de pierre font bon ménage avec le verre des fenêtres et l'aluminium tinté des poutres. Derrière la tour, un petit parc parsemé de fleurs et planté d'arbres, permet de goûter quelque repos, bercé par le bruit d'une cascade. Dans l'immense hall aux murs de marbre beige et au sol rougeoyant, noter une tapisserie faite à partir d'un rideau de théâtre dessiné par Picasso ainsi qu'une sculpture abstraite de Mary Callery intitulée « Lune et Étoiles ».

■ TIME & LIFE BUILDING ★★

Face à Radio City, s'élèvent les parois brillantes et lisses du gratte-ciel, achevé en 1960, qui abrite les bureaux des magazines à grand tirage « Time », « Life », « Money », « Sports Illustrated » et « Fortune ».

En aluminium et en glaces, le building, qui compte 178,91 m de haut, 48 étages et 32 ascenseurs, séduit par la pureté de ses lignes verticales qu'interrompent à peine de légers décrochements. Sur deux de ses côtés s'étend un parvis pavé de marbres bicolores dont le dessin ondé contraste avec la rectitude des bassins rectangulaires animés de jeux d'eau.

Au rez-de-chaussée courent de vastes halls dont le pavage de marbre reproduit des motifs analogues à ceux qu'on a vus à l'extérieur. A l'entrée d'une grande peinture murale du peintre américain Glarner s'harmonisent avec les plaques d'acier, alternativement mates et brillantes, qui revêtent les murs. L'ensemble est d'un bel effet décoratif.

L'itinéraire passe ensuite entre le **Sperry Rand Building** et l'**Equitable Life Building** qui se font face. Le second nommé, est constitué de panneaux de verre noirs et blancs alternés et porte le nom d'une compagnie d'assurances; il absorbe chaque matin 7 000 employés.

Au-delà de la 52e Rue s'élève à droite la masse sombre du **CBS (Columbia Broadcasting System Building)**, immeuble de la radio-télévision conçu par le célèbre architecte Saarinen : son armature de béton précontraint est recouverte de plaques de granit noir canadien. De l'autre côté de l'Avenue of the Americas le **J. C. Penney Building**, siège social d'une importante chaîne de magasins, présente en contre-bas un jardin de sculptures.

Prenant la 52e Rue à gauche, on découvre une belle perspective sur la façade Sud de l'hôtel Sheraton Centre.

Comment circuler dans Manhattan.
Le plan du métro et des autobus encarté dans ce guide vous indique comment gagner le quartier où vous désirez vous rendre.

■ SHERATON CENTRE★★

L'ancien **Americana Hotel**, acheté par la chaîne Sheraton dont l'ensemble des hôtels new-yorkais comporte 5 705 chambres, présente une silhouette effilée dont le dessin est très élégant, en particulier dans la ligne légèrement brisée de la façade Sud.

Presque entièrement revêtu de glaces sur une armature de pierre, il date de 1962 et compte 50 étages pour 1850 chambres alignées comme des alvéoles dans une ruche, d'immenses salles de réception et au sommet, une terrasse panoramique. On peut se promener dans les étages inférieurs : rue commerçante très fournie en boutiques (Shopping Arcade).

Au carrefour de la 52e Rue et de la 7e Avenue se tient le **Sheraton City Squire.** Par la 53e Rue, on atteint l'hôtel New York Hilton.

■ NEW YORK HILTON★★

Ses parois d'acier et de verre teinté enserrent 46 étages, 2 131 chambres : l'hôtel occupe 1 500 employés parlant un total de 27 langues. Terminé en 1963, l'hôtel comprend un profond péristyle de 4 étages où se trouvent les organes de service et les salles de réception tandis qu'une haute tour parallélépipédique est réservée aux chambres.

Les installations intérieures sont, comme l'architecture, à l'avant-garde du modernisme. Au sous-sol il y a une galerie d'art et la « Taveern » où les clients de l'hôtel prennent volontiers leur breakfast (petit déjeuner). A l'étage de plain-pied, le hall de réception et les salons d'attente voisinent avec la charmante Promenade Internationale; plusieurs restaurants ou bars typiques y accueillent le touriste ou l'homme d'affaires en mal de dépaysement. Aux deux étages supérieurs du péristyle enfin sont aménagées les salles de réunion pour les « conventions » : certaines d'entre elles, décorées en style Regency anglais, Louis XV, Louis XVI.

De l'autre côté de la 54e Rue, se trouve **Burlington House**. Bien que n'appartenant pas vraiment à Rockefeller Center, ce building sombre termine l'impressionnante rangée de tours de l'Avenue of the Americas. Ses 50 étages dominent un parc « de poche » (vest pocket park) sur l'arrière et sur le devant, deux bassins dont les fontaines en action créent d'attrayantes sphères d'eau.

Le **Mill** à Burlington Exhibition Center *(ouvert du mardi au samedi de 10 h à 19 h de mai à octobre, 18 h le reste de l'année)* offre au visiteur un voyage de huit minutes dans le monde du textile. Un tapis roulant fait passer devant les différents stades de fabrication, des matières premières au produit fini, avec intervention des machines spécialisées : cuves à teinture, métier à tisser, ourdissoir, dévidoir, etc. Le parcours se termine par une projection d'images montrant les services rendus par les tissus Burlington.

Continuer la 53e Rue, où se tiennent plusieurs musées comme le Musée d'Art moderne.

Museum of American Folk Art. — *49 Ouest 53e Rue. Ouvert de 10 h 30 à 17 h 30 et jusqu'à 20 h le mardi. Fermé les lundis et jours fériés. Entrée : 1 $.*

Petit musée, il présente chaque année une série d'expositions illustrant l'art populaire de l'État de New York : verre, poterie, bois, papier, (avec parfois des artisans à l'œuvre).

American Craft Museum. — *44 Ouest 53e Rue. Ouvert de 10 h (11 h le dimanche) à 17 h. Fermé le lundi. Entrée : 1 $ (gratuit le mardi de 17 h 30 à 20 h).*

Placé sous la tutelle de l'**American Craft Council**, le musée présente des expositions dont les thèmes couvrent l'art artisanal américain et étranger (tissus, céramiques, objets en bois, métal et verre).

En se dirigeant vers la 5e Avenue, on passe devant le **Donnel Library Center** (20 Ouest 53e Rue). Cette branche de la New York Public Library *(voir p. 50)* abrite une salle réservée aux enfants (Central Children's Room) contenant plus de 70 000 volumes; ainsi qu'une section spécialisée dans la littérature étrangère (80 langues), une discothèque et une cinémathèque.

Regagner la 5e Avenue et se placer sur les marches de St-Patrick pour admirer la monumentale statue en bronze d'Atlas supportant le monde. L'effigie du géant condamné par Jupiter à soutenir le ciel est placée devant l'International Building.

■ INTERNATIONAL BUILDING

Ce gratte-ciel de 41 étages était primitivement destiné aux consulats et représentations de pays étrangers, d'où son nom. Il faut pénétrer dans le hall évoquant la Grèce antique avec ses colonnes et ses murs de marbre grec de Tinos; son plafond est recouvert de très fines feuilles de cuivre : tout le cuivre de ce plafond pèse environ une

(D'après photo Samuel Chamberlain)

Atlas.

livre et, fondu, il pourrait tenir dans une main. Les sous-sols (Concourse) du building sont garnis de beaux magasins : librairies, marchands d'estampes, coiffeur présentant une collection d'objets anciens (curieux coupe-moustaches) se rapportant à son art.

MUSÉE D'ART MODERNE ★★★

En tout temps lieu de détente et de rendez-vous mondain, le musée d'Art moderne, dit familièrement le MOMA, est aussi, en été, grâce à son jardin ombragé et à ses salles réfrigérées, un hâvre de fraîcheur au sein de la fournaise new-yorkaise. Enfin, les chefs-d'œuvre rassemblés dans ses murs y attirent une foule de connaisseurs.

La croissance du musée. — Fondé en 1929 par cinq amateurs, dont trois femmes, le musée d'Art moderne fut d'abord campé dans quelques pièces d'un building de bureaux. Puis, ses collections s'étant considérablement enrichies, notamment par le legs Lillie P. Bliss (235 pièces), un nouveau siège fut bâti en 1939 sur la 53e Rue. Cet édifice géométrique de style fonctionnel, aux surfaces lisses, aux volumes intérieurs déterminés par des parois mobiles, fut dessiné par Ph. Goodwin et E. Durell Stone. Il a été réaménagé et agrandi en 1964 par Philip Johnson.

Son organisation. — Organisme privé, le musée est géré par des « trustees » (administrateurs et bailleurs de fonds) dont font partie, entre autres, des personnalités aussi marquantes que Nelson et David Rockefeller. Les 38 000 « members » (membres permanents), payant une cotisation annuelle minimum de 25 dollars, constituent en quelque sorte les actionnaires de l'entreprise. Le fonds de roulement et les bénéfices sont assurés par le produit du million d'entrées annuelles et la vente des publications.

Mais le musée ne joue pas uniquement le rôle d'un conservatoire de chefs-d'œuvre. Il est aussi un centre culturel, avec le **Lillie P. Bliss International Study Center** et même, par bien des points, une université d'art moderne. On y trouve en effet bibliothèque (30 000 livres), photothèque, cinémathèque, auditorium, école d'art et d'architecture avec cours du soir, section éducatrice pour les jeunes.

Une cafétéria donne sur le jardin. La Member's Penthouse est le rendez-vous des peintres, critiques et artistes.

Les collections. — Bien que la première exposition ait été destinée à faire connaître les peintres de l'École de Paris : Cézanne, Van Gogh, Gauguin, entre autres, le musée embrasse maintenant l'ensemble des arts visuels, non seulement peinture et sculpture, mais encore gravure, architecture, dessin industriel, dessin graphique, décoration, photographie, cinéma. Plus de 40 000 objets parmi lesquels 2 000 tableaux, 600 sculptures, 3 000 pièces de mobilier, 10 000 gravures, 4 000 dessins d'architecture, 2 000 affiches (posters) illustrent les multiples tendances de l'art depuis 1880.

Un si grand nombre d'œuvres ne peut évidemment être présenté que partiellement (10 % des peintures, 25 % des sculptures, 2 % des dessins et gravures), et leur présentation est souvent renouvelée; seules les plus représentatives sont permanentes. En outre d'importantes expositions temporaires sont organisées grâce aux collections propres du musée et à des prêts extérieurs; ces expositions sont ensuite promenées à travers les États-Unis, voire à l'étranger, contribuant ainsi à la formation du goût américain contemporain.

VISITE *2 h 1/2 environ*

Ouvert de 11 h à 18 h (21 h le jeudi). Fermé le mercredi et le jour de Noël. Prix : 2,50 $ (le jeudi, tarif à l'appréciation du visiteur). Prendre, à l'entrée, le dépliant qui donne le plan des salles des premier et second étages.

Le billet permet d'assister aux projections de films.

Rez-de-chaussée (Main Floor). — Tout en glaces et marbre blanc, il est consacré aux services et aux expositions temporaires (galeries à droite). L'extrémité du hall donne sur le jardin, un des points d'attraction du musée.

Jardin (Sculpture Garden). — L'architecte Philip Johnson le dessina en 1953 pour servir de cadre aux sculptures du musée, avantagées par le plein air; elles peuvent en effet être examinées sur toutes leurs faces et leur aspect varie avec l'éclairage. Un dallage de marbre, des bassins à jets d'eau, des rideaux d'arbres, des terrasses l'agrémentent.

Diverses tendances sont représentées : romantisme avec Rodin (Saint Jean-Baptiste, Balzac dans sa robe de Chartreux), classicisme avec les femmes plantureuses de Renoir (Baigneuse) et de Maillol (la Rivière), expressionnisme et abstraction avec Germaine Richier (Don Quichotte), Miró (Moonbird), Lipchitz, Henry

(D'après photo Museum of Modern Art)

Musée d'Art moderne. — Le jardin.

Moore (le Couple), Calder (Baleine) et Picasso avec sa célèbre Chèvre dont le ventre gonflé est calqué sur un panier.

Étages supérieurs. — Ils sont réservés aux collections permanentes du musée dont l'arrangement varie fréquemment en fonction des nouvelles acquisitions. Aussi ne donnons-nous, ci-dessous, qu'une analyse succinte présentant les artistes et les diverses écoles.

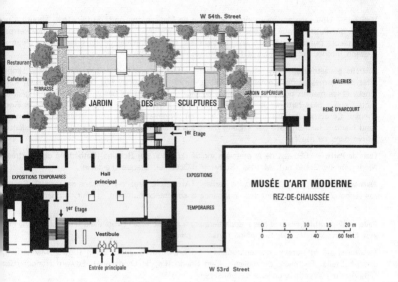

MUSÉE D'ART MODERNE
REZ-DE-CHAUSSÉE

1er étage (Second Floor)

Impressionnistes précurseurs de l'art moderne. — Ce sont Monet, presque fauve et informel dont le Pont japonais, Cézanne sur la voie du cubisme (Natures mortes, le Baigneur), Degas (Danseuses) qui préfigurent Rouault.

Post-impressionnistes. — Ils comprennent non seulement les adeptes du néo-impressionnisme comme Seurat qui, dans ses lumineuses marines, subsiste le point ou le rectangle à la touche irrégulière des impressionnistes, mais aussi des personnalités affirmées comme le visionnaire Van Gogh (l'Hôpital St-Rémy, la Nuit étoilée) ou bien le lucide observateur des mœurs qu'était Toulouse-Lautrec (la Goulue).

Rousseau. — Le Douanier Rousseau symbolise le destin des peintres modernes qui, d'abord honnis, connurent ensuite le succès. Le Rêve et la Bohémienne endormie sont caractéristiques du plus grand de ces peintres naïfs à l'âme ingénue et éblouie par la nature.

Nabis. — Les Nabis, ou Prophètes, annoncent avec Maurice Denis qu'un tableau est « essentiellement une surface recouverte de couleurs en un certain ordre assemblées »; pour eux l'art est l'expression d'une idée ou d'un état d'âme.
Leur influence est visible chez Gauguin (les Chiots, la Lune et la Terre), Vuillard (la Mère et la sœur de l'artiste), Bonnard (le Petit Déjeuner), Odilon Redon (le Silence). Chirico (Nostalgie de l'infini) et Ensor (Masques face à la Mort), dans leur univers tourmenté marquent les débuts de l'expressionnisme.

Cubistes. — Le mouvement eut pour initiateurs, de 1907 à 1914, Picasso et Braque, auxquels succédèrent, de 1914 à 1921, Léger et Juan Gris. Les cubistes dissocient les éléments réels des objets qu'ils ont sous les yeux et les restituent sur la toile en leur donnant une forme souvent géométrique. D'autre part, ils superposent la face et le profil des personnages représentés.
On s'attardera particulièrement devant les fameuses Demoiselles d'Avignon (1907) par Picasso, qui sont à l'origine du cubisme et « Trois Masques Musiciens ». Citons aussi Le Grand Déjeuner, La ville par Léger et l'Homme à la guitare par Braque, remarquables par l'économie des moyens employés.

Galerie Philip L. Goodwin des dessins d'architecture. — Verreries de Tiffany, photographies, affiches, reliures, dessins de bâtiments, meubles et maquettes dessinées par Guimard, Mies Van der Rohe, Le Corbusier, Saarinen, etc.

Expressionnistes. — Chez eux dominent l'angoisse et le désespoir face à une nature et une société hostiles. Outre Rouault (les Juges), les principaux représentants de cette tendance sont les Allemands Nolde (Le Christ parmi les enfants), Kirchner (Rue à Dresde), l'Autrichien Kokoschka. Sculptures de Lehmbruck (Jeune homme debout, Femme agenouillée).

Fauves et derniers cubistes. — Ils exaltent la couleur pure dont les tons violents effrayent les sensibilités délicates. Matisse, Derain (London Bridge), Vlaminck (Automne), Van Dongen (le chanteur travesti Modjesko) furent, au début du 20e s., les défenseurs du fauvisme.

De Stijl, Purisme. — Les principes de De Stijl et du purisme ont été publiés dans une revue du même nom, parue en Hollande entre 1917 et 1928. Le mouvement résulte du néo-plasticisme de Théo Van Doesburg et Piet Mondrian utilisant essentiellement le rapport de l'horizontale et de la verticale.

Monet. — Il est évoqué ici en tant que précurseur de l'art abstrait; ses **Nymphéas** (Water Lilies) sont surtout d'étonnants jeux de couleurs d'où les formes sont presque absentes. S'approcher pour étudier sa façon de poser les touches et de diviser les tons colorés.

Futuristes. — Le futurisme italien se manifesta pour la première fois en 1909. Les futuristes insistent sur le mouvement et cherchent à exprimer la beauté dynamique de la civilisation moderne; Boccioni (la Ville monte), Severini (le Bal Tabarin) sont les plus connus d'entre eux.

Matisse. — Une salle entière montre l'évolution de Matisse qui, parti du fauvisme, aboutit à un art très décoratif marqué par des formes simples, sans relief, soulignées d'un trait noir, et par des couleurs pures, traitées en aplats. Parmi ses œuvres initiales citons « La fenêtre bleue », « Grand Intérieur rouge » et « le Petit pianiste ».

Abstraits géométriques. — Ils refusent la réalité, affirment que l'art doit émouvoir par le simple effet des formes et des couleurs. Au début du 20e s., Delaunay (les Disques du soleil), Kandinsky et les maîtres du « Cavalier Bleu » de Munich posèrent les bases de l'abstraction géométrique, suivis plus tard par le Hollandais Mondrian et les Russes Malevitch, Lissitzky et Rodchenko. Ce dernier exposa en 1913 sa théorie du suprématisme par son célèbre « Carré noir sur fond blanc » suivi en 1918 par « Carré blanc sur fond blanc » œuvre mystique par excellence, visible dans ce musée.

École de Paris. — Œuvres de la première moitié du 20e s. par Soutine (Cathédrale de Chartres), Modigliani (le Grand nu), Matisse (Souvenir d'Océanie), Braque (La table).

Amérique latine. — Avec les Mexicains Tamayo (Animaux), Orozco (Partisans de Zapata), Siqueiros (Echo d'un cri) exprimant avec puissance la souffrance humaine, la peur, la guerre, la résistance.

Naïfs. — Figuratifs, ces peintres n'appartiennent à aucune école : Hirshfield (Fille au miroir), Pickett (Manchester Valley), Seraphine (Trois au paradis).

Américains. — Interprètes contemporains d'un art abstrait, John Marin (Lower Manhattan), Joseph Stella (Factories) ou réalistes, Ben Shahn (Pacific Landscape), Edward Hopper (Gaz Oil), Andrew Wyeth (L'univers de Christine).

2e étage (Third Floor)

Dadaïstes. — Né de la guerre de 1914-18, le Dadaïsme conteste à l'art toute valeur esthétique ou morale. Les œuvres des Dadaïstes se présentent comme des parodies de la réalité dont le but essentiel est de choquer. Jean Arp à Zurich, Duchamp (Le passage de la vierge à la mariée) et Picabia à New York furent des témoins de « Dada » ainsi que Max Ernst et Schwitters, en Allemagne.

Surréalistes. — Le surréalisme vise à réintroduire le rêve dans la société moderne. Les artistes de ce courant s'expriment soit par jeux de lignes ou de signes, comme Arp ou Miro, soit par des scènes à la fois réalistes et mystérieuses comme Tanguy, Dali (La persistance de la mémoire) ou les Belges Magritte et Delvaux sans oublier Gorki, obsédé par son Arménie natale. Quant au français Dubuffet, il est plus humoriste.

Abstraits expressionnistes. — Avec des taches, des traits, des tons violents ou doux, ils cherchent à exprimer leurs états d'âme. Ce sont : Wols, de Staël, Hartung, Soulages, Manessier chez les Européens et, en Amérique (école de New York), Kline, surnommé le « fou du carré », Motherwell, Rothko, Pollock, chef de « l'Action Painting » *(détails p. 35),* Tobey, Reinhardt (de ce dernier, Carré noir fait de 9 carrés plus petits, noirs eux aussi, mais d'intensités différentes). Quant à W. de Kooning, il utilise la forme humaine (Femme).

Pop'Art. — Issu du dadaïsme, le Pop'Art préconise l'introduction dans l'art des objets de la vie courante parmi les plus humbles (boîtes de conserves, mégots, photos...). Œuvres de Rauschenberg, le pape du Pop'Art, de Rosenquist (Marilyn Monroe) et de Lichtenstein (La noyée).

Sculptures. — On passe de Bourdelle (buste de Beethoven), de Rodin (splendide main crispée), à Brancusi dont les formes aérodynamiques, la matière lisse (marbre ou cuivre poli) donnent une impression d'harmonie et de légèreté. Plus loin la sculpture « fil de fer » de Giacometti est pleine d'expression et de mouvement. On peut voir enfin, exposées, les œuvres abstraites de H. Moore, Duchamp-Villon, Calder.

Dessins estampes, photographies. — Exposées par roulement, les collections de dessins et d'estampes comprennent d'importants ensembles de Seurat, Toulouse-Lautrec, Rouault, Dali, entre autres. Les collections de photos illustrant l'histoire de l'art photographique, sont également présentées et renouvelées au Steichen Photography Center.

LES GUIDES VERTS MICHELIN

Paysages, monuments

Routes touristiques

Géographie, Économie

Histoire, Art

Itinéraires de visite

Lieux de séjour

Plans de villes et de monuments

Un choix de 31 guides pour vos vacances

Visite : 2 h, de préférence la nuit.

Broadway, « la plus longue rue du monde » qui traverse tout Manhattan et se prolonge dans le Bronx, a donné son nom à un célèbre quartier de plaisirs et de spectacles dont Times Square est le centre et qui s'étend approximativement de la 40e à la 53e Rue. Décevant et même de pauvre apparence pendant la journée, Broadway s'illumine pour devenir le « Great White Way » la nuit, quand une foule disparate se presse au-dessous de ses immenses affiches lumineuses.

■ TIMES SQUARE ★★

À l'intersection de Broadway et de la 7e Avenue, au « Carrefour du monde », Times Square tient son nom du New York Times qui s'installa en 1905 en cet endroit.

(D'après photo John B. Bayley, New York)

L'ancien Times Building.

Hier. — D'abord connu sous le nom de Longacre Square, c'était un quartier d'écuries de louage et de fabricants de harnais. Le marché aux chevaux de New York occupa jusqu'en 1910 le site actuel du Winter Garden Theater, à l'angle de la 50e Rue et de Broadway.

Au coin Sud-Est de Broadway et de la 42e Rue, à l'endroit où se dresse aujourd'hui un immeuble de bureaux, se trouvait le Knickerbocker Hotel. Au tournant du siècle, ses « déjeuners gratuits » où l'on pouvait déguster des mets aussi délectables que le homard Newburg étaient particulièrement réputés. La gratuité cependant n'était pas tout à fait totale, car le client était supposé ingurgiter deux bières (à 10 cents pièces au lieu du tarif de 5 cents en cours à l'époque) avant de s'attaquer au buffet, et il fallait encore en boire une autre après. C'est là que le fameux ténor Caruso aimait régaler ses amis. L'hôtel Astor, l'un des plus anciens de New York (1904), était situé sur le côté Ouest du Square entre la 44e et la 45e Rue,

avant d'être démoli en 1968 et remplacé par un immeuble de bureaux. Times Square fut souvent le théâtre d'immenses rassemblements populaires en des occasions diverses : résultats des élections, scènes d'enthousiasme et de joie populaire comme le rassemblement, sans précédent par son importance, le jour V (8 mai 1945). Lors de la veillée annuelle de la Saint Sylvestre la foule s'y groupe pour attendre le 12e coup de minuit.

Aujourd'hui. — Bruyant et populeux, bordé de cinémas, boutiques bon marché, disquaires, bars, librairies spécialisées, stands de tir et autres établissements bariolés, Times Square de jour a perdu de son ancienne splendeur. C'est la nuit que ce quartier prend vie dans une agitation fiévreuse, quand théâtres *(en vert sur le plan)* et cinémas *(en bleu sur le plan)* déversent leurs flots de spectateurs qui vont s'ajouter aux milliers de badauds déambulant à la lumière aveuglante des énormes enseignes électriques.

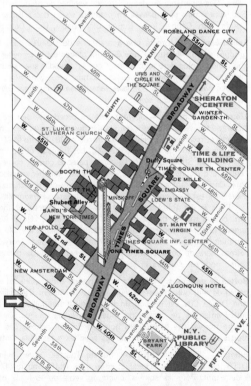

Dès 1921, G.K. Chesterton remarquait : « Quel magnifique jardin de merveilles ce serait pour quelqu'un qui aurait la chance de ne pas savoir lire! » À côté d'enseignes au néon qui clignotent, des figures animées vantent les produits les plus divers.

Des restaurants cosmopolites pour toutes les bourses, s'offrent aux amateurs.

2 BROADWAY - TIMES SQUARE ★★

One Times Square. — La Times Tower, avec ses 25 étages, semblait prodigieusement haute en 1904. Démolie en 1964, à l'exception de sa charpente d'acier, elle a été remplacée par l'Allied Chemical Tower, revêtue de marbre blanc; le Times lui-même ayant maintenant réuni tous ses services dans un édifice de la 43ᵉ Rue, juste à l'Ouest de Times Square *(on peut visiter sur demande écrite préalable).*

Cependant la boule métallique illuminée dont la chute annonce le commencement de l'année nouvelle a survécu aux transformations. Au sommet se trouve le restaurant ''Act One''.

The Songwriters' Hall of Fame and Museum. — *One Times Square, 8ᵉ étage. Ouvert de 11 à 15 h. Fermé le dimanche. Bibliothèque et archives. Expositions.*

Ce petit musée est consacré aux deux siècles de musique populaire américaine (piano mécanique, instruments de Duke Ellington et Fats Waller, souvenirs de Gerschwin et Fred Astaire).

■ BROADWAY★★ (Quartier des spectacles)

Un des premiers théâtres de Broadway fut ouvert en 1892 par Oscar Hammerstein à l'angle de la 42ᵉ Rue et de la 7ᵉ Avenue. Ce personnage qui voyait loin était le grand-père d'Oscar Hammerstein II, l'auteur bien connu des comédies musicales « Oklahoma ! » et « South Pacific » entre autres. Un grand nombre des premiers théâtres du quartier de Broadway étaient spécialisés dans le vaudeville ou le burlesque, d'un goût parfois douteux.

Aujourd'hui Broadway offre une gamme de divertissements beaucoup plus étendue, cinémas, théâtres de renommée mondiale, boîtes de nuit, bars.

Au cours des dernières décennies, un certain nombre de théâtres se sont ouverts « Off-Broadway » (hors Broadway), principalement à Greenwich Village et « Off-Off Broadway » dans le quartier 2ᵉ Avenue-Lafayette Street et Houston 8ᵉ Streets; ces théâtres sont spécialisés dans la représentation des pièces du répertoire ou d'avant-garde.

Dans le quadrilatère privilégié formé par les 40ᵉ et 57ᵉ Rues, Americas et 8ᵉ Avenue de nouveaux théâtres se sont montés dans les buildings modernes, citons Uris, Circle in the Square, Minskoff; d'anciens ont rouvert leurs portes, tel le New Apollo.

Les cinémas. — Une centaine de cinémas sont concentrés à Broadway : un grand nombre d'entre eux sont ouverts 24 heures sur 24, projetant des films de second ordre. Le long de la 42ᵉ Rue, entre la 7ᵉ et la 8ᵉ Avenue, il y a toute une série d'anciens théâtres transformés en cinémas, ce qui constitue une bonne rangée de marquises. Le plus beaux d'entre eux, le New Amsterdam, construit en 1903, a accueilli des étoiles telles que Maurice Chevalier ou l'actrice italienne Eleonora Duse, et les « Midnight Follies » se produisirent sur sa terrasse en été.

A Times Square, sur Broadway, des cinémas plus importants comme l'Embassy, le De Mille, le Loew's State qui pouvaient abriter 2000 à 3000 spectateurs, ont été transformés en plusieurs salles. Des chanteurs ou des artistes de variétés se produisent parfois dans ces établissements. Sur leurs écrans sont passés en première vision des artistes comme Shirley Temple, Deanna Durbin, Gary Cooper, Irene Dunne, Clark Gable, Doris Day, James Dean, Marilyn Monroe...

Les théâtres. — Il reste une quarantaine de théâtres dans le quartier, dont beaucoup sont groupés vers la 45ᵉ Rue. L'une de leurs gloires est la comédie musicale qui souvent tient l'affiche pendant plus de 5 ans. Il arrive que le candidat spectateur soit obligé de réserver sa place six mois à l'avance pour des succès comme West Side Story ou My Fair Lady et trois mois à l'avance pour les pièces normales sans danse ni musique. Généralement, il n'y a pas de représentations le dimanche soir.

Lieux de rencontre. — Juste à côté de Broadway, derrière l'emplacement de l'ancien hôtel Astor, se trouve le « cœur » du quartier des théâtres et des cinémas : **Shubert Alley.** Cette petite rue privée, réservée aux piétons, fut tracée en 1913 entre la 44ᵉ Rue et la 45ᵉ Rue et élargie lors de la construction du Minskoff Building. Les frères Shubert, lorsqu'ils firent construire les théâtres Booth et Shubert, durent laisser ce passage comme sortie de secours en cas d'incendie. A l'entracte ou après le spectacle, les amateurs de théâtre descendent souvent chez Sardi's, à côté. Ce restaurant se transforme en état-major des « aficionados » du théâtre les soirs de première et il est bien connu pour les caricatures de personnalités du théâtre ornant ses murs.

Dans la 44ᵉ Rue, entre la 5ᵉ Avenue et l'Avenue of the Americas, se trouve un autre symbole du monde du théâtre et de la littérature : l'Hôtel Algonquin. C'est là que, dans les années 1920, Alexander Woollcott organisa la célèbre « Table ronde » qui, parmi ses habitués, comptait Robert Benchley, Dorothy Parker et Robert Sherwood. On y retrouve un peu de l'atmosphère de cette époque et pratiquement toute la décoration originale. L'Algonquin est connu pour ses soupers et son bar.

Boîtes et dancings. — Dans cette partie de Broadway sont groupés beaucoup de bars et de boîtes de nuit qui présentent leurs girls... et souvent d'excellents orchestres de jazz. Le Roseland Dance City est devenu un havre plutôt tranquille pour les couples d'un certain âge et autres amateurs de danses devenues classiques (tangos, valses, slows, etc.), mais on peut encore trouver des bals où les hommes doivent acheter des carnets de tickets leur donnant droit à un certain nombre de danses avec les « taxi-girls » attachées à l'établissement.

Billets. — On trouve au Times Square Theater Center, signalé par une immense enseigne TKTS (contraction de tickets) et situé dans Duffy Square (47ᵉ Rue et Broadway), des billets à demi-tarif. Pour les soirées, billets en vente de 15 h (12 h le dimanche) à 20 h; pour les matinées, billets en vente de 12 h à 14 h les mercredi et samedi, de 12 h à 20 h le dimanche. ☎ 354-5800. De même, The Lower Manhattan Theater Center, 100 William Street, entre John Street et Maiden Lane, met des billets en vente pour les soirées, de 11 h 30 à 17 h 30, du lundi au vendredi. ☎ 344-3340.

Parcours : 2 km — Durée : 3 h.

On ne se lasse pas de parcourir la 5e Avenue (Fifth Avenue), voie triomphale de New York. La variété des perspectives sur les principaux gratte-ciel, surtout après la 50e Rue, le luxe des devantures, l'élégance et la beauté des promeneuses concourent à en faire une des promenades les plus fascinantes qui soient.

Une avenue de milliardaires. — Tracée par sections successives à partir de 1824, la 5e Avenue commença vers 1850 à supplanter Broadway dans la faveur des gens fortunés. Dès 1865 en effet, environ 350 maisons « grand standing » y avaient été construites dont chacune coûtait au minimum 20000 dollars, une petite fortune à l'époque.

En 1880, la chaussée, pavée et parcourue à grand fracas d'équipages et d'omnibus, est bordée d'hôtels particuliers, de clubs et de « brownstones » *(voir p. 33)* plus modestes mais encore cossus. Au croisement de la 34e Rue se dresse le front orgueilleux du palais de marbre construit en 1869 pour A.T. Stewart, riche commanditaire de plusieurs grands magasins. A ses côtés s'élève le vaste « brownstone » de William Astor dont l'épouse, la belle Caroline Schermerhorn, descend d'une vieille famille hollandaise et prétend régenter la bonne société new-yorkaise. La maison de John Jacob Astor est également proche, au coin de la 33e Rue. Ces deux dernières demeures deviennent successivement des hôtels, en 1893 le Waldorf de 13 étages (propriétaire William Waldorf Astor, neveu de Mme Astor), en 1897 l'Astoria de 17 étages (propriétaire John Jacob Astor, fils de Mme Astor) qui fusionneront en dépit des brouilles familiales sous le nom de **Waldorf Astoria** *(voir le nouveau Waldorf Astoria, p. 75)* avant de faire place, en 1929, au fameux **Empire State Building.** Dès 1893, Mrs. Astor avait choisi un lieu de résidence plus au Nord, à la 65e Rue où se trouve actuellement le temple Emanu-El *(p. 54).* Plus tard au Nord, vers la 50e Rue, la puissante lignée des Vanderbilt s'est installée,

(D'après document Museum of the City of New York)

La 5e Avenue, en 1880.

qui dans un château pseudo-gothique, qui dans un manoir simili-Renaissance.

Un bal qui defraye la chronique. — En ce printemps de 1883, la « gentry » est en transe : M. William K. Vanderbilt, petit-fils du célèbre « commodore » *(voir p. 74 et 95)* donne un bal dans son manoir Renaissance. Des reconstitutions de danses françaises du 18e s., en costume de cour, sont prévues; les plus riches héritières du comté répètent sans trêve révérences et pas compliqués.

Pendant ce temps, Mlle Astor se morfond de chagrin et de dépit : elle n'est pas conviée au bal. Sa mère, la fière Caroline Astor, snobe Mme Vanderbilt qu'elle refuse d'accueillir dans son salon, le plus fermé de la ville.

Mais la « happy end » est proche. Mme Astor s'attendrit : elle recevra Mme Vanderbilt, l'invitation suivra et sa fille ira au bal danser le menuet et la gavotte sur un air de Rameau.

De brillants partis. — A la même époque d'autres bals aristocratiques suscitèrent les commentaires, tel que celui « des 400 », donné en 1892, et pour lequel Mme Astor devait lancer 400 invitations, pas une de plus, sous prétexte que la bonne société new-yorkaise ne dépassait pas 400 personnes. On imagine l'angoisse des candidats et le dépit des évincés.

Aux bals organisés dans l'enceinte du Waldorf Astoria assistèrent nombre de gandins de l'aristocratie européenne. Le résultat fut qu'au cours de l'année 1895, Consuelo Vanderbilt épousa le duc de Malborough, Pauline Whitney le marquis d'Anglesey et Anna Gould le fameux Boni de Castellane, dandy entre les dandys.

■ EMPIRE STATE BUILDING ★★★

Lorsqu'on arrive à New York, par air ou par mer, l'Empire State s'impose au regard, surgissant comme un signal au centre de Manhattan qu'il domine de sa silhouette élancée, luisant sous le soleil. Ses 448,65 m en font le premier édifice des États-Unis, mais si l'on déduit la hauteur de l'antenne de télévision, construite postérieurement, l'édifice lui-même ne mesure plus que 380,98 m et arrive en troisième position après le Sears Roebuck Building de Chicago et les tours jumelles du World Trade Center *(voir p. 91).*

Du sommet se dégage un splendide panorama qu'on fera bien de voir en deux fois : la première de jour pour découvrir la topographie de New York, la seconde de nuit pour jouir du spectacle féérique des lumières de la ville.

La construction. — Les travaux furent menés avec une exceptionnelle célérité, moins de deux ans entre le premier coup de pioche en octobre 1929 et l'inauguration en mai 1931; à certains moments, on construisit un étage par jour de travail. Il n'y eut que deux étages de fondations et des poutrelles d'acier, mises en place trois jours après leur sortie des aciéries de Pittsburgh, totalisaient un poids de 60000 t : mises bout à bout ces poutrelles auraient suffi pour réaliser un chemin de fer à double voie reliant Paris et Dijon. L'opinion publique s'inquiéta, craignant de voir l'édifice s'effondrer comme un château de cartes.

Mais l'Empire State tint bon et on envisagea même, un temps, de faire de la plate-forme supérieure une aire d'amarrage pour dirigeables.

Il présente ses 102 étages, ses 6500 baies nettoyées deux fois par mois, ses 73 ascenseurs pouvant débiter 10000 personnes à l'heure, son escalier de 1860 marches qu'on met 1/2 h à descendre. La gigantesque antenne qui le surmonte a été installée en 1951. Quant au phare dont la portée atteint 160 km, il date seulement de 1960; son éclat est tel qu'on est obligé de l'éteindre au printemps et à l'automne lors de la migration des oiseaux, afin d'éviter que ceux-ci, éblouis, ne viennent s'écraser contre les parois du belvédère. Par temps clair, les 32 étages supérieurs sont illuminés du crépuscule au milieu de la nuit.

L'Empire State a coûté près de 40 millions de dollars à l'époque et contient uniquement des bureaux abritant plus de 15000 personnes soit approximativement la population de Châteaudun. Un escadron de 150 personnes manie l'aspirateur aux heures creuses.

Visite. — Avant de pénétrer à l'intérieur de l'Empire State on ira faire quelques pas dans la 34ᵉ ou la 33ᵉ Rue Est pour admirer avec un peu de recul une vertigineuse perspective ascendante sur le géant.

Montée à l'Observatoire ★★★. — *Entrée sur la 34ᵉ Rue, signalée « Ticket Office Observatory ». L'accès de l'observatoire est possible tous les jours de 9 h 30 à minuit (dernier ticket délivré à 22 h 30); prix : 1,94 $.* Consulter le tableau de visibilité avant de se munir de billets. Il se peut qu'on soit obligé d'attendre : 35000 visiteurs par jour en moyenne entreprennent l'ascension. En moins d'une minute, soit à la moyenne de 30 km/h

Dimensions comparées
de l'Empire State
et de la Tour Eiffel.

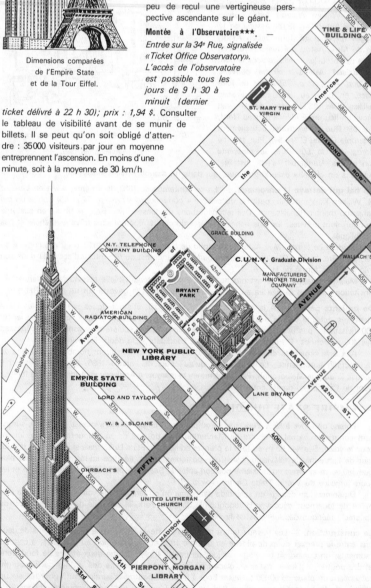

un ascenseur emporte les visiteurs au 80e étage : malgré la pressurisation de la cabine on fera bien d'avaler sa salive pour éviter les bourdonnements d'oreille. Un autre ascenseur conduit au 86e étage où se trouve l'observatoire (distributeur automatique de boissons).

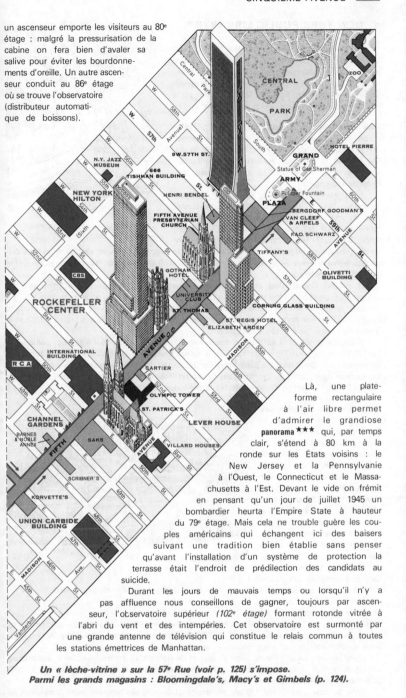

Là, une plateforme rectangulaire à l'air libre permet d'admirer le grandiose **panorama** ★★★ qui, par temps clair, s'étend à 80 km à la ronde sur les États voisins : le New Jersey et la Pennsylvanie à l'Ouest, le Connecticut et le Massachusetts à l'Est. Devant le vide on frémit en pensant qu'un jour de juillet 1945 un bombardier heurta l'Empire State à hauteur du 79e étage. Mais cela ne trouble guère les couples américains qui échangent ici des baisers suivant une tradition bien établie sans penser qu'avant l'installation d'un système de protection la terrasse était l'endroit de prédilection des candidats au suicide.

Durant les jours de mauvais temps ou lorsqu'il n'y a pas affluence nous conseillons de gagner, toujours par ascenseur, l'observatoire supérieur *(102e étage)* formant rotonde vitrée à l'abri du vent et des intempéries. Cet observatoire est surmonté par une grande antenne de télévision qui constitue le relais commun à toutes les stations émettrices de Manhattan.

Un « lèche-vitrine » sur la 57e Rue (voir p. 125) s'impose.
Parmi les grands magasins : Bloomingdale's, Macy's et Gimbels (p. 124).

De la 34e à la 40e Rue (New York Public Library)

La partie de la 5e Avenue qui va de la 34e Rue à la 40e Rue est principalement bordée de grands magasins, spécialisés dans l'habillement et la décoration comme B. Altman & Co, Lord and Taylor... ce dernier comptant parmi les plus anciens de New York puisque fondé en 1826.

Sur la 34e Rue, Orbach's *(ouvert même le dimanche de 12 h à 17 h)* habille femmes, hommes et enfants. A l'angle de la 38e Rue, W & J. Sloane est un magasin d'ameublement depuis 1843. F. W. Woolworth offre toute une gamme de produits bon marché du genre Prisunic. Lane Bryant, à l'angle de la 40e Rue, est spécialiste du vêtement féminin de grande taille. On aperçoit à gauche l'imposant bâtiment affecté à la Public Library.

Un « block » (bloc d'immeubles) correspond à l'espace compris entre 4 voies dans un plan urbain quadrillé. Ce terme est couramment employé à New York pour indiquer la distance dans l'expression « à deux blocs d'ici ». Le petit côté d'un bloc représente, dans le centre de la ville, en moyenne 70 m.

■ NEW YORK PUBLIC LIBRARY★★

La Bibliothèque publique de New York occupe un monumental building de style Renaissance précédé de gradins que gardent Prudence et Fortitude, deux lions de pierre à la débonnaire majesté. Sa façade postérieure regarde le **Bryant Park** qui porte le nom du poète William Cullen Bryant *(voir p. 51).*

Une promenade fréquentée. — En cette année 1853 qui voit se dérouler la première Exposition Internationale de New York, Murray Hill, la colline qui fait le gros dos au centre de Manhattan, attire nombre de badauds en extase devant trois étranges édifices.

Le premier d'entre eux, sur la 5e Avenue, remonte à 1842. C'est une sorte de fort bastionné, dont les murs massifs sont couronnés d'une plateforme à l'usage des promeneurs. Ceux-ci y tournent autour d'un vaste bassin car ce pseudo-fort contient

(D'après photo A. Devaney, New York)

Public Library. — Un des lions.

un réservoir qui reçoit son eau du lac Croton dans le Westchester (Nord de New York). Le **Croton Distribution Reservoir** — tel est son nom — sera démoli en 1899 et la Public Library, inaugurée en 1911, le remplacera.

Le second, **Crystal Palace,** dont l'entrée principale ouvre sur l'Avenue of the Americas a été bâti pour l'Exposition à l'imitation de son homologue de Londres, plus ancien de deux ans. Sa carcasse de fer et de verre abrite un important échantillonnage d'œuvres d'art et de produits industriels. Bien que construit en matériaux ininflammables, le Crystal Palace brûle en 1858 et le Bryant Park sera tracé à son emplacement.

Enfin, en retrait de la 42e Rue se dresse l'armature de fer d'une tour aiguë qui préfigure la Tour Eiffel. Atteignant 115 m de hauteur, le **Latting Observatory** compte trois étages de plates-formes en bois. De la dernière plate-forme on découvrait de superbes perspectives sur Manhattan et New York, avec au premier plan le Croton Reservoir, et le Crystal Palace. Comme le Crystal Palace, le Latting Observatory fut la proie des flammes (1856).

Collections et organisation. — La Public Library (Études et Recherches) dont le financement provient en majorité de capitaux co-privés, possède environ 5 millions de volumes répartis sur quatre emplacements. Plus de 10 600 000 manuscrits, 317 000 cartes, 136 000 gravures font la richesse de la Bibliothèque. Les livres et les documents les plus intéressants sont exposés par roulement.

Parmi les pièces rares citons une lettre de Christophe Colomb (1493) annonçant la découverte de l'Amérique, une Bible de Gutenberg évaluée

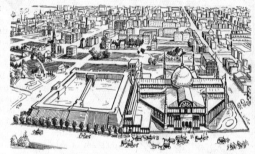

(D'après document Museum of the City of New York)

Emplacement de la Public Library, en 1850.

500 000 dollars, un brouillon de la Déclaration de l'indépendance écrit à la main par Jefferson, des curiosités comme un Galilée qui ne peut être lu qu'avec une loupe (12 mm sur 18), les Nouvelles exemplaires de Cervantès imprimées sur liège, etc.

Dans le cadre de la Bibliothèque d'Études et de Recherches on trouve aussi la Schomburg Collection *(voir p. 119)* et le Performing Arts Research Center à Lincoln Center *(voir p. 107)* bibliothèque cinématographique, théâtrale et musicale.

Enfin la New York Public Library administre 81 succursales réparties dans Manhattan, le Bronx et Staten Island. Les plus importantes sont situées dans le centre (Midtown) : la Mid-Manhattan Library (8 Est 40e Rue) ; la General Library and Museum of the Performing Arts, au Lincoln Center (III Amsterdam Avenue. *Voir p. 107*) ; le Donnell Library Center (20 Ouest 53e Rue. *Voir p. 41*) spécialisé dans la littérature étrangère, les concerts enregistrés et les films éducatifs ; la célèbre Bibliothèque des Aveugles et des Handicapés Physiques (166 Avenue of the Americas) qui contient des milliers d'ouvrages en caractères Braille dont beaucoup peuvent être envoyés en prêt dans n'importe quelle ville des États-Unis.

Visite. — *De 10 h à 18 h (19 h le mardi). Fermé les jeudis, dimanches et jours fériés.*

C'est tout un monde de salles, d'escaliers et de couloirs démesurés où l'on peut errer librement. Il y a quatre étages divisés en départements spécialisés.

Au rez-de-chaussée (First Floor) on admire l'architecture « Renaissance italienne » du vaste hall revêtu de marbres : 12 espèces de marbres ont été utilisées dans la construction de l'établissement. Salles et galeries d'exposition : collection de timbres, panneaux consacrés à l'histoire et à la technique de l'imprimerie et de la gravure. Prendre l'ascenseur, au fond du couloir à droite, pour monter au 2e étage (Third Floor).

Le deuxième étage abrite le fichier général (10 millions de fiches) et le fichier des dictionnaires. Les principales salles de lecture (la plus grande peut recevoir 800 lecteurs) s'ordonnent à partir d'un vaste hall orné de boiseries et de fresques illustrant sur les murs l'histoire du livre.

On peut se promener dans les couloirs où sont exposées d'intéressantes estampes anciennes relatives à l'histoire de New York. Dans une salle spéciale la Berg Collection rassemble une précieuse série de portraits américains par Copley, Trumbull, Reynolds, Stuart...

■ BRYANT PARK

C'est surtout en été qu'il faut connaître Bryant Park, oasis de fraîcheur et de calme dans Manhattan. À l'heure du déjeuner, les employés des bureaux voisins viennent s'y détendre et écouter des concerts de musique enregistrée ou exécutée par de véritables musiciens. Expositions florales et artistiques attirent également les passants.

Bryant Park porte le nom du poète **William Cullen Bryant** (1794-1878). Dessiné à l'emplacement du Crystal Palace *(voir p. 50)*, il comprend une perspective classique de pelouses où s'ébattent les pigeons et de massifs de fleurs qu'encadrent des allées de sycomores formant mails.

Au 40 Ouest 40e Rue, s'élève l'American Radiator Building, dessiné par Raymond Hood : ce fut le premier gratte-ciel à servir de point de repère dans la ville.

Du parc on peut découvrir deux étonnants buildings : à l'Ouest, le New York Telephone Company Building, dont les fenêtres en verre teinté s'intercalent entre des colonnes de marbre blanc ; au Nord, s'élevant au-dessus d'une base curviligne, le 1114 Avenue of the Americas (Grace Building), en pierre de travertin et verre gris.

Au 33 Ouest 42e Rue, une Graduate School, un des 20 centres éducatifs de l'Université de New York (City University of New York : C.U.N.Y.), possède un agréable raccourci entre les 42e et 43e Rues, comportant une arcade pour piétons *(expositions et concerts gratuits).*

Reprenant la 5e Avenue en direction de Grand Army Plaza, nous entrons dans un secteur de banques. On trouve aussitôt à gauche, à l'angle de la 43e Rue, le Manufacturers Hanover Trust Building, siège d'un établissement bancaire dont les parois de glaces transparentes étonnent le passant pour qui le mot banque évoque une sorte de forteresse protégée par des murs épais. Ici tous les aménagements sont livrés à la vue du public qui peut évaluer l'efficacité de l'énorme porte blindée de la salle des coffres qui donne une vitrine donnant sur la 5e Avenue, apprécier les bureaux en ébène de Macassar et des sols en marbres d'Italie, discuter de la valeur des sculptures abstraites parmi lesquelles se détache une spectaculaire composition en fils métalliques (œuvre de Bertoia) suspendue au plafond. Dans ce cadre somptueux a lieu chaque année une exposition d'orchidées.

Au coin Nord-Est de la 46e Rue, se tient un magasin spécialisé en vêtements de sport, le Wallach's.

À hauteur de la 47e Rue, Korvette's est un magasin aux comptoirs très variés et toujours bien approvisionnés : spécialité d'objets vendus avec remises *(ouvert même le dimanche).*

■ LA RUE DES DIAMANTS★ (Diamond Row)

Entre la 5e Avenue et l'Avenue of the Americas, la 47e Rue pourrait être pavée de diamants avec tous ceux qui s'amoncellent dans les étroites boutiques riveraines, tenues par des commerçants souvent originaires d'Europe Centrale ou Orientale. Aussi est-elle soigneusement surveillée à ses extrémités par des policiers en uniforme, tandis que d'autres, en civil, se promènent çà et là.

Dans les vitrines c'est un ruissellement de pierres précieuses, rubis, émeraudes et surtout diamants, naturels ou synthétiques, ces derniers difficiles à distinguer des autres. Les opérations commerciales s'effectuent principalement le matin, parfois sur le trottoir, entre courtiers et marchands transportant leurs joyaux dans des coffrets, de petites valises, voire de petits sacs en papier ou tout simplement dans leurs poches.

Revenir sur la 5e Avenue. Entre les 48e et 49e Rues, au n° 600, la Barnes & Noble Annex vend des livres à succès au rabais tandis que de l'autre côté de l'Avenue, le magasin du grand libraire Scribners rappelle, par son décor intérieur, l'époque 1900. Entre les 49e et 50e Rues, Saks est un magasin élégant, particulièrement fourni en vêtements de bonne coupe et en articles de sport.

■ CATHÉDRALE ST-PATRICK★

Cathédrale catholique de New York, St-Patrick est dédié au saint patron de ces Irlandais fort nombreux à New York et connus pour leur attachement au sol ancestral. Les festivités de la St-Patrick *(voir p. 19)* témoignent de leur vénération pour l'apôtre de l'Irlande et le souvenir des ancêtres. Jusqu'en 1964, à cette occasion, une ligne verte, couleur nationale, était même tracée le long de la 5e Avenue.

De style gothique, la cathédrale a été commencée en 1858, inaugurée en 1879 mais terminée seulement en 1906. Située à l'origine en dehors de l'agglomération, elle se trouve aujourd'hui en plein centre, illustrant la poussée de la ville vers le Nord.

Son architecture est imitée de la célèbre cathédrale de Cologne, notamment dans l'élévation de deux tours à flèches aiguës qui atteignent 100,58 m de haut (Cologne, 157 m). L'ensemble, de proportions élancées et équilibrées, apparaît cependant modeste en regard des gratte-ciel du Rockefeller Center.

Trois portails, garnis de belles portes de bronze ornées de sculptures, donnent accès à l'intérieur, assez majestueux, dont la nef, les bas-côtés et le déambulatoire sont éclairés par des vitraux de style gothique aux bleus intenses (beaucoup ont été exécutés en France). On remarquera les importants piliers, hauts de 10 m, soutenant des voûtes gothiques compartimentées qui s'élèvent à 34 m au-dessus du sol. Parmi le mobilier, citons comme intéressant le dais d'un dessin élégant qui surmonte le maître-autel et les orgues monumentales. En sortant, voir à droite l'effigie de Paul VI, en bronze ; à gauche la réduction du bourdon de la cathédrale de Rouen (l'original a été détruit pendant la guerre).

À l'angle de la 5e Avenue et de la 51e Rue, l'**Olympic Tower** dresse ses 51 étages. Cet élégant building, en verre fumé, allie magasins et bureaux dans sa moitié inférieure et appartements de grand standing dans sa moitié supérieure. Un parc intérieur, Olympic Place, planté d'arbres et agrémenté d'une cascade, achève de donner à l'ensemble son aspect luxueux.

Un peu plus loin, on s'arrêtera devant les vitrines du joailler Cartier, établi à New York depuis 1847.

Considérons maintenant, de l'autre côté de la 5e Avenue, au n° 666, le **Tishman Building 666 ★** (39 étages), une des réalisations originales de l'architecture moderne de son époque avec sa façade d'aluminium embouti en pointes de diamant. À l'intérieur, des halls aux curieux plafonds découpés en lamelles formant ondulation ou pendentifs, une fontaine lumineuse, la musique d'ambiance diffusée jusque dans les ascenseurs témoignent de l'imagination des promoteurs. Au dernier étage, un restaurant-bar, le « Top of the Sixes » décoré de tapisseries et de tableaux de maîtres, jouit d'un panorama magnifique sur Manhattan.

■ ÉGLISE ST-THOMAS ★

L'église protestante épiscopalienne St-Thomas a été bâtie au début de ce siècle dans le style « Gothic Revival » *(p. 33)*. Elle a vu se dérouler les fastes de maints grands mariages.

La façade est très ouvragée. Au trumeau du portail, saint Thomas accueille les fidèles tandis que les autres apôtres font la haie de chaque côté ou sont alignés en position dominante au tympan du portail, encadré de bas-reliefs évoquant la Légende de saint Thomas, patron des architectes, qu'on distingue armé d'un compas. Sur le côté gauche de la façade s'ouvre l'étroite « porte des époux » ornée des mains symboliquement enlacées.

À peine est-on entré dans l'église que l'œil est attiré par l'immense **retable ★** de pierre, œuvre de St-Gaudens, qui ferme la perspective de la nef. Illuminé par projecteurs, il apparaît blanc sous les voûtes noires du chœur à chevet plat. Des niches à dais y abritent les statues du Christ, de sa Mère, des apôtres, de saints et de personnalités épiscopaliennes.

Auprès de cette œuvre d'art les autres éléments du mobilier pâlissent quelque peu. Il ne faut pas cependant négliger les vitraux aux bleus et aux rouges profonds, la chaire et la tribune d'orgue sculptée avec virtuosité.

Les orgues et l'acoustique de St-Thomas jouissent d'une réputation méritée. *D'octobre à mai concerts d'orgue les dimanches à 17 h 15 ; chants les mercredis de 12 h à 22 h et les dimanches de 11 h à 16 h.*

Non loin de St-Thomas, l'University Club Building (1899) et le Gotham Hôtel (1905) sont d'aspect « Renaissance italienne ». L'hôtel St-Regis (1904) reflète, lui, plutôt le style « nouille » dit, en Amérique, « baroque Hollywood » ; il recèle en son sein « la Maisonnette », un élégant cabaret. Ces immeubles sont situés entre la 54e et la 55e Rue près des luxueux instituts de beauté : Revlon et Elizabeth Arden.

■ FIFTH AVENUE PRESBYTERIAN CHURCH

Datant de 1875, c'est une des dernières églises new-yorkaises bâties en « brownstone » *(voir p. 33)*. Son aménagement intérieur reflète la différence de conception entre Épiscopaliens et Presbytériens quant à la célébration du culte. Les uns observent une liturgie sacramentelle, proche de celle des catholiques, les autres insistent sur la primauté de la Parole. C'est ainsi que l'intérieur de l'église presbytérienne de la 5e Avenue a été conçu sous la forme d'un amphithéâtre tourné vers la chaire. *Dans le sanctuaire, concerts d'orgue tous les mardis à 12 h 30 d'octobre à mai.*

Les bibliophiles aimeront flâner chez Rizzoli, la célèbre librairie internationale *(ouvert jusqu'à minuit du lundi au samedi)*. Sur le même trottoir que Presbyterian Church, mais au coin Sud-Ouest de la 56e Rue, un petit palais Renaissance constitue le fief du diamantaire Harry Winston.

Observons maintenant le building qui fait face : c'est le **Corning Glass Building ★**, siège d'une importante société de fabrication de glaces et verres. Ses 28 étages, dont les parois de verre teinté couvrent une surface de 2 ha, s'élancent d'un seul jet jusqu'à 108,50 m de hauteur. À l'angle, devant la façade du magasin Steuben Glass, une vasque fait miroir d'eau.

À l'abri des vitrines de Steuben Glass, qui sont convexes pour éviter les reflets, scintillent de beaux objets de verre ou de cristal. Entre la 55e et la 56e Rue, le hall principal du building possède un curieux plafond en marqueterie de glaces.

De la 56e Rue à Grand Army Plaza, les devantures somptueuses se font encore plus nombreuses : citons entre autres celles de Tiffany dont les vitrines regorgent de joyaux (près de l'entrée, le Tiffany, énorme diamant de 128 carats), I. Miller et ses fines chaussures de femme, Henri Bendel (10 Ouest 57e Rue) avec ses bijoux et ses sacs à main, Van Cleef & Arpels (bijoux), Bergdorf Goodman, grand couturier, F.A.O. Schwarz enfin dont les deux étages sont remplis de jouets extraordinaires : animaux en peluche, jouets anciens, jouets mécaniques et électriques, poupées, déguisements, etc.

Avant d'arriver à Grand Army Plaza, on ne manquera pas d'aller contempler le building **9 Ouest 57e Rue ★**. Partant en arrondi au-dessus d'un immense hall, il s'élance vers le ciel pour s'arrêter à 50 étages de hauteur. Ses murs de verre entrent dans un cadre en pierre de travertin. L'image réfléchie déformée des bâtisses avoisinantes produit d'étranges effets. Sur le parvis, la sculpture représentant le chiffre 9 est l'œuvre d'Ivan Chermayeff.

Parcours : 3 km — Durée : 4 h (sans la visite des musées).

Dans sa section qui côtoie Central Park, la 5e Avenue, avec son unique rangée de somptueuses demeures ayant vue sur le parc, présente un aspect essentiellement résidentiel. Ici, le commerce, même de luxe, cède la place aux immeubles bourgeois d'une dizaine d'étages, « air conditionné à tous les étages », et aux hôtels particuliers des milliardaires pour la plupart transformés en musées, en consulats, en clubs, ou en fondations culturelles. De-ci, de-là s'avancent les tentes à rayures ou à passementeries sous lesquelles se tiennent des cerbères galonnés, prêts à ouvrir la portière d'une voiture tout en serrant sous leur bras le caniche nain de Madame, chaussé, chapeauté et sanglé dans un élégant raglan écossais.

Les petites rues perpendiculaires à la 5e Avenue, côté Est, ne manquent pas d'un certain charme : plantées d'arbres, elles sont bordées de coquets hôtels particuliers dont les façades offrent une agréable variété.

UN PEU D'HISTOIRE

(D'après photo John B. Bayley, New York)

5e Avenue. — Un ancien hôtel de milliardaire

La ruée vers le Nord. — C'est aux alentours de l'an 1900 que les milliardaires de la 5e Avenue commencèrent à quitter la latitude de la 34e Rue pour émigrer vers les vastes horizons de Central Park. Là, châteaux et palais en pierre de taille remplacèrent les « brownstones » démodés, et boiseries, trumeaux, tapisseries, tableaux, meubles anciens achetés en Europe commencèrent à garnir les intérieurs.

Le plus hardi de ces émigrants fortunés fut Andrew Carnegie, le roi de l'acier, qui alla s'établir à hauteur de la 90e Rue, tandis que la fière Mme Astor *(voir p. 47)* s'arrêtait à la 65e Rue non loin des Gould (67e Rue), enrichis dans les affaires, et des Whitney (68e et 72e Rue). Quant au roi du cuivre, W.A. Clark, il avait élevé sa demeure, dont le dôme s'érigeait à 49 m de hauteur, à l'angle de la 77e Rue. Ces magnats de la finance et leurs descendants vécurent là jusqu'à la crise de 1929 qui força plusieurs d'entre eux à vendre leurs hôtels particuliers, remplacés par des immeubles à appartements.

■ GRAND ARMY PLAZA★★

Spacieuse et fleurie, Grand Army Plaza parfois appelée plus brièvement « The Plaza » ou « Plaza Square » par les New-Yorkais fait charnière entre la 5e Avenue, section commerces de luxe, et la 5e Avenue, section résidences de luxe. Durant les chaleurs c'est un des rares endroits frais de la grande cité. Attelées de chevaux dont les fers sont gainés de caoutchouc, les calèches y stationnent, prêtes à emmener le touriste désireux de se promener sans fatigue dans Central Park tout proche *(14 $ la promenade d'une demi-heure; 10 $ par demi-heure supplémentaire).*

La place est bordée d'hôtels cossus et distingués, comme le Pierre et le Plaza, tous deux de type européen. Bâti en 1907 dans le style Renaissance française, le **Plaza**, à l'entrée protégée par une vaste marquise, est une véritable institution new-yorkaise et ses bals de débutantes ou de bienfaisance rassemblent l'élite de la société.

Devant le Plaza, la Fontaine de l'Abondance

(D'après photo William Hubbell)

Central Park South. — Les calèches.

comporte plusieurs vasques superposées, aux gracieuses cascades, que surmonte une statue de l'Abondance. Elle a été érigée en 1915 et porte le nom de Joseph Pulitzer, journaliste et fondateur de prix littéraires.

Presque aussi célèbre que le Plaza, l'hôtel Savoy, qui lui faisait face de l'autre côté de la place, a été démoli et remplacé, en 1968, par le **General Motors Building** ★ qui abrite le siège new-yorkais de la General Motors.

Devant l'édifice de 50 étages revêtus de marbre de Géorgie, et conçu par l'architecte Edward Stone, une plaza ornée de fleurs et de fontaines, comprend un restaurant en plein air, des boutiques, une galerie et un pub. Aux deux premiers étages se trouvent des stands d'exposition permettant de contempler les divers véhicules produits par la marque depuis ses débuts. *Ouvert de 9 h à 21 h du lundi au vendredi et de 10 h à 18 h le samedi. Fermé les jours fériés.*

Du côté de Central Park, la statue du Général Sherman (1820-1891), un des chefs nordistes durant la guerre de Sécession, est précédée d'une Victoire ailée ; l'ensemble est dû au sculpteur Augustus Saint-Gaudens.

On remarque d'abord à droite, au-delà de la 60e Rue, le **Metropolitan Club**, palais de style Renaissance italienne mitoyen de l'**hôtel Pierre**. Celui-ci de type européen *(voir p. 14)*, est un des plus luxueux de la ville avec 600 chambres dont certaines sont occupées par des hôtes permanents. Son architecture (1930) pastiche celle du palais de Versailles, un Versailles qui serait en forme de tour de 40 étages avec, au sommet, un belvédère constitué par la chapelle de Mansart et Robert de Cotte. En arrière, contrastant par le modernisme de son élévation et ses façades tout en glaces, le **Getty Building** appartient à la famille de J.P. Getty, magnat du pétrole.

Au carrefour de la 61e Rue (800, 5e Avenue), à l'emplacement de l'hôtel particulier de la famille Dodge, s'élève depuis 1978, un bâtiment résidentiel.

Faire une incursion dans la **62e Rue**, exemple des voies résidentielles d'atmosphère européenne qui joignent la 5e Avenue à Madison et à Park Avenue, avec leurs hôtels particuliers dans le style du 18e s. Au no 5, une synagogue à la moderne façade de béton rappelle que la communauté israélite de New York est particulièrement importante.

Reprenant la 5e Avenue on voit au coin de la 64e Rue (no 2) un hôtel de style Renaissance toscane, bâti en 1896 pour un aristocrate du charbon, Edward J. Berwind ; au no 3 de la même rue, New India House a été bâtie en 1903 dans un style fleuri, dit « Gigi style », par Warren et Wetmore. Plus loin, après avoir traversé Madison Avenue, on trouve au no 112 de la 64e Rue Est, Asia House.

Retournant à la 5e Avenue, on aperçoit l'**ancien arsenal** de l'Etat de New York, édifié en 1840, à l'imitation d'un château féodal et aujourd'hui occupé par l'Administration des Parcs.

Asia House. — *Ouverte de 10 h (13 h les dimanches et jours fériés) à 17 h (20 h 30 les jeudis). Fermée pendant quatre semaines entre chaque exposition (4 par an) et le Thanksgiving Day. Entrée : 1 $.*

La société Asia fut fondée en 1956 par J.D. Rockefeller, troisième du nom, pour faire connaître l'art asiatique. L'immeuble qui abrite galeries et bureaux, offre une façade vitrée, conçue par Philip Johnson, en 1959.

Les coquettes maisons à escalier extérieur de la 64e et 65e Rues sont caractéristiques du quartier résidentiel. Au no 49 de la 65e Rue vécurent Franklin et Éléonor D. Roosevelt.

Temple Emanu-El. — *Ouvert de 10 h à 17 h. Office le vendredi à 17 h 15 (concert d'orgue à 17 h) et le samedi à 10 h 30.*

Principale synagogue réformée de New York et la plus grande des États-Unis, le Temple Emanu-El (Dieu avec nous) a été construit en 1929 dans le style roman byzantin. La nef, large et majestueuse, peut recevoir 2 500 fidèles. Sa charpente, ses colonnes de marbre à chapiteaux sculptés en méplat, son arc triomphal revêtu de mosaïques rappellent l'architecture des basiliques d'Orient. Les vitraux, très décoratifs, illustrent de façon symbolique l'Ancienne Loi.

Au fond de la nef, le sanctuaire abrite le tabernacle, ou Arche sainte, dans lequel est enfermée la « Torah » *(sur ce terme, voir p. 123)*. De chaque côté du sanctuaire sont placés des chandeliers rituels à 7 branches.

Continuer la 5e Avenue jusqu'à la 70e Rue où se trouve l'ancienne résidence de H.C. Frick, agrémentée de parterres en terrasse.

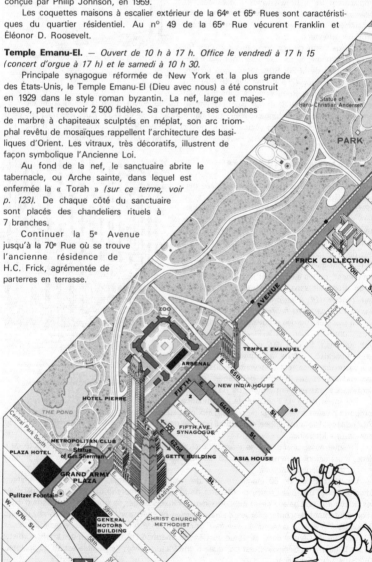

Frick Collection ★★★. — Un des plus beaux et des plus agréables musées privés du monde. *Description p. 56 et 57.*

Continuant toujours, on atteint la 72e Rue où se trouve, au n° 9, le palais Régence qui abrite le **lycée français** (classes primaires) de New York. Autre institution française, le **Consulat Général de France** est installé au n° 934 de la 5e Avenue dans un joli hôtel Renaissance italienne. Au-delà de la 75e Rue, une belle grille de fer forgé protège **Harkness House** palais « romain » à corniche très sculptée construit en 1905 pour Edward S. Harkness, associé de John D. Rockefeller à la Exxon Corporation (Esso).

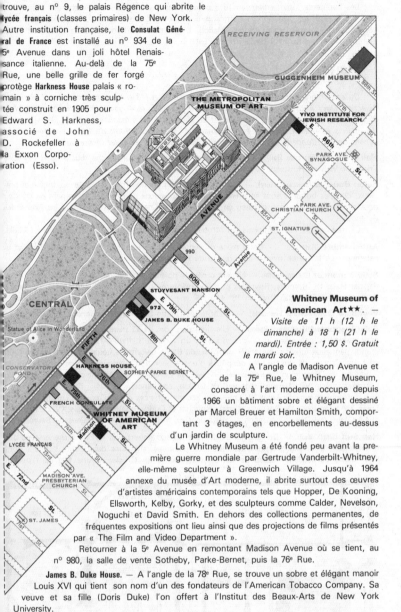

RECEIVING RESERVOIR

GUGGENHEIM MUSEUM

THE METROPOLITAN MUSEUM OF ART

YIVO INSTITUTE FOR JEWISH RESEARCH

PARK AVE. SYNAGOGUE

PARK AVE. CHRISTIAN CHURCH

ST. IGNATIUS

990

STUYVESANT MANSION

972

JAMES B. DUKE HOUSE

CENTRAL

Statue of Alice in Wonderland

HARKNESS HOUSE

SOTHEBY PARKE BERNET

CONSERVATORY POND

FRENCH CONSULATE

WHITNEY MUSEUM OF AMERICAN ART

LYCÉE FRANÇAIS

MADISON AVE. PRESBYTERIAN CHURCH

ST. JAMES

Whitney Museum of American Art ★★. — *Visite de 11 h (12 h le dimanche) à 18 h (21 h le mardi). Entrée : 1,50 $. Gratuit le mardi soir.*

A l'angle de Madison Avenue et de la 75e Rue, le Whitney Museum, consacré à l'art moderne occupe depuis 1966 un bâtiment sobre et élégant dessiné par Marcel Breuer et Hamilton Smith, comportant 3 étages, en encorbellements au-dessus d'un jardin de sculpture.

Le Whitney Museum a été fondé peu avant la première guerre mondiale par Gertrude Vanderbilt-Whitney, elle-même sculpteur à Greenwich Village. Jusqu'à 1964 annexe du musée d'Art moderne, il abrite surtout des œuvres d'artistes américains contemporains tels que Hopper, De Kooning, Ellsworth, Kelby, Gorky, et des sculpteurs comme Calder, Nevelson, Noguchi et David Smith. En dehors des collections permanentes, de fréquentes expositions ont lieu ainsi que des projections de films présentés par « The Film and Video Department ».

Retourner à la 5e Avenue en remontant Madison Avenue où se tient, au n° 980, la salle de vente Sotheby, Parke-Bernet, puis la 76e Rue.

James B. Duke House. — A l'angle de la 78e Rue, se trouve un sobre et élégant manoir Louis XVI qui tient son nom d'un des fondateurs de l'American Tobacco Company. Sa veuve et sa fille (Doris Duke) l'on offert à l'Institut des Beaux-Arts de New York University.

Le vestibule est décoré d'une statue de Nicolas Coustou (1658-1733) représentant Euterpe, muse de la Musique.

Au n° 972, 5e Avenue, dans un hôtel ayant appartenu aux Whitney, sont installés les services de presse et culturels de l'Ambassade de France. Payne Whitney fit construire cette belle demeure par l'agence d'architectes McKim, Mead et White. Il mourut en 1927, laissant une fortune : 178 893 655 dollars.

A l'angle de la 79e Rue, la **Stuyvesant Mansion**, à tourelle d'angle, fut bâtie en style Louis XII par un descendant du dernier gouverneur hollandais de New York *(voir p. 85)*.

Au coin Nord-Est de la 80e Rue s'élève un immeuble à appartements qui est peut-être le plus luxueux de la 5e Avenue.

Deux rues plus haut apparaît la façade monumentale du Metropolitan Museum.

Metropolitan Museum ★★★. — *Description p. 58 à 67.*

Reprendre la 5e Avenue. En arrivant à la 86e Rue, on découvre la **Miller Mansion** dont l'architecture Louis XIII est inspirée de François Mansart. La maison, bâtie en 1910 pour un certain William S. Miller, appartint ensuite à Mme Cornelius Vanderbilt III, jusqu'à la mort de celle-ci, en 1953. C'est aujourd'hui le siège de **Yivo Institute for Jewish Research.**

Se placer ensuite sur le trottoir, côté gauche de la 5e Avenue : on aperçoit en fond de perspective la silhouette basse et étrange du **Guggenheim Museum** *(description p. 68).*

Pour le fervent d'art ancien comme pour le simple amateur de jolies choses, le Frick Museum constitue un des plus agréables moments d'un voyage à New York. Riche de collections très variées, il offre encore l'aspect d'une résidence privée à l'ambiance intime et raffinée.

Les bâtiments furent édifiés en 1913 pour un magnat de l'acier de Pittsburgh, Henry Clay Frick (1849-1919) qui y rassembla les trésors acquis durant quarante ans, avec l'aide d'un autre collectionneur de ses amis, Andrew Mellon. L'ensemble fut transformé en musée en 1935. L'entrée se trouve au n° 1 de la 70e Rue Est.

VISITE

De septembre à mai, le musée est ouvert, de 10 h (13 h les dimanches, le 12 février et l'Election Day) à 18 h. Fermé les lundis, le 1er janvier, le 4e jeudi de novembre, les 24 et 25 décembre. De juin à août, il est ouvert de 10 h (13 h les dimanches) à 18 h. Fermé les lundis, mardis et 4 juillet. Entrée : 1 $ (le dimanche : 2 $). Les enfants de 4 à 16 ans doivent être accompagnés. Concerts gratuits les dimanches après-midi, en hiver (écrire pour réserver).

Hall d'entrée (Entrance Hall). — Il est pavé de marbre. Dans une niche, buste de Henry Clay Frick par Malvina Hoffman.

Salon Boucher (Boucher Room). — Reconstitution d'un boudoir français du 18e s., intime et précieux, dont les boiseries sont enrichies de huit compositions de Boucher, provenant du boudoir de Mme de Pompadour au château de Crécy (près de Chartres) et représentant les Arts et les Sciences.

Le mobilier du 18e s. français est attribué aux ébénistes Martin Carlin, Riesener et Malle.

Antichambre (Anteroom). — Cette pièce présente périodiquement une collection de dessins et estampes. Le buste de marbre est l'œuvre de Francesco Laurana (15e s.).

Salle à manger (Dining Room). — Elle est ornée de portraits anglais du 18e s. au séduisant coloris, par Hogarth, Romney, Reynolds et d'une peinture de Gainsborough, Le Mall à St. James Park. L'argenterie anglaise est du 18e s.

Vestibule Ouest (West Vestibule). — Il abrite les Quatre Saisons de Boucher (1755).

Salle Fragonard (Fragonard Room). — Elle tient son nom de 11 peintures décoratives de Fragonard, œuvres d'une grâce inimitable, qui sont un véritable hymne à l'Amour. Les quatre plus grands panneaux furent commandés par Mme du Barry, favorite de Louis XV, pour son pavillon de Louveciennes. Ils illustrent les péripéties d'une « opération » amoureuse : ce sont, de droite à gauche, la Déclaration, la Poursuite, l'Assaut, la Conquête ou l'Amant couronné (copies de ces œuvres à la Villa-Musée Fragonard de Grasse, en France).

Un mobilier français Louis XV-Louis XVI accompagne ces chefs-d'œuvre : canapé et sièges Louis XV à tapisserie de Beauvais d'après Boucher et Oudry, commodes Louis XVI de Riesener et La Croix, travailleuse de Jacob au piètement en forme de lyre, porcelaines de Sèvres...

Hall Sud (South Hall). — Du mobilier se détache un secrétaire Louis XVI de Riesener avec des bronzes faits pour Marie-Antoinette. Parmi les peintures, signalons deux petits Vermeer dont l'un, d'une particulière finesse de lumière, représente un Officier et une fille riant devant

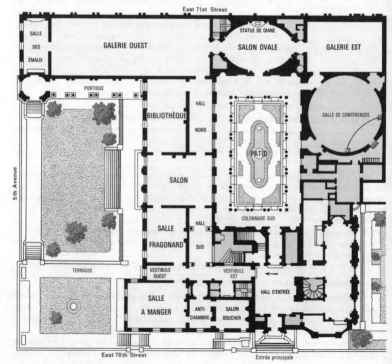

une carte de la Hollande curieusement orientée, le Nord étant à droite, évoquant ainsi la topographie des États-Unis avec la frontière canadienne à l'emplacement de la côte de la mer du Nord. Un portrait de Mme Boucher (1743) est signé deux fois par Boucher. Au pied de l'escalier se trouve une grande horloge Louis XV comportant aussi un baromètre.

Salon (Living Hall). — Meublé d'un bureau et de deux commodes Boulle, cette pièce enferme des chefs-d'œuvre de la peinture du 16e s. L'école vénitienne est évoquée par le saint François que Giovanni Bellini a placé dans un paysage d'une grande finesse de dessin et par deux portraits du Titien dont l'un reproduit un auteur de contes licencieux, l'Arétin. La fascinante figure de saint Jérôme par le Greco représente l'école espagnole. L'école allemande s'affirme dans deux portraits par Holbein : Thomas More et Thomas Cromwell, témoignant d'un sens aigu de l'observation.

Bibliothèque (Library). — H. C. Frick est présent, en peinture, dans cette pièce où sont exposés de beaux ensembles de porcelaines chinoises à fond noir et de petits bronzes italiens ou français des 16e et 17e s.

On remarquera aussi la spirituelle effigie, en terre cuite, du miniaturiste Hall, exécutée par Boizot en 1787, et toute une série de peintures anglaises des 18e-19e s.

(D'après photo Frick Collection)

Le salon de H. C. Frick.

Hall Nord (North Hall). — Au-dessus de la table Louis XVI, en marbre gris, remarquer le portrait de la comtesse d'Haussonville par Ingres. Le buste de marbre, dû à Houdon, représente le marquis de Miromesnil garde des Sceaux sous Louis XVI. Noter aussi une Dame à la serinette, sorte d'orgue imitant le chant du serin, peinte par Chardin en 1751, une esquisse de Tiepolo évoquant avec une fougue baroque Persée délivrant Andromède (école vénitienne, 18e s.).

Galerie Ouest (West Gallery). — Dans cette salle, décorée de meubles italiens du 16e s. et de tapis persans, sont exposés des portraits et des paysages des écoles hollandaise, espagnole ou anglaise.

Parmi les premiers, citons Lodovico Capponi, page de Cosme Ier de Médicis, par Bronzino (Florence, 16e s.) aux caractéristiques fonds verts, un Greco de la période italienne (Fra Vincentio Anastagi, chevalier de Malte), trois splendides Rembrandt (son portrait par lui-même, le portrait de Nicolas Rust, et le Cavalier polonais) d'une grande intensité d'expression, des Frans Hals (école hollandaise, 17e s.), deux œuvres célèbres de Van Dyck reproduisant les traits de Snyders, le peintre anversois de natures mortes, et ceux de sa femme, un Philippe IV d'Espagne par Velasquez, et des Goya particulièrement expressifs (La Forge).

Paysages de Ruysdaël, de Hobbema (école hollandaise, 17e s.) et une vue sur le port de Dieppe par Turner. Un étonnant Georges de la Tour (école française, 17e s.), l'Éducation de la Vierge, comporte les effets de lumière qu'affectionnait le peintre.

Salle des émaux (Enamel Room). — Une très belle collection d'émaux peints de Limoges des 16e-17e s., aux coloris intenses (bleus, verts), fait escorte à une Madone à l'Enfant de Gentile da Fabriano et une œuvre de Piero della Francesca (école italienne, 15e s.), qui aurait fait partie d'un polyptyque : il s'agirait de l'apôtre Simon. On s'arrêtera aussi devant des œuvres de primitifs italiens, provençaux et des sculptures.

Admirer une peinture capitale de Van Eyck (Flandre 15e s.) : la Vierge à l'Enfant entre Élisabeth de Hongrie et Sainte Barbe, cette dernière présentant le donateur du tableau, un Chartreux, d'une extrême finesse de pinceau.

Salon Ovale (Oval Room). — Il abrite une réplique d'une Diane de Houdon (école française du 18e s.). Aux murs, quatre grands portraits par Whistler, dont celui du poète Robert de Montesquiou.

Galerie Est (East Gallery). — On y voit un cocktail de peintures d'époques et d'écoles diverses mais d'une grande qualité. Ce sont notamment la Vue d'un quai d'Amsterdam, par Jacob Ruysdaël (école hollandaise, 17e s.), où la voile du bateau à gauche paraît capter toute la lumière, le Sermon sur la Montagne, par Claude Lorrain (école franco-romaine, 17e s.), lumineux paysage où la profondeur de l'espace est rendue avec un art incomparable, un Greuze sentimental, la Dévideuse de laine sous les traits de la femme du peintre, le portrait (David, 1810) de la comtesse Daru, épouse de l'Intendant Général des armées napoléoniennes.

Patio (Court). — C'est un des endroits les plus agréables du palais, frais en été grâce à son pavement de marbre, son bassin, sa fontaine, ses plantes tropicales et ses fleurs. Parmi les sculptures, l'Ange en bronze par Jean Barbet. Se placer à l'extrémité Sud pour admirer la perspective terminée par la Diane de Houdon (voir ci-dessus).

Doté de moyens matériels puissants, le Metropolitan Museum of Art — le « Met », comme on dit à New York — abrite des collections immenses qui constituent une Encyclopédie des Arts visuels s'étendant sur plus de cinq millénaires, de la Préhistoire au milieu du 20e s.

La croissance du musée. — Fondé en 1870 par un groupe de citoyens new-yorkais, le musée ouvrit ses portes en 1872 dans un local provisoire. Le noyau des collections était alors formé par des antiquités cypriotes données par le général di Cesnola, ancien consul à Chypre, et par 174 tableaux, en majorité hollandais et flamands. Entre 1879 et 1898 fut construit un édifice de briques rouges, sans prétentions, s'ordonnant autour de 4 petites cours et qui correspond à la partie postérieure de l'actuel musée. En 1902 fut achevée la monumentale façade de style Renaissance, en calcaire gris de l'Indiana, au centre de laquelle s'ouvre l'entrée principale. Depuis 1970 des agrandissements se succèdent : 4 ailes nouvelles.

Dans le même temps les collections s'augmentaient considérablement, soit grâce aux donations des milliardaires de la 5e Avenue (Morgan, Rockefeller, Marquand, Hearn, Altman, Bache, Lehman...), soit par achats. Leur présentation dut être modifiée ces dernières années.

Quelques statistiques : plus de 3 millions de visiteurs en 1977, 236 salles, 5 000 tableaux et dessins parmi lesquels environ 2 000 peintures européenne de Giotto à Dali, plus de 1 000 000 de gravures, 4 000 objets d'art médiéval, 3 000 peintures et statues américaines, 4 000 instruments de musique... Un quart seulement des collections est exposé.

Les « départements ». — Le Metropolitan Museum comprend 18 sections principales :

Céramique, Verrerie et Orfèvrerie européennes ★★ (ci-dessous)

Institut du Costume ★ (p. 60)

Junior Museum ★ (p. 60)

Antiquités égyptiennes ★★★ (p. 60)

Antiquités grecques et romaines ★ (p. 60)

Art médiéval ★★★ (p. 61)

Pavillon Lehman ★★ (p. 61)

Arts décoratifs européens et sculpture ★★★ (p. 62)

Armes et armures ★★ (p. 63)

Collection Michael C. Rockefeller d'art primitif (p. 63)

Instruments de musique ★★ (p. 63)

Aile américaine (p. 64)

Extrême-Orient ★ (p. 64)

Proche-Orient (p. 64)

Islam ★★ (p. 64)

Dessins, estampes ★ et photographies (p. 64)

Peintures européennes ★★★ (p. 65)

Vingtième siècle (p. 67)

Renseignements généraux. — L'accès principal au musée se trouve sur la 5e Avenue, face à la 82e Rue. On pénètre dans le grand hall autour duquel se groupent les services : vestiaire, bureau d'informations, comptoirs de vente (reproductions de bijoux anciens et de céramiques ; les cartes de Noël éditées par le musée connaissent un grand succès). Des restaurants et une cafétéria sont à la disposition des visiteurs, au rez-de-chaussée. Le Fountain Restaurant s'ordonne autour d'un bassin orné d'une sculpture de Carl Milles. *Ouvert du mardi au vendredi de 11 h à 15 h (rafraîchissement de 15 h à 16 h 30); le samedi de 11 h 30 à 15 h 45, réservation, ☎ 570 46 83 (les samedi et dimanche de 11 h à 16 h).* Au sous-sol, près du Junior Museum, se trouve un Snack Bar. *Ouvert du mardi au samedi de 10 h à 16 h 30; le dimanche de 11 h à 16 h 15.*

VISITE

Ouvert du mardi au samedi de 10 h à 16 h 45 (20 h 45 le mardi); le dimanche et les jours fériés (sauf lundis fériés) de 11 h à 16 h 45. Tarif conseillé 2,50 $. Location de magnétophone portatif (Audio-guide). Au Sud des bâtiments, un parking est réservé aux visiteurs.

Sous-sol (Ground Floor)

CÉRAMIQUES, VERRERIE, ORFÈVRERIE EUROPÉENNES ★★ (European ceramics, glass and metalwork)

Céramique. — Le terme englobe tous les objets en terre cuite, recouverts ou non d'un émail. Parmi ces derniers on distingue les faïences à pâte poreuse et, fabriquées seulement au 18e s., les porcelaines à pâte plus compacte.

Quelques « bassins rustiques » à décor aquatique représentent l'art de Palissy (1510-1590) qui étudia les propriétés de l'émail comme « couverte » de la terre cuite. Sont aussi présentés des échantillons des principales fabriques françaises de Nevers, Rouen, Marseille, Moustiers, Strasbourg pour les faïences, St-Cloud, Chantilly, Vincennes et Sèvres pour les porcelaines ; deux curieux « pots pourris », vases à parfum en porcelaine de Sèvres, évoquent par leur décor la bataille de Fontenoy (1745). D'autres salles abritent des Delft, des faïences italiennes d'Urbino et Gubbio, caractérisées par leur célèbre « lustre métallique » et des porcelaines de Saxe (Meissen, Nymphenburg et Hochst) et des faïences d'Angleterre (Wedgwood, Staffordshire).

Orfèvrerie, objets de collection. — Horloges, pendules, montres et portraits en miniature attirent l'attention, de même que, dans les salles consacrées à l'orfèvrerie française des 18e-19e s., des œuvres de Germain et Roettiers. Noter le nécessaire de voyage ayant appartenu à Napoléon puis à sa sœur Pauline. On s'attardera dans la salle où sont présentés des œuvres d'orfèvrerie de la Renaissance (horloge en bronze doré, richement décorée par le Viennois Cospar Behaim, en 1568), des émaux de Limoges et de Venise, ainsi que des tabatières, bonbonnières, nécessaires, carnets de bal du 18e et du 19e s.

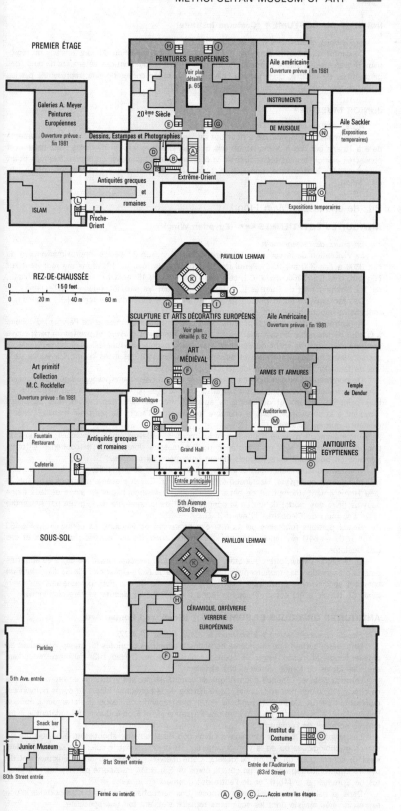

PREMIER ÉTAGE

PEINTURES EUROPÉENNES

Aile américaine
Ouverture prévue : fin 1981

Galeries A. Meyer
Peintures
Européennes

Ouverture prévue :
fin 1981

Voir plan
détaillé
p. 65

INSTRUMENTS

20 ème Siècle

DE MUSIQUE

Aile Sackler
(Expositions
temporaires)

Dessins, Estampes et Photographies

Extrême-Orient

Antiquités grecques
et
romaines

ISLAM

Proche-
Orient

Expositions temporaires

REZ-DE-CHAUSSÉE

0   150 feet
0   20 m   40 m   60 m

PAVILLON LEHMAN

SCULPTURE ET ARTS DÉCORATIFS EUROPÉENS

Aile Américaine
Ouverture prévue : fin 1981

Voir plan
détaillé p. 62

ART
MÉDIÉVAL

Art primitif
Collection
M.C. Rockfeller

Ouverture prévue : fin 1981

ARMES ET ARMURES

Temple
de Dendur

Bibliothèque

Fountain
Restaurant

Auditorium

Cafeteria

Antiquités grecques
et romaines

ANTIQUITÉS
EGYPTIENNES

Grand Hall

Entrée principale

5th Avenue
(82nd Street)

SOUS-SOL

PAVILLON LEHMAN

CÉRAMIQUE, ORFÈVRERIE
VERRERIE
EUROPÉENNES

Parking

5th Ave. entrée

Snack bar

Institut du
Costume

Junior Museum

80th Street entrée

81st Street entrée

Entrée de l'Auditorium
(83rd Street)

Fermé ou interdit

Ⓐ, Ⓑ, Ⓒ,.... Accès entre les étages

Étant donné le vaste programme d'extension et de rénovation entrepris par le musée, certains départements peuvent être fermés au public pendant plusieurs mois et des œuvres d'art peuvent être provisoirement déplacées. Pour tout renseignement concernant ces nouvelles installations et ces changements d'étages, s'adresser au bureau d'informations (information desk), à l'entrée.

INSTITUT DU COSTUME ★ (Costume Institute)

Expositions renouvelées tous les six mois.

Ce centre d'études du Costume comprend une vaste collection d'habits anciens ou régionaux provenant des quatre coins du monde. On y verra notamment des vêtements de cour, des garde-robes de théâtre. On y expose l'histoire de la mode contemporaine, représentée par les couturiers français et américains les plus connus.

JUNIOR MUSEUM ★

Accès par un escalier à l'intérieur du musée.

Cette réalisation ingénieuse a pour but de familiariser avec l'art et l'archéologie les enfants de 6 à 15 ans par des moyens visuels tels que tableaux lumineux et dioramas. Une galerie est consacrée aux différentes techniques de la peinture (huile, aquarelle, détrempe, fresques et art rupestre). Une bibliothèque, une salle d'études, un auditorium, une photothèque sont à leur disposition.

Rez-de-chaussée (Main Floor)

ANTIQUITÉS ÉGYPTIENNES ★★★ (Egyptian Wing)

En cours de remaniement.

La civilisation de la vallée du Nil s'épanouit sur environ 30 siècles, approximativement de l'an 3300 à l'an 300 av. J.-C. Parmi les 30 dynasties de rois, les Pharaons qui régnèrent sur l'Égypte, la 4e (2840-2680 av. J.-C.), celle des Pyramides, la 18e et la 19e, celles d'Aménophis III, de Toutankhamon et de Ramsès II, entre autres, furent les plus fécondes en réalisations.

Des tableaux, cartes et photographies permettent de situer dans le temps les époques historiques et géographiquement, les monuments.

A l'entrée du département, pénétrer dans une « mastaba », tombeau de Peryneb, dignitaire à la cour de Memphis (5e dynastie) : sur les parois intérieures gravées et peintes en perspective verticale, remarquer la scène où Peryneb, assis à son banquet de funérailles, reçoit la théorie de ses serviteurs lui apportant mets et boissons ; les têtes sont dessinées de profil avec les yeux vus de face. Reliefs de la pyramide de Chéops.

De nombreux bijoux et bibelots précieux sont conservés, parmi lesquels figure une collection de scarabées porte-bonheur utilisés aussi comme sceaux. On examinera des maquettes en bois peint de bateaux et de bâtiments agricoles trouvés dans des tombes. Les Egyptiens croyaient à la survivance, dans la chambre funéraire, de l'esprit du mort qui menait la même existence que sur la terre.

Autres éléments majeurs d'intérêt sont les momies, cadavres vidés, desséchés, entourés de bandelettes, dont la tête était protégée par un masque doré, et les sarcophages à forme humaine en bois peint dans lesquels étaient enfermées les momies.

Une remarquable stèle, appelée « Metternick Stela », de la 30e dynastie, porte le nom du dernier pharaon né en Egypte, Nectanebo (378-360 avant J.-C.), et présente un panneau sculpté le dieu Horus enfant, triomphant de bêtes maléfiques. Des sarcophages en pierre et deux longs papyrus (livre des morts) datent de la période allant de la conquête de l'Egypte par Alexandre (332) à la mort de Cléopâtre (30 avant J.-C.).

Beaux portraits funéraires peints à la cire provenant de Fayoum. La période romaine (30 avant J.-C. — 641) est représentée par des objets usuels (tissus, verrerie), des bijoux et des bois sculptés.

Le **temple de Dendur**, offert aux Etats-Unis par l'Egypte en reconnaissance de l'aide apportée pour la préservation des monuments de Nubie, s'élève au Nord-Ouest de l'aile Sackler, dans un bâtiment spécialement prévu pour l'abriter, s'ouvrant sur Central Park par une immense verrière. Ce temple a été construit sous le règne d'Auguste, aux débuts de l'ère chrétienne.

ANTIQUITÉS GRECQUES ET ROMAINES ★ (Greek and Roman Art)

Rez-de-chaussée (salles 1 à 9). Premier étage (salles 10 à 17).

On y verra surtout une abondante collection d'antiquités cypriotes (6) qui appartenaient au premier fonds du musée. Parmi les objets les plus rares, les Cyclades (3e millénaire) nous laissent des idoles de forme humaine, très stylisées.

Outre la poterie, l'époque géométrique se caractérise par ses statuettes en bronze, comme ce cheval (16) d'une grande sobriété. La recherche de la perfection idéale du corps humain est représentée par un Couros (1) symbole viril le plus répandu de l'époque archaïque. L'époque hellénistique, plus réaliste, nous montre une Paysanne (4) et Eros endormi (16) reflétant la sérénité du sommeil de l'enfant.

Les salles 10 à 15 nous font suivre l'évolution de la poterie, aboutissant à la peinture de scènes mythologiques ou de la vie courante sur les objets. Noter le splendide **Cratère d'Euphronios** (10) acheté pour un million de dollars. Cette merveille, œuvre du potier Euxitheos et du peintre Euphronios représente d'un côté le corps de Sarpédon transporté par Hypnos et Thanatos (le Sommeil et la Mort), et de l'autre des guerriers en armes.

Dans la galerie transversale sont disposés des sarcophages et des bustes-portraits d'une expression très réaliste dont les sculpteurs romains s'étaient fait une spécialité.

Entre cette galerie et le grand hall du musée, il faut pénétrer dans la chambre à coucher (en latin cubiculum) d'une villa de Boscoreale, près de Pompéi, ensevelie lors d'une éruption du Vésuve. Ses peintures évoquent avec la précision d'un décor de théâtre l'architecture urbaine romaine.

Remarquer des exemples du fameux rouge pompéien, les masques de satyres posés çà et là, enfin les effigies d'Hécate, déesse protectrice des demeures privées.

ART MÉDIÉVAL ★★★

A gauche de l'escalier principal se trouve présenté l'**art médiéval primitif** (Early Medieval Gallery), évoqué notamment par le Trésor de Chypre (7e s.) découvert en 1902, par des ivoires et des émaux byzantins. Un portail roman en marbre provenant de San Gemini (Italie) donne accès à la Salle des Tapisseries.

Le revers de l'escalier a été aménagé en **chapelle romane** (Romanesque Chapel) abritant une collection de Vierges en Majesté (école française, 12e-13e s.).

Tapisseries (Tapestries). — Issues principalement des ateliers flamands d'Arras, de Bruxelles ou de Tournai ces tapisseries ont été tissées du 14e s. au début du 16e s. ; elles jouaient un rôle plus utilitaire que décoratif, étant destinées à protéger des courants d'air. La plus ancienne, dite de la Crucifixion (Allemagne 14e s.), est dépourvue de perspective ; l'Annonciation a été mise sur le métier au début du 15e s. d'après une composition de Melchior Broederlam, peintre de la cour de Bourgogne. La série des Sacrements, avec le Baptême, le Mariage, l'Extrême-Onction, est très rare. Une tenture exécutée pour Charles le Téméraire, Duc de Bourgogne, représente Hector se faisant armer pendant la guerre de Troie. Dans la même salle est exposée une étonnante selle allemande en os, le décor sculpté en méplat (faible relief) figure des scènes d'amour courtois.

Galerie des sculptures médiévales (Medieval Sculpture Hall). — Elle a été habilement transformée pour suggérer l'idée d'une église. Dans l'axe de la nef, une splendide grille baroque formant jubé, haute de 17 m, provient de la cathédrale de Valladolid (Espagne) : le corps principal est du 17e s. ; le couronnement, d'un dessin plus tourmenté, du 18e s. A Noël, un grand arbre est exposé devant la grille avec une crèche napolitaine du 18e s.

Ses nombreux bas-reliefs et statues permettent de suivre l'évolution de la sculpture gothique européenne du 13e au 16e s. Plusieurs pièces très précieuses sont protégées par des vitrines ou éclairées par des projecteurs. Parmi elles, une exquise petite Vierge à l'Enfant (France, 13e s.), en bois polychrome, placée à droite en entrant dans la galerie ; non loin de là, une belle Crucifixion de l'école italienne (début 13e s.).

C'est ici que fut exposée, en 1963, la Monna Lisa (la Joconde) de Léonard de Vinci, venue du Louvre et qu'admirèrent 1 596 056 visiteurs.

(D'après photo Metropolitan Museum)

Le hall médiéval et la grille espagnole.

Trésor Médiéval (Medieval Treasury). — Rassemblant châsses, reliquaires, objets de culte, le Trésor abrite aussi deux beaux groupes sculptés (école française, début 16e s.) jadis dans la chapelle du château de Biron en Périgord : ce sont d'un côté une Mise au tombeau et en face une Pietà devant laquelle sont agenouillés Armand de Gontaut, évêque de Sarlat, et son frère Pons de Gontaut, seigneur de Biron. Dans des vitrines au centre sont disposées les plus précieuses orfèvreries religieuses : grande châsse du 13e s. à décor d'émaux limousins et scènes de la vie du Christ en cuivre doré, chef-reliquaire de saint-Yrieix (Limousin, 13e s.) qui contenait le crâne du saint, petite Vierge à l'Enfant de l'école allemande du 15e s.

Des émaux limousins romans et gothiques rivalisent avec des ivoires parisiens des 14e-15e s., parmi lesquels un rosaire à grains figurant des têtes de morts. Signalons enfin un retable en os sculpté par Baldassare degl'Embriacchi (Italie, 15e s.) : scènes de la vie du Christ (au centre), de saint Jean-Baptiste (à gauche), de saint Jean l'Évangéliste (à droite).

PAVILLON LEHMAN ★★

Ce pavillon abrite les 3 000 œuvres d'art de la **collection Robert Lehman**. Sept pièces ont été reconstituées avec du mobilier provenant de la maison de Lheman, située à l'Ouest de la 54e Rue. Parmi les peintures italiennes des 14e et 15e s., signalons Saint-Antoine au désert, par Sassetta, une Annonciation de Boticelli, Madone et Enfant de Bellini. Citons aussi des artistes flamands et allemands, tels que Petrus Christus (Saint-Éloi en orfèvre), Gérard David, Memling et Cranach le Vieux. Toiles hollandaises et espagnoles : Rembrandt, le Gréco, Goya. Français des 19e et 20e s. avec Ingres (Portrait de la Princesse de Broglie), Renoir, Van Gogh, Matisse et Vlaminck.

Sont aussi exposées une importante série de dessins (Léonard de Vinci, Pisanello, Rembrandt, Dürer, Degas, Cézanne ainsi qu'un carnet de croquis de l'Américain Prendergast), des tapisseries et broderies gothiques, des faïences persanes, des majoliques italiennes, des bronzes du Moyen Age et de la Renaissance, des médailles, des miroirs vénitiens, des émaux limousins, des meubles anciens et un superbe ensemble de pièces d'orfèvrerie.

SCULPTURE ET ARTS DÉCORATIFS EUROPÉENS ★★★ **(European Sculpture and Decorative Art)**

Le patio Blumenthal (Vélez-Blanco). — A gauche de l'escalier principal s'ouvre le patio Renaissance, reconstitué en 1964, du château de Vélez-Blanco en Andalousie (Espagne). Ses galeries de marbre blanc, ses baies aux encadrements sculptés de fins motifs par des artistes lombards engendrent une sensation de dépaysement. Belle sculpture des chapiteaux à l'italienne et harmonie décorative des carreaux de céramique du plafond. Une inscription latine donne le nom du propriétaire du château, Pedro Fajardo, et les dates de construction : 1506-1515.

Salles de la Renaissance (1 à 5). — On y admire une porte Renaissance, en bois sculpté, du château de Gaillon en Normandie, portant les effigies du roi Louis XII et du constructeur du château, le cardinal d'Amboise, coiffé d'un bonnet carré de docteur. Ailleurs ce sont des marqueteries provenant de la chapelle de la Bastie d'Urfé, en Forez ; la chambre de Nelson du Star Hotel, Great Yarmouth (Norfolk) ; la chambre aux murs en bois sculptés (caryatides, animaux fantastiques), de Flims, un village suisse.

Salles italiennes (8 à 11). — Dans une galerie communiquant avec la salle du Trésor sont exposées des sculptures Renaissance par Antonio Rossellino, Torrigiano et des petits bronzes des 16e-17e s. par Riccio, Jean Bologne, etc. Plus loin un vestibule précède la chambre du palais Sagredo (début 18e s.) à Venise, d'une richesse extraordinaire avec ses dorures et ses amours de stuc voletant au-dessus du lit.

Salles anglaises (13 à 20). — Pour suivre l'évolution du décor intérieur anglais de 1660 à 1800 commencer par la salle qui se trouve dans le prolongement de la galerie des sculptures médiévales et poursuivre dans le sens des aiguilles d'une montre.

Parmi les œuvres d'art des 16e et 17e s., l'attention est attirée par le monumental escalier baroque sculpté par Gibbons pour Cassiobury Park (Hertfordshire). Le rococo en vogue au milieu du 18e s. est évoqué par la salle à manger du château de Kirlington Park (Oxfordshire) au spectaculaire décor de stuc (mélange de marbre et de chaux), et maintenant meublée comme un salon.

L'architecte Robert Adam (1728-1792) a donné son nom à un style imprégné de réminiscences antiques dont la splendide salle à manger de Landsdowne House à Londres fournit un exemple : ses peintures unies, aux teintes douces, ses pilastres, ses niches garnies de statues antiques, ses stucs « pompéiens » dont un cadre raffiné de la table et aux chaises d'acajou dont la teinte sombre met en valeur l'éclat de l'argenterie et du lustre.

Le salon voisin, jadis à Croome Court (Warwickshire), est également dû à Adam. Mais les murs sont tendus de tapisseries d'après Boucher qui contrastent par leur somptuosité et leur fantaisie avec la distinction un peu sèche du décor.

Salles Wrightsman (23 à 35). — Centrées surtout sur le 18e s. français, les collections qui y sont présentées comptent parmi les plus belles du musée.

Dans la galerie d'accès a été reconstituée la devanture d'une boutique parisienne du 18e s., à l'enseigne de la Couronne d'Or, qui s'élevait sur le Quai Bourbon dans l'île St-Louis ; dans les vitrines encadrées de guirlandes et de paniers de fleurs sculptées typiques de l'époque Louis XVI, sont exposées des pièces d'argenterie de Paris.

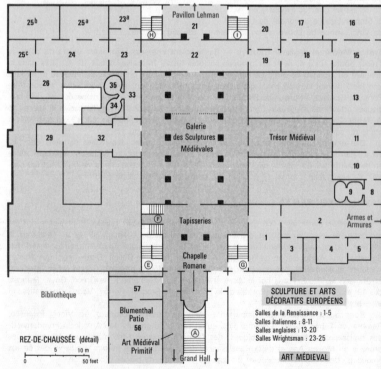

REZ-DE-CHAUSSÉE (détail)

SCULPTURE ET ARTS DÉCORATIFS EUROPÉENS
Salles de la Renaissance : 1-5
Salles italiennes : 8-11
Salles anglaises : 13-20
Salles Wrightsman : 23-25

ART MÉDIÉVAL

En face, côte à côte : un boudoir à boiseries peintes de l'hôtel Crillon, avec un mobilier du château de St-Cloud dont un lit de repos de Marie-Antoinette, et la « Bordeaux Room », salon arrondi aux lambris délicats de style Louis XVI.

La salle Louis XV, aux riches panneaux sculptés sur le thème des Plaisir des saisons, est orné d'un portrait de Louis XV enfant, peint par Rigaud. Dans la « Sèvres Alcove Gallery », parmi les superbes porcelaines de Sèvres, rose « Pompadour », se distingue un vase en forme de nef, battant pavillon à fleur de lis, et des plats d'un service du prince de Rohan, d'un bleu-turquoise qui a fait la réputation de la célèbre manufacture. Derrière cette alcôve, le gracieux salon de l'hôtel de Lauzun offre des meubles précieux rehaussés de plaques de porcelaine, de l'ébéniste Carlin. La pendule en tête de négresse est une réalisation de Furet, horloger du roi Louis XVI ; les chiffres des heures et des minutes apparaissent dans les yeux et peuvent être changés en tirant sur les boucles d'oreille de la dame.

Dans la spacieuse galerie Louis XVI, un portrait de Lavoisier et de sa femme, peint par David domine la cheminée ; les deux cabinets-secrétaires noir et or, en laque, sont signés Weisweiler.

Quatre salles donnent sur cette galerie. *On peut les admirer du seuil.*

Le salon blanc et or de l'hôtel de Varengeville (Paris) met en valeur les meubles Louis XV, le bureau du roi provenant de Versailles et le merveilleux tapis de la Savonnerie tissé pour la Grande Galerie du Louvre.

Le salon du Palais Paar à Vienne se distingue également par son tapis de la Savonnerie aux tons bleutés, une commode et une table à écrire signées B.V.R.B. (Bernard II Van Risen Burgh), un lustre en cristal.

Le salon aux boiseries sculptées de trophées musicaux de l'hôtel Cabris à Grasse, de style néo-classique, abrite une console de Riesener et un nécessaire de voyage, table convertible pouvant être utilisée sur un lit pour déjeuner, lire ou faire sa toilette. Bustes de Voltaire et de Diderot par Houdon.

Le salon Louis XVI de l'hôtel Tessé à Paris, revêtu de sobres boiseries blanches, possède un tapis de la Savonnerie, du 17e s. et des meubles conçus par Riesener pour Marie-Antoinette un secrétaire et une commode en laque, noir et or, enrichis de bronze doré.

ARMES ET ARMURES ★★ (Arms and Armor)

Sorties des ateliers des armuriers de Milan et Brescia, d'Augsbourg et Nuremberg, de Greenwich et de Tolède aux 15e-16e-17e s., elles sont des chefs-d'œuvre de précision et souvent de raffinement dans leur décor. Beaucoup ont appartenu à des personnages illustres.

Cette **Equestrian Court** (Cour équestre) est très spectaculaire avec ses mannequins de chevaux caparaçonnés et de cavaliers équipés de leur attirail d'acier qui pouvait atteindre le poids respectable de 25 kg pour le cavalier et de 45 kg pour le cheval.

Nombre des armures équestres exposées étaient destinées aux joutes comme le montre leur côté gauche renforcé pour recevoir le choc de la lance. On remarquera un bel exemplaire d'armure allemande du 16e s. : le chevalier coiffé d'un heaume dont le cimier est couronné de cornes s'apprête à charger.

Gravée et damasquinée, l'armure de Galiot de Genouillac, grand maître de l'Artillerie sous François Ier, est ornée de scènes illustrant les travaux d'Hercule. Quelques armures de la fin du 16e s. d'origine anglaise (Greenwich) les accompagnent : voir surtout le « harnois » de Georges Clifford en acier bleu, gravé et doré.

Les **pièces d'armures** les plus dignes d'attention sont le heaume de François Ier, œuvre du grand armurier milanais Philippe Negroli, le bouclier et le heaume de Henri II, le heaume de Claude Gouffier, grand écuyer de France sous Henri II.

Les **armes blanches** comprennent poignards et dagues, épées et rapières, hallebardes et pertuisanes, lances et piques : voir l'épée à pommeau ciselé du marquis de Spinola (16e s.).

Les **armes à feu** comprennent des arquebuses à rouet ou à mèche, des mousquets à pierre et des pistolets à barillet souvent accompagnés de leur poire à poudre (remarquable pistolet de Charles Quint, à double barillet). Un nécessaire de chasse sorti de la manufacture de Versailles et exécuté par Nicolas Noël Bouter pour Napoléon Ier, comprend un fusil et deux pistolets damasquinés d'argent.

Les collections d'**armes et armures orientales** contiennent aussi des pièces exceptionnelles, notamment une armure japonaise du 16e s. comportant un masque terrifiant et une tunique composée de 4 500 lamelles de fer laqué rassemblées par 1 000 rivets et 200 m de fil de soie.

ART PRIMITIF (Collection Michael C. Rockefeller)

Ce nouveau département englobera les collections de l'ancien Museum of Primitive Art. Les peuples d'Océanie, d'Afrique et d'Amérique précolombienne sont évoqués par 3 000 objets.

Premier étage (Second Floor)

INSTRUMENTS DE MUSIQUE ★★ (Musical Instruments)

Rare collection de plus de 4 000 instruments de musique : noter trois Stradivarius, violons faits par le célèbre luthier de Crémone, et une étonnante suite de clavecins et de pianos décorés de marqueteries, sculptures, peintures. Le premier « pianoforte », construit à Florence en 1720 par l'Italien Cristofori, est exposé. Au hasard de la promenade on découvrira aussi deux splendides virginals (ancêtres du piano) ornés de peintures (Flandre 16e s.), l'épinette faite en 1540 à Venise pour la duchesse d'Urbino, des luths, des cithares et des guitares du 17e s., des épinettes, de petites orgues de salon et des harpes du 18e s. La visite s'achève par une série d'instruments asiatiques, indiens et africains.

AILE AMÉRICAINE (American Wing)

Actuellement en construction. Ouverture prévue fin 1981.

Construite sur quatre niveaux, elle abritera le département des **peintures américaines et sculptures** et illustrera l'histoire de la nation américaine grâce à une collection particulièrement riche en dessins, estampes et objets décoratifs. Ving-cinq intérieurs reconstitués avec du mobilier d'époque, évoqueront la vie domestique du pays du 17e au 19e s.

EXTRÊME-ORIENT ★ (Far Eastern Art)

Dans les mezzanines qui encadrent l'escalier principal du musée sont exposés bronzes et porcelaines de Chine de la haute époque.

Au Nord du grand hall, plusieurs salles se succèdent. La première présente des sculptures bouddhiques des 5e-6e s. et une immense peinture murale (14e s.) provenant de la province du Chan-Si, représente l'Assemblée de Bouddha. Céramiques chinoises, peintures chinoises et japonaises, sculptures indiennes (Shiva, à la fois le Créateur et le Destructeur, entouré d'un halo de feu) constituent d'autres joyaux du département.

PROCHE-ORIENT (Ancien Near Eastern Art)

On y voit des œuvres des civilisations sumérienne, iranienne, assyrienne. Remarquer une belle suite d'objets provenant des fouilles d'Hasanlu et de Dinkha Tepe, en Iran, et des ivoires finement sculptés (8e s. av. J.-C.) de Nimrud (Irak), des rhytons, récipients en forme de têtes d'animaux, et de beaux bijoux en or de l'ancienne Perse.

ISLAM ★★ (Islamic Art)

Une carte murale montre les régions touchées par la culture islamique du 7e au 19e s. Fondé par Mahomet en Arabie, l'Islam gagne l'Asie aux 8e et 9e s. puis les rivages de la Méditerranée jusqu'en Espagne. L'art musulman se retrouve donc dans des pays très variés.

L'opulence d'une maison syrienne du 18e s. apparaît dans une salle de réception à plafond décoré et vitraux colorés ; une fontaine en mosaïque orne son patio.

Une galerie consacrée aux fouilles de Nishapur, cité florissante de Perse (Iran), présente une rare peinture murale et des objets du 9e au 12e s. en métal, pierre, verre et céramique. Noter les belles arabesques de certaines poteries.

Dans les salles successives, on trouve des carreaux de faïence, des boiseries à entrelacs d'ivoire, des cuivres incrustés d'argent de l'époque Mamelouk (1250-1517) ; des ivoires sculptés, des céramiques et verres peints, des poteries d'Iran ; des jades et des bijoux des Indes. Des pages du Coran, reflètent le goût artistique des calligraphes. Un « mihrab » d'Ispahan, niche indiquant la direction de la Mecque dans les mosquées, présente un assemblage exquis de mosaïque où les caractères coufiques se mêlent aux motifs floraux et géométriques.

De somptueux tapis attestent l'importance des ateliers de tissage en Egypte, Perse, Turquie et aux Indes.

Un plafond mauresque espagnol, en bois peint, date du 16e s. La beauté de la pièce est rehaussée par un précieux tapis égyptien du 15e s.

Admirer les miniatures délicates de Perse, des Indes, de Turquie, celles d'Iran, peintes au 16e s., sur un Livre des rois où le poète décrit l'épopée du peuple iranien en lutte contre le conquérant arabe.

DESSINS, ESTAMPES ★ ET PHOTOGRAPHIES (Drawings, Prints and Photographs)

Entrée en haut et à gauche de l'escalier principal du musée. Expositions par roulement.

Dessins. — Le fonds comprend plus de 3 000 pièces dont le joyau est peut-être une feuille dessinée par Raphaël : au recto une Vierge à l'Enfant avec Saint Jean-Baptiste et au verso une étude de nu masculin. Mais des compositions très poussées, comme la Rédemption du Monde (Véronèse) ou le Jardin d'Amour par Rubens, peuvent soutenir la comparaison avec le chef-d'œuvre de Raphaël.

Sont aussi à citer des œuvres d'artistes italiens (Michel-Ange, Parmigianino, Pierre de Cortone, Pordenone, Romanino de Brescia), français (Poussin, Claude Lorrain, Vouet, David, Ingres, Delacroix), hollandais et flamands (Rembrandt, Lievens, Breembergh), espagnols (Goya).

Estampes. — Toutes les techniques sont représentées, de la gravure sur bois à la lithographie en passant par les différentes formes de gravures sur métal-burin, eau-forte, etc.

Parmi les épreuves les plus précieuses citons : pour la Renaissance une Bataille d'hommes nus par Pollaiuolo, un Combat de dieux marins, par Mantegna, les Cavaliers de l'Apocalypse de Dürer, l'Été de Breughel ; pour le 17e s. Apollon et les Muses de Claude Lorrain, le Faust et le Christ prêchant de Rembrandt ; pour le 18e s., des œuvres de Hogarth (école anglaise), Piranèse (école romaine), Moreau le Jeune (école française), Goya ; pour le 19e s. des compositions de Daumier (rue Transnonain) et Toulouse-Lautrec (le chansonnier Bruant).

Une promenade de plusieurs heures, matin et soir, dans un musée, est épuisante. Les touristes ne disposant que de quelques heures ont avantage soit à faire appel aux visites-conférences (s'adresser au bureau d'informations), soit à louer les postes émetteurs-récepteurs acoustiques qui les conduiront devant les œuvres les plus importantes.

PEINTURES EUROPÉENNES ★★★ (European Paintings)

Le département des peintures européennes comprend 40 salles partiellement meublées et décorées dans le style de l'époque des tableaux qu'elles renferment ; coffres, commodes, sièges, tentures, sculptures contribuent à créer une ambiance favorable à la compréhension.

L'école italienne (1 à 8).

Primitifs et 15ᵉ s. : salles 3, 4 et 5. — Il s'agit alors habituellement de scènes religieuses à fonds dorés peintes sur bois. Chez le Florentin Giotto ou le Siennois Sassetta se trouvent cependant un essai de représentation du modèle ou du paysage. Des fonds dorés et gravés, un dessin fin et minutieux sont typiques de peintres siennois qui savent donner une douceur charmante aux visages déminins. De Giotto (ou de son atelier) on voit une Épiphanie (3) réunissant dans une même composition l'Annonce aux bergers, la Nativité et l'Adoration des Mages. Comme Giotto à Florence, Sassetta occupe une place spéciale à Sienne par son sens du paysage et son souci de la mise en scène : l'Adoration des Mages en témoigne. Les œuvres de Giovanni di Paolo et Segna di Buonaventura illustrent ici l'école siennoise.

En salle 4 (peinture profane du 15ᵉ s.), au-dessus d'un beau « cassone », coffre rehaussé d'une scène de bataille, est accroché un Philippo Lippi (Homme et femme à la fenêtre), flanqué de deux portraits féminins réalisés par Giovanni Francesco et Pierro Pollaiulo. On y trouve aussi le florentin Ghirlandaio (Francesco Sassetti et son fils Théodore). En vitrine, au centre, plateaux peints des 14ᵉ et 15ᵉ s. (Triomphe de la Renommée ; Enfant nu et Naissance).

Dans la salle 5 (Italie du Nord), on verra une Pietà du Vénitien Carlo Crivelli, provenant d'un retable ; deux Madones de Bellini ; la Fuite en Egypte de Cosimo Tura ; sainte Ursule et ses vierges de Niccola di Pietro et l'Adoration des Bergers de Mantegna. A noter un étonnant tableau attribué au maître de Barberini, la Naissance de la Vierge, dans un cadre architectural romain.

Salles Pintoricchio : salles 4a et 4b. — Egalement fresques de figures mythologiques et signes du Zodiaque par Guilio Romano. L'école florentine est représentée par Botticelli et son chef-d'œuvre la Dernière Communion de Saint Jérôme (4b) ; grand portrait d'un archevêque de Milan par Titien.

16ᵉ s. : salles 1, 2 et 6. — L'école vénitienne est caractérisée par le chatoiement des couleurs et des personnages en gros plan évoluant sur un fond de paysage très lumineux. A la base des parois des salles tendues de damas vieux rose, ont été disposées des « cassoni », coffres de mariage. Une monumentale table faite de marbre, d'albâtre et de pierre dures formant mosaïque, a été conçue par l'architecte Vignole pour le Palais Farnèse à Rome et porte les armes du Cardinal Alexandre Farnèse.

Des toiles décoratives par Titien (Vénus et le joueur de Luth), Le Tintoret (Moïse sauvé des eaux) (2) ; un portrait de jeune homme par Bronzino, une Sainte Famille avec saint Jean enfant (6) par Del Sarto, une grande toile de Corrège (Pierre, Marthe, Marie-Madeleine et Léonard) sont accrochées aux murs.

Des œuvres d'artistes considérés comme mineurs suscitent aussi l'attention : une Mise au tombeau (1) par Moretto et portrait par Moroni, tous deux de Brescia, près de Venise, des scènes de la vie de saint Jean par le Florentin Francisco Granacci.

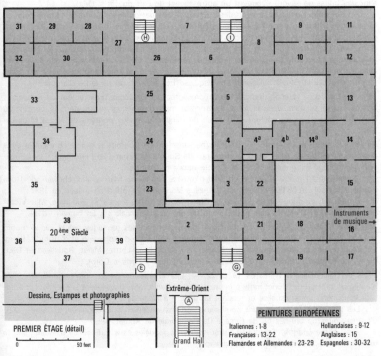

PREMIER ÉTAGE (détail)

0   50 feet

Dessins, Estampes et photographies

Extrême-Orient

Grand Hall

PEINTURES EUROPÉENNES

Italiennes : 1-8   Hollandaises : 9-12
Françaises : 13-22   Anglaises : 15
Flamandes et Allemandes : 23-29   Espagnoles : 30-32

17ᵉ s. : salle 8. — Elle est dominée par la personnalité du Caravage : les Musiciens, aux visages sensuels est une œuvre de jeunesse. Parmi les autres toiles, un Couronnement de la Vierge par Annibale Carracci et une Immaculée Conception de son élève Reni.

18ᵉ s. : salle 17. — Les noms de trois Vénitiens, fleurons de l'art baroque, sont à retenir : Francesco Guardi avec ses vues de Venise ; Pietri Longhi dont les scènes intimes retracent la vie quotidienne des patriciens de Venise ; Tiepolo aux esquisses pleines de mouvement et de gaieté. A noter aussi un Canaletto (Londres, Somerset) dont la sérénité contraste avec la turbulence du précédent.

L'école hollandaise (9 à 12)

Des œuvres du 17ᵉ s., illustrent l'âge d'or de la peinture hollandaise.

La Crucifixion avec la Vierge et saint-Jean (1620), est due à Terbrugghen, vivement influencé par le Caravage.

Rembrandt est fortement représenté : 33 de ses œuvres couvrent la totalité de sa carrière. Parmi ses premiers portraits : Homme et Femme (9) et le Noble Esclave (9), composés vers 1630. Le joyau de la collection, daté de 1653, est Aristode contemplant le buste d'Homère (10), c'est un symbole de la pensée philosophique.

A ces portraits empreints de spiritualité, s'oppose la franche vivacité de la Joyeuse compagnie sur la terrasse, de Jean Steen (10).

Les tableaux hollandais offrent des scènes d'intérieur et des paysages aux ciels immenses. Un chef-d'œuvre de Vermeer, la Jeune Fille à l'aiguière (11), baignée d'une fine lumière, attire d'emblée les regards. Remarquer également la curiosité de Ter Bosch et des paysages de Molyn et Van Goyen.

Des dernières œuvres de Rembrandt ressortent des portraits de lui-même, de sa femme Saskia et de ses concitoyens d'Amsterdam. En contraste, les scènes de groupes de Frans Hals, aux couleurs vives, abordent le côté joyeux de la vie villageoise ; le poétique Champ de blé de Jacob van Ruisdael témoigne d'une profonde observation de la nature. Il faut voir, salle 12, de Rembrandt une Flore et une Toilette de Bethsabée au réalisme sans concession ; de Frans Hals, Jeune Homme et Jeune Femme dans une auberge, ainsi que plusieurs portraits dus à Van Dyck (28).

L'école française (13 à 22).

17ᵉ s. : salle 13. — Une impressionnante Diseuse de bonne aventure et une Madeleine repentie, par Georges de la Tour illustrent les qualités de sobriété et de force expressive de l'école française. Des deux Français de Rome, Claude Lorrain et Poussin, le second est le mieux représenté, avec une toile figurant Orion, le géant aveugle, conduit par l'oracle Cydalion vers le soleil levant qui lui rendra la vue.

18ᵉ s. : salles 14 et 14a. — Des portraits y montrent le goût français non seulement pour l'apparence extérieure mais aussi pour l'analyse psychologique. On peut suivre l'évolution de l'art du portrait, depuis les effigies aimables et léchées de Largillière (le baron et la baronne de Prangins) jusqu'à celles, sobres et austères, de Duplessis (Franklin), en passant par Nattier, Drouais (Mme Favart), Fragonard, Vestier et Mme Vigée-Lebrun dont le portrait de Mme Grand, future épouse de Talleyrand, symbolise le charme du « siècle des grâces »

Deux Chardin émouvants de franche simplicité (Nature morte au lièvre et Adolescent faisant des bulles de savon) évoquent un autre aspect de l'art du 18ᵉ s. (14a).

Au long des cimaises, se succèdent, interrompues par quelques portraits comme celui de Mme Vigée-Lebrun par son élève Mlle Lemoine et celui du comte d'Angiviller par Greuze, ces « fêtes galantes » qui firent florès sous Louis XV : le tendre et triste Mezzetin, personnage de la Commedia dell'Arte, œuvre de petit format et de grande célébrité par Watteau, le Départ du messager, pastorale de Boucher à la technique raffinée, les Œufs cassés, sujet équivoque peint avec science par Greuze. Plusieurs jolies peintures de genre de Fragonard sont aussi exposées parmi lesquelles la Famille italienne, une esquisse très enlevée, et La lettre d'amour.

19ᵉ s. : salle 16. — L'école française est représentée par Delacroix (Enlèvement de Rebecca) ; David, sec et solennel dans la Mort de Socrate mais observateur lucide dans le portrait du maréchal Gérard ; Ingres, pénétrant à force de minutie dans ses portraits de M. et Mme Leblanc.

Fin 19ᵉ s. : salles 15, 16 et 18. — Le réalisme sans fard de Courbet se donne libre cours dans des paysages, des portraits et surtout des nus (la Source, la Femme au Perroquet). Les Demoiselles de Village évoquent la Franche-Comté natale du peintre.

Considéré à l'époque comme un chef-d'œuvre, l'immense Marché aux chevaux de Rosa Bonheur fut acheté 58 000 dollars par Cornelius Vanderbilt et offert au musée en 1887.

De Manet, au début de sa carrière, le Christ mort avec les Anges, le Guitariste, Mlle Victorine en Matador. D'aspect plus impressionniste une scène fluviale : « En bateau » (19).

Salle Corot : salle 17. — Du vivant de Corot on recherchait ses paysages peints sur le motif ; aujourd'hui l'on préfère ses figures d'une attachante simplicité d'expression et d'attitude. Parmi les sujets à personnages signalons la Sybille, la Liseuse et la Lettre. Millet, Rousseau et Daubigny, paysagistes sombres de l'école de Barbizon, font escorte à Corot.

Salles des impressionnistes ; salles 19 et 22. — Les impressionnistes, ainsi nommés en 1874 d'après un tableau de Monet intitulé Impression au soleil levant, travaillaient sur le motif, traduisant leurs sensations visuelles et rendant la lumière à l'aide de tons purs juxtaposés.

Les paysages de Monet sont nombreux, certains lumineux (la Grenouillère à Chatou, 22), d'autres voilés de brumes ou de fumées (la Cathédrale de Rouen, 19).

A la même époque, Toulouse-Lautrec traite ses modèles sans indulgence mais suggère le mouvement et la vie (Anglais au Moulin rouge, 19).

Renoir est évoqué par des portraits et notamment, dans la salle 18, par sa célèbre toile « Mme Charpentier et ses deux filles » : remarquer la nature morte, dans le fond à droite.

De Degas (22) une exceptionnelle série de peintures, portraits, nus, danseuses montre la société et le sens aigu de l'observation ; s'attarder devant le splendide pastel Répétition sur la scène, et la Dame aux chrysanthèmes.

Salle post-impressionniste : salles 20 et 21. — Toutes les formes de l'art construit et réfléchi de Cézanne peuvent être étudiées en salle 21 : paysages (le Golfe de Marseille vu de l'Estaque, la Citerne du Jas de Bouffan, la Montagne Ste-Victoire), natures mortes presque géométriques annonciatrices du cubisme, figures (Mme Cézanne, les Joueurs de cartes).

En salle 20, voisinent Cézanne, Seurat, Utrillo, Gauguin, Van Gogh (Iris, Cyprès).

L'école anglaise (15)

18e s. (l'Age de Raison). — La salle abrite des portraits, à la facture brillante mais au charme un peu superficiel, par Gainsborough, Raeburn, Reynolds (le Colonel Coussmaker), Romney et surtout Lawrence : s'arrêter devant la spirituelle effigie de la comédienne Elisabeth Farren. De William Hogarth, une scène satirique peinte en 1729, Le mariage de Stephen Beckingham et Mary Cox.

19e s. — Le luministe Turner montre dans son Grand Canal à Venise, le souci de résoudre les problèmes de dissociation des couleurs et de la lumière pour arriver à rendre l'atmosphère, préfigurant ainsi l'impressionnisme.

Parmi les paysagistes se détache Constable : la cathédrale de Salisbury.

L'école flamande et allemande (23 à 29).

15e s. : salle 23. — Des sujets religieux, un réalisme tempéré par une émotion religieuse sincère, le goût du détail pittoresque ou familier caractérisent le style dit « gothique international » qui se développe au 15e s. autour des peintres flamands et surtout des frères Van Eyck. Ceux-ci sont représentés par un Jugement Dernier et une Crucifixion très dramatiques, volets d'un triptyque dont la partie centrale a disparu. Une délicate Annonciation dans un lumineux paysage serait due à leur contemporain Petrus Christus dont on admire aussi le Portrait d'un Chartreux.

Les œuvres de Roger Van der Weyden (Apparition du Christ à sa mère, François d'Este), de Gérard David (Repos durant la Fuite en Égypte, Crucifixion), le Portrait d'un moine bénédictin, attribué à Hugo Van der Goes, montrent un autre aspect de l'art flamand.

15e et 16e s. : salles 24 à 26. — On peut voir également dans la salle 24 des œuvres religieuses de Gérard David (Nativité, fragment d'une Annonciation) et une Vierge à l'Enfant de Jan Gossart dit Mabuse (1524). Une Adoration des Mages par le Flamand Quentin Metzys et le même thème repris par le Hollandais Jérôme Bosch.

En salle 25, portraits de personnalités allemandes et courtisans anglais par Hans Holbein le Jeune. De Dürer, Le Sauveur du monde.

La salle 26 est la plus intéressante avec des œuvres de Lucas Cranach le Vieux (Samson et Dalila, Martyre de Sainte-Barbe, Jugement de Paris), triptyque de Patinir (La Pénitence de Saint Jérôme), et un chef-d'œuvre de Pierre Breughel l'Ancien : les Moissonneurs.

17e s. : salles 27 et 28. — Autour de Rubens (Vénus et Adonis, esquisse à l'huile du Triomphe de Henri IV, commandé par Marie de Médicis) sont groupées des œuvres de ses contemporains et de son école, en particulier Van Dyck, peintre de la cour de Charles 1er d'Angleterre, célèbre pour ses portraits mondains.

L'école espagnole (30 à 32).

Le caractère espagnol, grave, mystique et passionné, s'exprime chez les grands peintres que furent le Greco, Vélasquez, Murillo et Ribera.

De Greco (30), des œuvres capitales : un paysage, Tolède sous un ciel d'orage, lourd et angoissant, une scène religieuse, la Vision de saint Jean où l'Évangéliste apparaît, immense et étiré, au premier plan, et un portrait de l'inquiétant cardinal Guerava, Grand Inquisiteur d'Espagne. Par Ribera, une Sainte Famille avec sainte Catherine, aux couleurs somptueuses que le fond sombre fait ressortir. De Murillo, une Vierge à l'Enfant, aux riches coloris.

Des quatre Vélasquez (31), on trouve deux de ses premières œuvres : Dîner à Emmaüs et le portrait de Philippe IV, roi d'Espagne. Le portrait de Juan de Pareja, le compagnon du peintre, est étonnant de vitalité et démontre la maturité du style de l'artiste.

De Goya : portraits d'enfants et d'amis ainsi que les fameuses Majas au balcon (32).

VINGTIÈME SIÈCLE (Twentieth Century Art) (35 à 39)

Parmi les modernes s'imposent Pierre Bonnard (Terrace à Vernon) dans la tradition impressionniste, Picasso, dont le Portrait de Gertrude Stein fait place au cubisme. L'expressionnisme abstrait a pour représentants Jackson Pollock, Franz Kline et Willem de Kooning. Les années 60 virent une réaction contre les excès de la seconde génération expressionniste, la « color field painting » s'exprimant par Morris Louis (Alpha-Pi).

La section Arts Décoratifs abrite des objets Art Nouveau (New Style), postérieurs à 1900 : vases de Gallé, verrerie de Lalique, lampes de l'Américain Tiffani, table de toilette, signée Louis Majorelle. Aux lignes sinueuses de l'Art Nouveau s'oppose la rigueur géométrique de l'Art Déco (1920 à 1930) : panneau vitré dessiné par Jean Dupas en 1933, pour le Grand Salon du paquebot Normandie ; luxueuse cabine d'ascenseur provenant de Rockefeller Center.

Situé sur la 5ᵉ Avenue, entre les 88ᵉ et 89ᵉ Rues, le musée **Salomon R. Guggenheim** *(visite : environ 1 h)* présente un intérêt particulier par son architecture originale et la collection d'œuvres d'art contemporain qu'il contient.

Deux anticonformistes. — **Salomon R. Guggenheim**, magmat du cuivre, eut la révélation de la peinture moderne vers 1930. Grand collectionneur, il fonda un prix en faveur des artistes modernes ; il établit aussi la Fondation Salomon R. Guggenheim destinée à « promouvoir et encourager les arts et l'éducation artistique ». En 1943, il chargea F. Wright de dresser les plans d'un édifice pour la construction duquel il fournissait 2 millions de dollars. Malheureusement il trépassa en 1949, sept ans avant la mise en chantier.

Fils de pasteur, marié à 21 ans, **F.L. Wright** (1870-1959) eut six enfants de son premier mariage. « Quel est l'idéal de l'homme, sinon de fonder un foyer ? », demande-t-il avant d'ajouter que l'idéal c'est aussi la liberté, cette liberté qui le poussa à abandonner femme, enfants et « résidences de prairie », pour aller travailler seul à Chicago. Il se maria quatre fois et ses aventures, matrimoniales ou pas, n'allèrent jamais sans publicité. Il construisit plus de 600 immeubles et a laissé un nombre encore plus grand de projets.

À ceux qui traitaient son musée de « brioche indigeste », de « machine à laver », Wright répliquait : « Un bâtiment ne se juge pas plus sur son extérieur qu'une automobile. Quel est l'imbécile qui achèterait une voiture sur la couleur de sa carrosserie ? ».

Cet utopiste qui rêva de construire à Chicago un gratte-ciel de 510 étages, desservi par des ascenseurs atomiques, était d'une logique à toute épreuve. A un client qui venait d'emménager dans une maison construite par lui et qui téléphonait qu'il pleuvait à seaux sur sa tête, il répondit : « Pourquoi ne déplacez-vous pas votre fauteuil ? »

Extérieur. — Un peu de recul permet de voir dans son ensemble cet édifice en béton armé revêtu d'une couche de peinture crème. Le bâtiment administratif que l'on discerne à gauche est composé d'une rotonde vitrée et suggère l'idée d'une sorte de passerelle de navire. Il est relié au musée proprement dit par un long entablement qui s'étend sur 50 m environ le long de la 5ᵉ Avenue. Le musée, que l'on voit à droite, affecte la forme d'un tronc de cône renversé présentant qua-

(D'après photo Ezra Stoller)

Vue extérieure du Guggenheim Museum.

tre rangs de spirale au-dessus de l'entablement. Les murs circulaires sont aveugles et légèrement inclinés en porte à faux vers l'extérieur.

Intérieur. — *Ouvert de 11 h à 17 h et jusqu'à 20 h le mardi. Fermé le lundi (sauf pendant les vacances) et le jour de Noël. Entrée : 1,50 $ (gratuit le mardi de 17 h à 20 h).*

Du rez-de-chaussée, une rampe hélicoïdale longue de 400 m s'élève en pente douce jusqu'à la coupole de verre environ 30 m plus haut. F.L. Wright avait prévu au départ une coupole entièrement en verre ; mais les lois de l'urbanisme l'ont obligé à y joindre des arcs de béton et à en réduire les dimensions. Bien que le diamètre du musée soit plus large en haut qu'en bas, d'ici, il n'en paraît rien car la rampe s'élargit progressivement en montant.

Prendre un ascenseur qui emporte en haut de l'édifice et redescendre sans fatigue le long de la galerie en passant devant sculptures et tableaux. Ceux-ci sont accrochés au mur circulaire et aux cloisons transversales qui forment des compartiments ouverts. Wright désirait que les tableaux soient inclinés comme sur un chevalet et éclairés par une lumière naturelle changeant selon les heures du jour. Finalement, un éclairage artificiel fut adopté, mais en respectant la présentation préconisée par Wright : les tableaux sont exposés directement sur les murs, sans cadre. Le sol présente un dévers sensible sur une distance d'environ 1,50 m, ce qui empêche inconsciemment les visiteurs de s'approcher trop près des tableaux.

Collections. — Leur noyau est composé des œuvres léguées par Salomon Guggenheim. On peut citer parmi les quelque 4 000 œuvres conservées au Guggenheim, la plus grande collection du monde de Kandinsky, environ 70 Klee, d'importants ensembles de Chagall, Delaunay, Léger, ainsi que des maîtres de la fin du 19ᵉ et 20ᵉ s. Mais fréquemment, le musée est consacré à une exposition sur un artiste ou une école.

Thannhauser Collection. — Située au 1ᵉʳ étage, la Thannhauser Collection forme galerie.

Léguée au musée en 1965, sous réserve d'usufruit, la donation comprend quelques unes des œuvres les plus significatives de ces cent dernières années, des impressionnistes jusqu'à Picasso. Parmi les impressionnistes, les artistes les mieux représentés sont Pissarro (Coteaux de l'Hermitage à Pontoise), Renoir (la Femme au perroquet), Manet (Devant le miroir). A côté d'eux rivalisent Cézanne (natures mortes), Van Gogh (le Viaduc, Montagnes à St-Rémy), Gauguin, Toulouse-Lautrec (Au salon), Degas, Modigliani et surtout Vuillard dont le Square Vintimille apparaît comme un petit chef d'œuvre d'observation délicate.

Picasso conserve la part du lion dans cette anthologie : le Moulin de la Galette, le 14 Juillet, la Repasseuse, les Arlequins, des natures mortes, la Femmes aux cheveux jaunes, les portraits de ses compagnes, Dora Maar et Françoise Gilot, illustrent son côté classique.

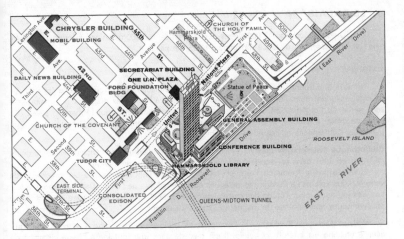

Sur les rives de l'East River, le palais de l'Organisation des Nations Unies, moderne et fonctionnel, est dominé par un gratte-ciel à la silhouette unie et lisse comme un miroir.

Un philanthrope. — Lorsque la charte des Nations Unies fut signée à San Francisco en 1945, personne ne savait où serait fixé le siège de l'organisation qui totalisait alors 51 membres (le 1er janvier 1975, il y en avait 138). Quelqu'un suggéra même qu'il fût établi à bord d'un navire qui sillonnerait les mers à longueur d'année. Quoi qu'il en soit l'année suivante les sessions se tinrent d'abord à Londres puis au Hunter College dans le Bronx, enfin à Flushing Meadow (voir p. 137).

Genève où se réunissait l'ancienne S.D.N. avait de plus en plus de partisans, lorsque **John D. Rockefeller** (détails p. 39), financier et mécène, proposa la somme de 8 500 000 dollars pour acquérir des terrains sur l'East River à New York.

L'endroit, nommé Turtle Bay (Baie de la Tortue) et occupé jadis par des abattoirs, était alors couvert d'entrepôts et d'usines vétustes.

Les travaux. — Sur ces entrefaites, les Nations Unies s'étant installées à Lake Success, dans Long Island, la mise en chantier fut ordonnée. Une équipe de 11 architectes y présidait, appartenant à 11 pays différents, sous la direction de Wallace K. Harrison; le Corbusier y représentait la France, Sven Markelius la Suède, Niemeyer, futur auteur de Brasilia, le Brésil. Le financement fut assuré principalement par le gouvernement des États-Unis sous la forme d'un prêt sans intérêt de 65 millions de dollars sur les 67 millions nécessaires.

Le gros des travaux ayant été achevé en 1952, l'Assemblée Générale put tenir sa première séance en octobre de la même année.

En 1961 la Bibliothèque Hammarskjöld vint s'ajouter aux bâtiments déjà existant et l'ensemble de ceux-ci couvre une surface de 7 ha sur un total de 8 ha de terrains dotés du privilège d'extra-territorialité.

Les organismes de l'O.N.U. — Régie par une charte comptant 70 articles, l'O.N.U. comprend 6 principaux organismes dont dépendent les agences spécialisées (voir croquis ci-dessous). Un secrétaire général prend en charge pour cinq ans l'administration de l'organisation.

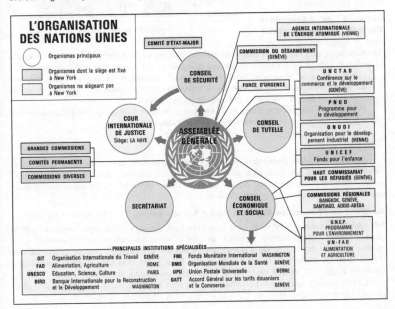

■ **LE PALAIS★★★** *visite : 3 h*

L'ONU compte environ 17 000 sièges, 6 600 fenêtres et 2 300 machines à écrire. Les ascenseurs accomplissent la distance moyenne de 565 km par jour.

Extérieur

On aura une bonne vue d'ensemble du palais en se plaçant au débouché de la 45e Rue. De ce côté s'alignent dans l'ordre alphabétique, de gauche à droite, les drapeaux des nations faisant partie de l'organisation. Au-delà se groupent les 4 bâtiments qui forment le palais. Ce sont, de droite à gauche, la Bibliothèque Hammarskjöld, le gratte-ciel du Secrétariat, le Bâtiment des Conférences et celui de l'Assemblée Générale.

Bibliothèque (Hammarskjöld Library). — Elle est dédiée à la mémoire de l'ancien secrétaire général, mort en 1961 dans un accident d'avion lors d'une mission au Congo.

Financée par la fondation Ford, elle abrite dans ses flancs de marbre blanc veiné et de verre 400 000 volumes à l'usage des délégués et des employés de l'ONU. Des salles pour la lecture des journaux, pour l'étude des cartes (au nombre de 60 000), un laboratoire de microfilms, un auditorium, des cabines de magnétophones s'y ajoutent.

Secrétariat (Secretariat Building). — A l'exception de quelques salles comprises dans la visite guidée, le building est interdit au public. Il est précédé dans une fontaine à bassin circulaire de marbre, don des enfants américains ; dans le bassin, sculpture de Barbara Hepworth, de Grande-Bretagne.

Ce bel édifice de marbre, de verre et d'acier suscite l'admiration par la pureté de ses lignes, aucun décrochement ou saillie n'interrompant la verticalité de son élévation. Étroit et allongé, il compte 39 étages et reçoit 5 000 employés. Ses immenses façades de vitres très légèrement teintées en bleu-vert forment miroirs, reflétant nuages et buildings voisins.

Des installations individuelles d'air conditionné, dix huit ascenseurs, des escaliers mécaniques, une cafétéria, une librairie, un centre médical contribuent au confort du personnel. Celui-ci, venu de partout dans le monde, exerce des emplois aussi variés que ceux de traducteurs, experts en droit ou en économie, journalistes, imprimeurs, libraires, statisticiens, employés de bureau, huissiers, techniciens. 200 personnes composent le service de sécurité et de police, tandis que cinquante jeunes femmes en uniforme ou en costume national sont chargées de piloter les visiteurs, au nombre d'environ 1 000 000 par an.

Bâtiment des Conférences (Conference Building). — Ce building est ainsi nommé parce qu'il contient les salles de conférences du Conseil de Sécurité, du Conseil Économique et Social, du Conseil de Tutelle. La façade principale regarde l'East River.

Bâtiment de l'Assemblée Générale (General Assembly Building). — Il apparaît comme une

Les bâtiments de l'ONU.

forme allongée avec un toit au profil élégamment incurvé. La coupole qu'on voit en son centre couronne la salle d'Assemblée. L'entrée des délégués se fait sur la 1re Avenue, à droite.

L'entrée du public s'ouvre au Nord du palais, sur l'esplanade précédant la façade. Belle vue sur les jardins (statue de la Paix, don de la Yougoslavie), l'East River et Roosevelt Island où sont installés un centre médical et des ensembles résidentiels.

Remarquer à l'angle Nord-Ouest de la 44e Rue et de la 1re Avenue, un bel édifice de 39 étages d'un vert miroitant, le **One United Nations Plaza Building** (1976).

Intérieur

Des visites guidées permettant de voir les salles de réunion, sont organisées toutes les 15 minutes environ de 9 h 15 à 16 h 45 : s'adresser au Bureau des Tours dans le fond du hall public. Tarif : 2 $. Au centre du hall, le Bureau d'Informations délivre les billets pour assister aux séances de l'Assemblée ou des Conseils.

Bâtiment de l'Assemblée Générale (General Assembly Building). — C'est le cœur du palais.

Hall public (Main Lobby). — Pénétrer dans le hall par l'une des sept portes données par le Canada et se retourner aussitôt : le mur panneau, en voile de béton, qui paraît opaque à l'extérieur, est ici diaphane. Au-delà du **Bureau d'Informations** se dessine la courbe du mur de la grande salle d'Assemblée. A droite, on accède à la **Meditation Room**, petite salle silencieuse et sombre que décorent un bloc de minerai de fer taillé et une peinture murale abstraite.

Le hall contient des objets d'art offerts par les pays membres sur le thème de la paix et du progrès ; statue de Zeus (Grèce), pendule de Foucauld (Hollande), Spoutnik (U.R.S.S.).

Un escalier mène au sous-sol où se trouvent vestiaire, boutiques de souvenirs, cafétéria, cabines téléphoniques, librairie. Un bureau de poste vend les timbres émis par les Nations Unies, permettant d'affranchir les envois postés dans l'enceinte du palais.

Salle de l'Assemblée Générale (Assembly Hall). — Pourvue d'un éclairage vertical, la salle de l'Assemblée Générale, de plan ovale, mesure 50 m sur 35; 350 places environ sont réservées aux délégations, 250 aux journalistes et 800 au public qui occupe les gradins supérieurs.

Au fond de la salle s'érigent la tribune des orateurs et celle du Président qu'assistent le Secrétaire Général et le Secrétaire Général-Adjoint. Au-dessus est fixé un macaron emblématique symbolisant l'ONU. Sur les côtés, des cabines abritent la radio, la télévision et les traducteurs. Les murs sont ornés de deux peintures abstraites exécutées par Bruce Gregory d'après les dessins de Fernand Léger.

Comme dans toutes les salles de conférences de l'ONU, délégués et spectateurs disposent d'écouteurs individuels permettant d'entendre la traduction simultanée du débat dans une des cinq langues officielles de l'Assemblée : français, anglais, espagnol, russe et chinois. Les trois premières constituent les « langues de travail ».

L'Assemblée Générale se réunit une fois annuellement en une session de 3 mois qui commence habituellement le 3e mardi de septembre et se termine vers le 15 décembre.

Bâtiment des Conférences (Conference Building). — Ses cinq étages reçoivent, en commençant par le sous-sol : des installations techniques (air conditionné, imprimerie, studios de radiotélévision et d'enregistrement, cabinets de photo, ateliers d'entretien), puis les salles de réunions des comités, le salon des délégués et une cafétéria pour le personnel.

Plusieurs œuvres d'art sont montrées en cours de visite : tapis persan, mosaïques de Tunisie et du Maroc, tapisserie belge ayant pour thème la Justice, fresque brésilienne évoquant la Paix et la Guerre, vitrail de Chagall symbolisant la Paix. A l'extérieur dans un angle de l'édifice, cloche japonaise de la Paix, sous une construction en forme de pagode.

Salle du Conseil de Sécurité (Security Council). — Construite aux frais de la Norvège, elle est ornée de tentures bleu et or et d'une peinture murale symbolisant la Paix et la Liberté de la personne humaine; 200 places y sont réservées au public.

D'après la charte, le Conseil de Sécurité est le premier responsable du maintien de la paix et de la sécurité dans le monde. En font partie 15 membres, 10 sont renouvelables tous les deux ans, les 5 autres (France, Royaume-Uni, U.R.S.S., U.S.A., Chine) étant permanents et possédant un droit de veto sur les décisions; les 5 grandes puissances se succèdent à la présidence du Conseil de Sécurité, chacune pour un mois.

Salle du Conseil de Tutelle (Trusteeship Council). — La construction et l'équipement de cette salle ont été offerts par le Danemark. La paroi revêtue de bois précieux, aux chauds reflets, est décorée d'une statue de femme portant un oiseau, en teck peint, qui symbolise l'Espoir et l'Indépendance.

Le Conseil de Tutelle contrôle l'administration des territoires « sous mandat », dont l'évolution est confiée à une puissance protectrice.

Salle du Conseil Économique et Social (Economic and Social Council). — C'est un don de la Suède. L'architecture en est originale : emploi de la matière brute (murs nus) et équipement technique non dissimulé (système de chauffage visible au plafond).

Du Conseil dépendent 80 % du personnel de l'ONU. En effet cet organisme s'occupe des problèmes variés allant de l'éducation à la promotion de la femme en passant par la santé, les transports, l'environnement, l'instruction, les droits de l'homme, l'assistance sociale, la liberté de l'information, etc.

(D'après photo United Nations)

Le palais des Nations Unies. — Vue générale du côté de l'East River, en 1973.

Parcours : 1 km — Durée 2 h.

De l'East River à la 5e Avenue, la 42e Rue qui traverse Manhattan sur 4,8 km, est une des artères les plus animées de New York et la circulation y atteint une densité affolante.

Ruches bourdonnantes, d'imposants buildings de bureaux la bordent, aspirant le matin des milliers d'employés qu'ils refoulent le soir avec la même ponctualité. Élevés à des époques différentes, ces buildings illustrent l'évolution de l'art de bâtir de 1900 à nos jours *(voir p. 33 et 34).*

Des cabanes aux gratte-ciel.
— C'était à la limite de Turtle Bay et de Kip's Bay (où les Anglais ancrèrent leur flotte en septembre 1776) que la 42e Rue fut officiellement ouverte en 1836 par le Maire de la Ville qui encouragea vivement la bourgeoisie à venir s'installer de ce côté, afin de profiter de l'air pur et sain.

Malheureusement, un peu plus tard, vers 1860, les abords de la 42e Rue, du côté de l'actuel building du Daily News, se transformèrent en une zone de cabanes en bois

(D'après document Library of the Boston Athenaeum)

Les abords de la 42e Rue, vers 1860.

où végétaient de misérables émigrants avec leurs chèvres et leurs cochons. Lors de l'extension de la ville vers le Nord, l'Administration eut grand mal à les faire déménager.

La mise en valeur du quartier commença au 20e s. avec le nivellement du terrain, alors rocheux, la construction du Grand Central Terminal et l'érection du Pan Am Building.

■ **TUDOR CITY**

Situé entre la 1re et la 2e Avenue, le groupe d'immeubles résidentiels qui porte le nom de Tudor City fut édifié vers 1920 au sommet du « Perchoir de Corcoran », colline ainsi dénommée parce qu'un chef de bandits, Corcoran, y avait, vers 1880, établi son repaire. Douze buildings comptant 10 à 32 étages et 3 000 appartements y abritent 12 000 personnes. Leur architecture de briques à décor flamboyant évoque le style anglais Tudor.

Une large tranchée, empruntée par la 42e Rue, scinde la colline en deux buttes qui relie un pont franchissant ladite rue. Par la 41e Rue, on accède au niveau de ces immeubles cossus qui bénéficient d'un isolement et d'un calme précieux à New York. Des squares privés verdoyants présentent leurs allées sablées et leurs pelouses soigneusement tondues.

Du pont qui enjambe la 42e Rue on découvre une **vue** intéressante, d'un côté sur l'ONU *(p. 69),* de l'autre sur le Chrysler Building.

■ **FORD FOUNDATION BUILDING** ★

Entre la 42e et la 43e Rue s'élève le building de la Fondation Ford, achevé en 1967. Ses 11 étages de verre et d'acier, maintenus par des piliers porteurs en granit, encadrent un charmant jardin intérieur couvert comprenant une pièce d'eau qu'entourent fleurs, plantes et arbustes décoratifs. Les trois étages en sous-sol abritent un garage de 50 voitures, une salle de conférences de 175 places et une bibliothèque de plus de 20 000 volumes.

La fondation Ford, institution privée et sans but lucratif, est vouée à l'encouragement et au financement de quelques 7 200 organismes philantropiques, spécialisés dans la recherche ou l'éducation, répartis dans les 50 États et dans 83 pays.

■ **DAILY NEW BUILDING** ★

Le quotidien Daily News, fondé en 1919 (25 Park Place) sous le titre « Illustrated Daily News », a le tirage le plus important des États-Unis : 1 914 819 exemplaires chaque jour ouvrable et 2 788 731 exemplaires le dimanche. Ce journal paraît sur une moyenne de 100 pages en semaine, 600 le dimanche. Il possède des chaînes de publicité, de télévision et de radio.

Les bâtiments. — La tour, achevée en 1930 compte 37 étages. C'est un des premiers buildings new-yorkais à avoir été bâti sur une armature métallique que rappellent à l'extérieur des pilastres de briques blanches. Ceux-ci donnent au volume architectural une verticalité géométrique dont l'effet est loin d'être démodé. En revanche, la composition, gravée dans la pierre, qui surmonte l'entrée principale est typique du graphisme de l'époque. Le corps de bâtiment donnant sur la 2e Avenue, est une adjonction de 1958, en harmonie avec l'ensemble.

Au n° 220 de la 42e Rue s'ouvre le luxueux hall *(entrée libre)* dont les parois sont revêtues de marbre blanc. On y admire un gigantesque globe terrestre en couleurs pesant près de deux tonnes qui tourne sur son axe au-dessous d'une voûte céleste suggérée par un jeu de glaces fumées. Des horloges indiquent l'heure exacte dans les diverses parties du monde. Sont aussi à signaler la rose des vents dessinée sur le sol et les indications de distance et de temps de vol séparant les grandes cités du monde.

■ MOBIL BUILDING★

Fruit d'une technique très poussée, ce gratte-ciel de 45 étages comprend une grosse tour centrale et deux ailes, l'ensemble étant constitué de panneaux d'acier inoxydable dont le lavage se fait automatiquement. Lorsqu'il fut achevé en 1956, c'était le plus grand gratte-ciel du monde doté entièrement d'une installation d'air conditionné. Son réseau d'ascenseurs automatiques fut longtemps considéré comme un modèle d'efficacité et de confort.

Entrer dans le hall tapissé de somptueuses plaques de marbre gris et noir. 32 ascenseurs sont à la disposition du public qui peut aussi accéder directement au ''subway'' et au Grand Central Terminal, par des entrées dissimulées avec art pour ne pas nuire à l'harmonie du décor. A noter que le sol est en légère déclivité.

■ CHRYSLER BUILDING★★

A l'angle de Lexington Avenue s'ouvre l'entrée principale du Chrysler Building dessiné par William van Alen. Il reste, malgré son âge, un des plus prestigieux gratte-ciel new-yorkais, dont la silhouette baroque, luisant sous le soleil, se distingue de très loin : elle rappelle, dans sa partie haute,

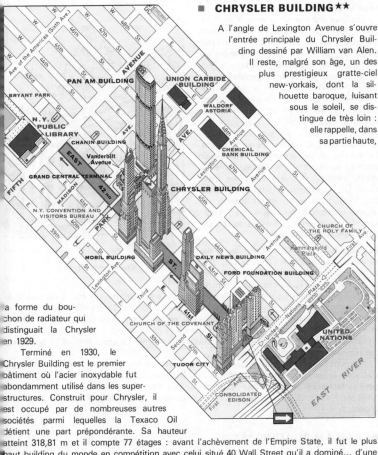

la forme du bouchon de radiateur qui distinguait la Chrysler en 1929.

Terminé en 1930, le Chrysler Building est le premier bâtiment où l'acier inoxydable fut abondamment utilisé dans les superstructures. Construit pour Chrysler, il est occupé par de nombreuses autres sociétés parmi lesquelles la Texaco Oil détient une part prépondérante. Sa hauteur atteint 318,81 m et il compte 77 étages : avant l'achèvement de l'Empire State, il fut le plus haut building du monde en compétition avec celui situé 40 Wall Street qu'il a dominé... d'une flèche. Depuis la création du World Trade Center il occupe la sixième place aux États-Unis.

Le décor extérieur est caractérisé par la recherche du détail original. En témoignent l'aigle symbolique de Chrysler répété aux quatre angles de la construction et la spectaculaire flèche à alvéoles dont l'acier a été repoli en 1964 : la nuit une étoile brille à son faîte.

Le building est relié par des galeries au Grand Central Terminal et à la station de métro, 42e Rue.

■ CHANIN BUILDING

D'apparence plus modeste que ses voisins Chrysler et Mobil, mais comptant tout de même 56 étages, Chanin Building (on ne visite pas), dessiné par Sloan et Robertson, relève aussi du style architectural des années 30 avec ses frises sculptées en faible relief à l'extérieur et, dans le hall, ses portes ornées de motifs végétaux stylisés, en cuivre. Il est considéré comme un des grands édifices « Art Déco » de New York.

■ GRAND CENTRAL TERMINAL★

Une des gares principales de New York, Grand Central Terminal, a ceci de particulier qu'on ne voit pas et qu'on n'entend pas les trains, ceux-ci se dissimulant dans des galeries souterraines. Plus de 400 trains de banlieue ainsi que des trains de longue distance arrivent et partent chaque jour.

La gare dépend de la Conrail (Consolidated Rail Corporation), association de compagnies de chemin de fer de l'Etat de New York et du Connecticut.

De l'embarcadère à la gare. — Vers 1840 l'ancienne Compagnie des New York New Haven and Hartford Railroad utilisait un embarcadère situé sur la 4e Avenue à hauteur de la 23e Rue. Y convergeaient de grands tramways, tirés par des chevaux, qui pénétraient jusqu'à l'intérieur de l'embarcadère ; là, une locomotive remplaçait les chevaux et le tram devenu wagon poursuivait son voyage. Les chemins de fer n'étaient pas encore pris au sérieux : on disait qu'une locomotive heurtant une vache, c'est la machine qu'il faudrait remettre en état (d'où les « cow-catchers », chasse-bestiaux à l'avant des premiers modèles).

Fondé en 1853, le New York Central devint en 1862 la possession du Commodore **Cornelius Vanderbilt** qui s'était auparavant intéressé à la navigation. Son réseau d'abord limité aux liaisons avec Harlem et la rive orientale de l'Hudson s'accrut en 1872 d'une ligne vers Buffalo qui, l'année suivante, fut prolongée jusqu'à Chicago. Quant à l'embarcadère, il comptait déjà 7 quais que protégeait une vaste verrière.

La gare actuelle fut aménagée en 1913. Parmi les 123 quais souterrains répartis sur deux étages, 29 au niveau le plus élevé, 17 au niveau inférieur comportent des quais de départ et d'arrivée. Il y a 11 voies de raccordement permettant aux trains de tourner au terminus. Pas loin de 150 000 abonnés et banlieusards empruntent le Terminal en semaine et on compte au total plus de 500 000 voyageurs par jour. Les bagages peuvent être déposés dans une des 2 400 consignes automatiques. Le bureau de renseignements (Information Booth), surmonté d'une horloge dorée à quatre cadrans, répond à toutes les questions. Un autre bureau (Telephone Information Center) est exclusivement réservé aux appels concernant les trains qui desservent Harlem, Hudson et New Haven (2 000 à 3 000 demandes quotidiennes).

Le grand hall. — Le Grand Concourse a des dimensions de cathédrale : 84 m de long, 36 m de large et 38 m de haut. A la voûte est peint le firmament avec toutes ses constel-

(D'après photo John B. Bayley, New York)

Grand Central Terminal.

lations : peu de gens les regardent. Grand Central est une cité dans la cité, il est relié à de grands hôtels, des immeubles de bureaux et des lignes de métro. Sur les côtés, on peut voir la projection de « la plus grande photo du monde », en couleurs (elle est changée régulièrement) et « la plus grande horloge intérieure du monde » (4 m de diamètre).

Dans les galeries latérales et les mezzanines, sont établis un grand nombre de boutiques, des magasins et différents services.

La controverse va bon train quant à l'avenir du faîte de Grand Central Terminal. L'ouvrage, classé sur le plan architectural, se verra-t-il démoli et remplacé par une tour-bureaux de 59 étages ? La façade est un des meilleurs exemples de style Beaux Arts, avec ses colonnes magistrales et son fronton où les divinités de l'Olympe fraternisent avec l'aigle américain *(voir illustration ci-dessus)*.

■ PAN AM BUILDING ★★★

Dressée au-dessus de Grand Central Terminal, la masse octogonale, sobre et élancée, du Pan Am Building, procure une rare impression de beauté plastique, encore que les New-Yorkais aient eu du mal à s'y habituer. On en a une belle perspective de Park Avenue (Sud ou Nord) à condition de prendre quelque recul.

Commencé en 1960 et terminé en 1963 par une équipe d'architectes supervisée par Walter Gropius (1883-1969) le célèbre animateur du Bauhaus, devenu professeur d'architecture è l'Université de Harvard après son émigration, le Pan Am Building financé en grande partie par une compagnie britannique, a été conçu pour la Pan American World Airways d'où son nom. Avec ses 246 m de haut et ses 59 étages, ce serait l'un des plus grands immeubles de bureaux du monde : 22 ha de bureaux y reçoivent chaque jour en effet 25 000 collaborateurs.

Intérieur. — *Accès par escaliers mécaniques à partir du Grand Concourse (Grand Central Terminal) ; autres entrées sur la 45e Rue et Vanderbilt Avenue.*

Au niveau de la rue (Street Floor) de puissants piliers de granit gris poli donnent aux halls un aspect majestueux, voire sévère, que relèvent cependant les tonalités ivoire des emplacements réservés au service de la Pan Am. En outre, sur le côté Vanderbilt Avenue est exposée une **composition** ★★ de Richard Lippold, faite d'un assemblage de fils de laiton représentant un globe et un réseau de rayons d'un effet spectaculaire.

Le hall est dominé par le bureau de contrôle des installations techniques : impressionnant tableau à voyants lumineux, récepteurs locaux de TV, etc. Les mezzanines *(accès par escaliers mécaniques sur les côtés du hall)* sont occupées par des restaurants et des commerces de luxe.

Aux U.S.A. le vestiaire (check-room) est gratuit.

Distance : 1 km — Durée : 1 h 1/2.

Pourvue d'un terre-plein égayé de fleurs et d'un peu de verdure, cette « voie royale » était naguère bordée de luxueuses résidences de milliardaires, de Grand

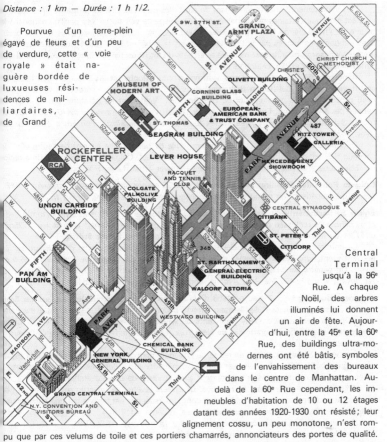

Central Terminal jusqu'à la 96e Rue. A chaque Noël, des arbres illuminés lui donnent un air de fête. Aujourd'hui, entre la 45e et la 60e Rue, des buildings ultra-modernes ont été bâtis, symboles de l'envahissement des bureaux dans le centre de Manhattan. Au-delà de la 60e Rue cependant, les immeubles d'habitation de 10 ou 12 étages datant des années 1920-1930 ont résisté ; leur alignement cossu, un peu monotone, n'est rompu que par ces velums de toile et ces portiers chamarrés, annonciateurs des portes de qualité.

Sous le signe du chemin de fer. — Au début du siècle cette partie de la 4e Avenue qui prit plus tard le nom de Park Avenue n'était encore qu'un terrain vague parcouru par les voies ferrées de New York Central, enjambées par les ponts desservant les rues transversales. Aussi la fumée et le fracas des convois rendaient-ils l'endroit peu agréable. La situation changea lorsque, vers 1907, l'électrification et la couverture du réseau furent réalisées, la tranchée primitive laissant place à une large avenue. L'édification des immeubles entravée par la présence, en sous-sol, de deux niveaux de voies ferrées, fut menée à bien par l'utilisation du béton qui permit de construire sur pilotis. C'était alors la prospérité des années 20 et une partie des riches habitants de New York s'installèrent dans Park Avenue.

De Grand Terminal à la 60e Rue

New York General Building. — Situé dans l'axe de Park Avenue et en harmonie avec elle, cet immeuble terminé en 1929, portait le nom de **New York Central Building**, symbole de la prospérité du rail. Restauré par son nouveau propriétaire, **H. Helmsley**, il est particulièrement mis en valeur à la tombée de la nuit par l'illumination du pinacle et des deux arches prévues pour le passage des voitures. C'est un exemple de style « Beaux Arts », en vogue de 1890 à 1920, où l'exubérance des sculptures est tempérée par la rigueur classique.

Union Carbide Building ★★. — Légèrement en retrait sur Park Avenue, entre les 47e et 48e Rues, ce building, construit de 1957 à 1960 pour la société de produits chimiques Union Carbide, frappe par le contraste qu'offrent les matériaux employés : verre lisse et brillant des baies, acier mat, noir et blanc, de l'armature.

Autre sujet d'intérêt, le plan dissymétrique de l'édifice qui se compose à droite d'une haute tour de 52 étages et, à gauche, d'une aile en décrochement dont l'entrée se trouve sur Madison Avenue. Dans le retrait ainsi formé a été aménagée une « plaza » de marbre rose.

L'élévation de la tour éveille ensuite l'intérêt par une particularité : le hall principal et les départs d'ascenseurs ne se trouvent pas au niveau du sol mais au premier étage qu'on atteint par des escaliers mécaniques *(accès libre durant les heures d'ouverture des bureaux).* Il y a deux galeries d'exposition : la Lower Gallery, au niveau de la rue et la Main Gallery, au 1er étage. *Expositions mensuelles du lundi au vendredi de 9 h 30 à 16 h 30.*

De l'autre côté de Park Avenue, le **Chemical Bank Building ★**, avec ses 50 étages gainés de verre, fait pendant à l'Union Carbide. La masse sombre du Westvaco Building (42 étages) le cotoie entre la 48e et la 49e Rue.

Waldorf Astoria ★. — Cet hôtel comptant 1 800 chambres et 1 700 employés dont un personnel parlant un total de 67 langues et dialectes, occupe un building aux lignes rigides dont la tour de 47 étages atteint 190 m. Jadis sur la 5e Avenue *(p. 47),* il a été transféré ici en 1931.

Ses appartements ont vu défiler tant de célébrités qu'un service du protocole a été institué — c'est ainsi que certaines personnalités ont le privilège de voir flotter leur pavillon national à la façade de l'hôtel. Parmi les « suites » d'honneur dans les tours, quelques unes ont été occupées pendant des années par le Président Hoover, le général Mac Arthur, Adlai Stevenson, le duc de Windsor ; une autre est réservée aux chefs d'Etat (Presidential Suite). Il existe aussi des suites plus petites et des chambres simples.

A noter la décoration « Art Deco » du hall d'entrée (lobby) et du 2e étage (third floor) où se trouve la salle de bal (Grand Ballroom) ; dans le Silver Corridor, remarquer la voûte en berceau provenant de la galerie Astor de l'ancien hôtel Waldorf et les peintures des 12 mois de l'année par l'Américain E. Emmerson Simmons (1890). *Visite accompagnée de 10 h 30 à 13 h 45 (durée 3 h 30) comprenant également les tours et la cuisine ainsi qu'un lunch à la Peacock Alley. Prix : 25 $.* ☎ 355-3000.

De l'angle de la 49e Rue, on contemplera la file de buildings se suivant de l'autre côté de l'avenue : de gauche à droite, Union Carbide, Bankers Trust, Colgate Palmolive, ITT (International Telephone and Telegraph), Manufacturers Hanover Trust, Lever House.

Colgate Palmolive Building. — Cet ensemble de 25 étages, en verre, a été terminé en 1955 ses étages supérieurs en retrait sont des conséquences de la « Zoning Law » *(p. 33).*

Église St-Barthélémy (St. Bartholomew's Church.) — Achevée en 1918, son style byzantin fleuri et sa silhouette ramassée contrastent par rapport aux gratte-ciel voisins : en face les buildings d'ITT et de Manufacturers Hanover Trust, en arrière le **General Electric Building.**

La paroisse est une des plus élégantes de New York et les amateurs de musique sacrée peuvent y entendre des programmes de qualité *(au moment des fêtes et le dimanche à 16 h en hiver).* On pénètre dans l'église par des portails aux vantaux de bronze richement sculptés. Passer devant le gratte-ciel 345 Park Avenue, construit dans un nouveau style.

Seagram Building★★. — Issu en 1958 de la collaboration des architectes **Mies van der Rohe** pour le dessin général, et **Philip Johnson,** pour la décoration intérieure, ce building a été commandé par la Seagram Company (fabricants de whisky). Par son élégante sobriété, il prend rang parmi les plus beaux gratte-ciel de New-York. Le soir notamment, éclairé de l'intérieur, il paraît flotter dans l'espace.

Sa tour de 38 étages s'élève en retrait de l'Avenue, permettant l'aménagement d'une esplanade agrémentée de bassins. Elle est faite de « murs-rideaux » dont les éléments porteurs, à reflets verdâtres ou mordorés, s'harmonisent avec les vitres de couleur ambrée.

A l'intérieur, ce raffinement se retrouve. Des piliers revêtus de travertin supportant un plafond couvert de mosaïques rythment le hall dont la perspective est fermée par une composition classique de Picasso, décor pour un ballet, « Le Tricorne » (1919).

Des visites guidées sont organisées le mardi à 15 h (durée : 1/2 h).

Prendre à droite la 53e Rue puis la Lexington Avenue vers Citicorp.

Citicorp. — Une tour spectaculaire en aluminium signale le **Citicorp Center.** Quatre piliers gigantesques soutiennent les 59 étages culminant à plus de 48 m avec un toit en biseau. Faisant partie du complexe, un bâtiment de 7 étages s'ordonne autour d'un atrium orné de plantes avec des magasins, restaurants, pâtisseries et cafés ; une plaza est réservée aux piétons et une église luthérienne, **St. Peter's** (1977) est nichée à l'angle Nord-Ouest. L'ensemble appelé "**The Market**" (le Marché) est un lieu de détente agréable.

Contourner le **Citibank Building** qui couvre le bloc entier entre les 53e et 54e Rues, Park et Lexington Avenues.

Lever House★★. — Encadré à gauche par le Racquet Tennis Club Building, bâti en 1918 dans le style Renaissance italienne, et à droite par deux buildings à étages supérieurs en retrait genre « wedding-cake », dus à la « Zoning law » *(voir p. 33),* le Lever House dessiné par Skidmore, Owings et Merrill, lève le front lisse et audacieux de sa tour de 24 étages.

Comme pour le Colgate Palmolive, les savons et autres détergents sont à l'origine de son édification qui fut terminée en 1952. Avec celui des Nations-Unies, Lever House fut le premier building en verre de New York et son érection suscita l'intérêt général.

L'édifice justifie, par ses qualités techniques et esthétiques, l'estime qui lui est accordée. Élevé sur des piliers porteurs en acier suivant les principes de Le Corbusier, il est remarquable par son plan qui laisse une grande place à l'air et à la lumière.

Expositions temporaires dans le hall (Lever Lobby) de 10 h à 17 h en semaine et de 13 h à 17 h les dimanches et jours feriés. Fermé le samedi.

Continuant à monter Park Avenue, on passe devant le **stand Mercédès-Benz,** conçu par le célèbre architecte Frank Lloyd Wright (1955), et l'**European-American Bank & Trust Company** à la silhouette sombre, avant d'arriver à la 57e Rue au coin de laquelle s'élève la tour à retraits du **Ritz,** au rez-de-chaussée se trouve une banque organisée à l'origine par des femmes, la First Women's Bank. A quelques pas du Ritz, sur la 57e Rue, **Galleria** à l'architecture nouvelle est digne d'une visite ; cette tour résidentielle de 57 étages, comporte des bureaux, des galeries de peintures, un café, des boutiques, un passage souterrain reliant la 58e rue. Au 487 Park Avenue, un immeuble « Renaissance italienne » abrite la chapelle de la Foi, l'Espérance et la Charité, et le « Cardinal Spellman's Servicemen's Club ». Traverser alors Park Avenue et d'un îlot central, admirer la **vue★★★** remarquable sur l'avenue dont la perspective s'achève par le majestueux Pan Am.

Olivetti Building. — Bâti de 1958 à 1960 sur les plans de Skidmore, Owings et Merrill, ce bâtiment qui comporte seulement 11 étages, s'impose par la rigueur géométrique de son volume de verre. De l'autre côté de la rue, au coin de la 59e Rue, se tient la Salle de vente Christie's, célèbre depuis 1766 pour ses objets d'art.

Au-delà de la 60e Rue commence la partie purement résidentielle de Park Avenue.

MADISON AVENUE ★

Distance : 2 km — Durée : 1 h (non compris la visite de la Pierpont Morgan Library).

Pour les sociologues ou les hommes d'affaires, Madison évoque le fief de ces puissantes agences de publicité qui, par le texte, le son et l'image conditionnent de plus en plus le comportement du citoyen américain. Mais pour le touriste, Madison se réduit à quelques plaques sur les portes,

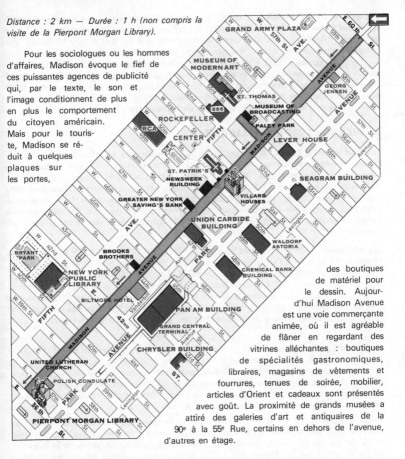

des boutiques de matériel pour le dessin. Aujourd'hui Madison Avenue est une voie commerçante animée, où il est agréable de flâner en regardant des vitrines alléchantes : boutiques de spécialités gastronomiques, libraires, magasins de vêtements et fourrures, tenues de soirée, mobilier, articles d'Orient et cadeaux sont présentés avec goût. La proximité de grands musées a attiré des galeries d'art et antiquaires de la 90e à la 55e Rue, certains en dehors de l'avenue, d'autres en étage.

De la 60e à la 36e Rue

Au 601 Madison Avenue, le magasin Georg Jensen présente argenterie, céramique et divers objets scandinaves.

Paley Park (53e Rue Est), accessible par une galerie marchande, est un des exemples du parc « de poche », lieu de refuge des citadins et des visiteurs avides de calme et de repos près des fraîches cascades.

Museum of Broadcasting. — *1, 53e Rue Est. Ouvert du mardi au samedi de 12 h à 17 h. Fermé les jours fériés. Entrée : 1.50 $.*

Ce musée possède une série de bandes enregistrées des programmes de radio et de télévision des premières cinquante années (dramatiques, événements sportifs, discours de dix présidents des États-Unis, reportage sur Charles Lindbergh lors de son retour triomphal à New York, en 1927).

Revenir sur Madison Avenue.

Villard Houses. — Ce palais Renaissance florentine fut édifié en 1885 pour un magnat des chemins de fer, Henry Villard, fondateur du Northern Pacific Railroad. Habité ensuite par Whitelaw Reid, rédacteur en chef du New York Herald Tribune, puis ambassadeur en Angleterre, il contenait les bureaux de l'archevêché maintenant situés au New York Catholic Center, 1011 1re Avenue.

De l'autre côté de la rue, deux maisons jumelles sont occupées par l'archevêque de New York, le cardinal Cooke. Le cardinal Spellman (1889-1967) y résida. Poète et orateur apprécié, titulaire d'un brevet de pilote, il administra le diocèse le plus riche du monde.

La 50e Rue offre une bonne **vue** sur Rockefeller Center. Entre les 50e et 49e Rues se tient le **Newsweek Building** où est publié l'hebdomadaire bien connu.

Au coin Nord-Ouest de la 48e Rue, se trouve une succursale de la **Greater New York Savings Bank**. Cette construction en brique de style colonial rustique contraste avec l'**Union Carbide Building** *(p. 75)*, sur le trottoir opposé, deux blocs plus loin.

Brooks Brothers. — Depuis 1818 les magasins Brooks Brothers, au coin Nord-Ouest de la 44e Rue, habillent quelques-uns des hommes les plus distingués d'Amérique. Plusieurs présidents des États-Unis ont été clients de la firme et Abraham Lincoln portait un costume Brooks Brothers lorsqu'il fut assassiné. Les ateliers produisent des costumes de coupe classique et sont appréciés pour les complets de flanelle grise et les chemises à col boutonné. Il possède également un rayon pour dames.

Un peu plus loin, sur le trottoir opposé, se trouve l'**hôtel Biltmore**, un des derniers hôtels new-yorkais d'ambiance victorienne.

Enfin en arrivant à la 37ᵉ Rue, on voit à gauche le palais de granit, dans lequel était installé le National Democratic Club de 1925 à 1973; cet édifice coûta un million de dollars au capitaine de Lamar, Hollandais enrichi dans les mines d'or ou d'Afrique et les spéculations boursières; voir l'escalier magnifiquement décoré. Il abrite maintenant le consulat de Pologne.

En fin de parcours, trois « blocs », bien que remaniés, évoquent encore le Madison résidentiel aux hôtels particuliers rivalisant avec ceux de la 5ᵉ Avenue. Ce quartier était appelé ''Murray Hill'', du nom du propriétaire d'une demeure sise au coin de Park Avenue et de la 38ᵉ Rue. On raconte qu'en 1776, la maîtresse de maison aurait servi le thé au général britannique Howe, tandis que les troupes de Washington s'échappaient vers le Nord.

■ PIERPONT MORGAN LIBRARY★★

Haut lieu de la culture, la Morgan Library recèle en ses murs somptueux d'immenses collections de livres rares, de manuscrits, de dessins, d'estampes et d'œuvres d'art rassemblés par le banquier **John Pierpont Morgan** (1837-1913) et restés à leur place après sa mort. L'accumulation des objets, le mobilier et le décor d'une rare magnificence, la pénombre silencieuse dans laquelle baignent le bureau de Morgan et sa bibliothèque recréent de façon saisissante l'ambiance dans laquelle vivait un grand collectionneur au début du siècle. En 1924, la famille Morgan a cédé la bibliothèque à un conseil d'administration avec une donation pour son entretien.

Les bâtiments. — Ils comprennent deux édifices distincts. A l'angle de la 37ᵉ Rue, la **Lutheran Church of America** occupe l'ancienne demeure de J. P. Morgan fils, bâtie en « brownstones » : on peut jeter un coup d'œil sur le vestibule orné d'un splendide lustre italien baroque, en bois doré; son jardin est le seul à survivre dans Madison Avenue. Au coin de la 36ᵉ Rue s'élève la Library proprement dite, bel exemple de style de la Renaissance italienne du 16ᵉ s. en marbre rose du Tennessee, que McKim termina en 1906; le corps de bâtiment à gauche a remplacé en 1928 les appartements privés de Pierpont Morgan. L'escalier de l'entrée est gardé par deux lions.

La bibliothèque et le musée★★. — *Visite de 10 h 30 (13 h le dimanche) à 17 h. Fermée le lundi, et les dimanches de juillet et août (à l'exception de la salle de lecture). Tarif : 1 $.*
Le vestibule resplendit de marbres polychromes. Il est flanqué à gauche d'une galerie utilisée pour les expositions temporaires, à droite d'une salle de lecture réservée aux étudiants et aux porteurs d'une autorisation. Du vestibule on pénètre dans un corridor où sont exposés par roulement les collections de la bibliothèque ou d'autres organismes.

Bureau (West Room). — Le visiteur est saisi par l'atmosphère de méditation qui règne dans cette pièce un peu sombre dont la somptuosité se manifeste dans le plafond sculpté et peint (Italie, 16ᵉ s.), les tentures de damas rouge, les meubles de bois noir. Peintures et statuettes, émaux et orfèvreries du Moyen Age ou de la Renaissance, vitraux suisses des 16ᵉ-17ᵉ s. et coupes de cristal de roche (Italie, 16ᵉ-17ᵉ s.) se fondent dans le décor de la pièce dont la cheminée de marbre (Florence, 15ᵉ s.) est surmontée d'un portrait de l'ancien occupant de ces lieux.
Parmi les peintures on notera un diptyque de l'Adoration des Mages et de la Mort de la Vierge (Bohême, 14ᵉ s.), des portraits par Memling (Flandres, 15ᵉ s.), le Mariage mystique de sainte Catherine par Cima de Conegliano (Venise, 16ᵉ s.), les portraits en médaillon de Luther et de sa femme par Cranach l'Ancien (Allemagne, 16ᵉ s.).
Parmi les sculptures figurent plusieurs petits marbres de l'école florentine du 15ᵉ s. comme ce buste de Marietta Strozzi par Desiderio de Settignano, ou cette Madone d'Antonio Rossellino. Parmi les émaux et orfèvreries, citons deux salières en terre de pipe (St-Porchaire, 16ᵉ s.), le « Triptyque de Stavelot », autel portatif exécuté vers 1150 par le grand orfèvre Godefroid de Claire, un ciboire autrichien du 14ᵉ s., deux salières décorées de scènes de la Vie de Jacob (Nuremberg, 16ᵉ s.), etc.

Bibliothèque (East Room). — Cette pièce est ornée d'une tapisserie de grandes dimensions (Flandres, 16ᵉ s.) représentant le Triomphe de l'Avarice.
Dans des vitrines sont exposés sur trois rangs et protégés par des grilles, quelques-uns des manuscrits enluminés ou autographes, des incunables (livres imprimés avant 1500), des reliures, joyaux d'une collection qui compte, entre autres, des tablettes assyriennes, des papyrus grecs, l'Évangéliaire du 7ᵉ s. sur vélin pourpre offert par le pape à Henri VIII, les Heures de Catherine de Clèves, d'autres Heures illustrées par Fouquet, une copie de la Bible de Gutenberg, les éditions originales de beaucoup de grands écrivains classiques, des manuscrits de Milton (le Paradis perdu), Byron, Walter Scott, Dickens, Lamartine (Voyage en Orient), Balzac (Eugénie Grandet), Washington, Jefferson...

AUTRES GRANDS COLLECTIONNEURS ET LEURS TRÉSORS

Parcours : 1 km — Durée : 1 h 1/2.

Gramercy Park ★. — Gramercy Park et Irving Place constituent, sur un espace restreint, une enclave résidentielle au sein d'un secteur disgracié. Les petites maisons du 19ᵉ s., d'architecture néo-grecque, les rues calmes, y ont attiré artistes et intellectuels.

Un endroit à la mode. — Au 18ᵉ s., il y avait là un marais dont le nom hollandais Krom Moeraije (petit marais tordu) se déforma par la suite en Gramercy. Son assèchement ayant été réalisé, une ferme fut construite, propriété en 1830 d'un certain Samuel Ruggles.

Au milieu du 19ᵉ s., des personnalités new-yorkaises s'établirent dans le secteur : **James Harper**, fondateur d'une maison d'édition du même nom et maire de New York en 1844, l'écrivain **Washington Irving** (1783-1859), les parents de Theodore Roosevelt, seul président des États-Unis né à New York, **Edwin Booth** (1833-1893), tragédien en vogue, dont le frère avait assassiné le président Lincoln.

Le square. — Égayé de fleurs et ombragé, le jardin est réservé aux riverains. Au centre est érigée la statue de Booth dans son rôle favori : Hamlet.

Sur les côtés s'alignent de charmantes demeures néo-classiques à portique. On remarque le raffinement du décor en fonte.

Les nᵒˢ 1-2-3-4 Gramercy Park, en briques rouges, ont été bâtis aux alentours de 1840; le nᵒ 4 fut habité en 1844, par un des maires de New York, James Harper, et possède encore les réverbères qui signalaient la résidence du premier magistrat de la ville. Le nᵒ 15, siège du National Art Club, fut le domicile de Samuel J. Tilden, adversaire démocrate du Tammany Hall *(p. 88)* gouverneur de New York de 1874 à 1876. Au nᵒ 16 vivait Booth qui fonda le Players Club. La façade est agrémentée de lampadaires tarabiscotés, et, à l'étage, d'un balcon orné de masques d'acteurs. Le nᵒ 18 était le fief de Mme Stuyvesant Fish qui, la première, réduisit à 1 h le temps des grands dîners privés.

Maison natale (Birthplace) de Theodore Roosevelt. — *Visite du dernier lundi de mai au 1ᵉʳ lundi de septembre, tous les jours de 9 h à 16 h 30, le reste de l'année de 9 h à 16 h et fermée les lundi et mardi. Entrée : 50 cents. Concerts gratuits de musique de chambre les samedis à 14 h.*

Entre Broadway et Park Avenue, au 28 20ᵉ Rue Est, un drapeau flotte sur la maison où **Théodore Roosevelt** (1858-1919) est né et où il a vécu jusqu'à l'âge de 15 ans.

Demeure typique de l'aristocratie new-yorkaise au 19ᵉ s., avec son visage austère, son atmosphère intérieure cossue et feutrée, la maison a conservé son mobilier d'époque.

Theodore Roosevelt était un personnage haut en couleur. Premier préfet de police sorti de Harvard, organisateur des « Roosevelt's Rough Riders », troupe de cavaliers volontaires, vice-président en 1900, il succéda au président McKinley après son assassinat en 1901, avant d'être élu lui-même président et réélu en 1904. « Teddy » fut l'oncle d'Eleanor Roosevelt.

Stuyvesant Square ★. — Occupant une portion de l'ancienne ferme de **Stuyvesant** *(voir p. 85)*, ce square fut, au 19ᵉ s., un des quartiers élégants de New York. Aujourd'hui, encadré d'hôpitaux, d'églises, d'écoles, il dessine un rectangle de verdure formant un îlot à l'ambiance provinciale entre les 15ᵉ et 17ᵉ Rues et 1ʳᵉ et 3ᵉ Avenues. **Rutherford Place**, à l'Ouest, en est le côté le plus typique.

De Stuyvesant Square on aperçoit, le long d'East River, de la 14ᵉ à la 23ᵉ Rue, les grands ensembles de Stuyvesant Town, et un peu plus au Nord, le Peter Cooper Village, bâtis dans les années 1940 par la Metropolitan Life Insurance Company.

Friends Meeting House. — Construite en 1860, cette maison de style Federal avec des éléments néo-classiques, sert de lieu d'assemblée et de séminaire à la « Religious Society of Friends » (Société Religieuse des Amis), connue aussi sous le nom de « Quakers » *(p. 137)*.

Un marbre blanc à la base de l'édifice signale qu'il servit d'étape aux noirs évadés des États esclavagistes qui gagnaient le Canada, par la filière dite « Underground Railway ».

En semaine, on peut visiter la salle d'assemblée, contemporaine de la fondation.

Église St-Georges (St. George's Church). — Cette église épiscopalienne, en grès rouge, a été fondée en 1749, mais le bâtiment actuel ne remonte qu'à 1848. Sa façade à tours jumelles pastiche le style roman, encore que la rose soit gothique; à l'intérieur, orgues modernes réputées. J. Pierpont Morgan *(détails p. 78 et 95)*, a compté parmi les paroissiens de St. George's qu'on a appelé parfois Morgan's Church.

Dans le square, statue en bronze de Peter Stuyvesant, reconnaissable à sa jambe de bois.

Visite : 1 h.

Au début de la 5e Avenue, Washington Square dessine un vaste rectangle planté d'arbres dont quelques-uns sont vénérables. La partie centrale est aménagée en rond-point dans lequel s'inscrit un bassin où s'ébrouent les enfants durant la canicule.

Situé en lisière de Greenwich Village et servant de « campus » aux étudiants de la New York University, Washington Square, habituellement tranquille et même un brin mélan-colique, est parfois le théâtre de scènes pittoresques. C'est ainsi que le dimanche ou pendant les chaudes soirées estivales se font entendre joueurs de guitare, de banjo et interprètes de chants folkloriques. Au printemps et en été on peut voir s'entraîner les lanceurs de lasso ou les joueurs de yoyo tandis que les amateurs d'échecs s'affrontent sous les ombrages. Enfin, durant deux semaines, au printemps et à l'automne, les jeunes peintres peuvent exposer en plein air (Washington Square Outdoor Art Exhibit) leurs dernières productions, moyennant l'accord du jury et le paiement d'un droit minime.

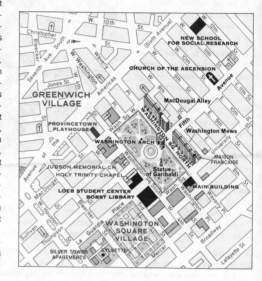

De petits poètes ont l'habitude d'apposer leurs œuvres sur la clôture, en quête d'acquéreurs.

UN PEU D'HISTOIRE

Les cendres du passé. — Qui se douterait que les allées et les parterres de Washington Square, autrefois marécages où l'on chassait le canard, recouvrent les restes de milliers d'êtres humains ? Et cependant, à la fin du 18e s., on se détournait de ce lieu : là étaient ensevelis, à même la terre humide, les indigents ou les esclaves noirs des planteurs ; là aussi se déroulaient les exécutions et plusieurs des arbres qui subsistent de nos jours auraient servi de potence.

Puis le cimetière fut désaffecté, laissant la place, au début du 19e s., à un champ de manœuvres où, le matin de l'Independence Day, paradaient les troupes.

Transformé dès avant 1828 en parc public, l'endroit devint une « bonne adresse » avec les années 1840 (la population de New York est alors d'environ 315 000 habitants) : sur les voies alentour s'alignaient de jolies maisons néo-grecques à appareil de briques rouges et portique. Le quartier était alors le fief de l'opulente aristocratie Knickerbocker dont **Henry James** a décrit la vie dans son roman « Washington Square », adapté à la scène et à l'écran sous le titre de ''The Heiress'' (l'Héritière). Les humoristes Mark Twain et O'Henry, le poète Walt Whitman et, plus près de nous le peintre Edward Hopper, ont eux aussi, hanté ces lieux qu'ils évoquèrent dans leurs œuvres.

En 1825, lors de l'inauguration du parc, il fut consommé 2 bœufs et 200 jambons; placés bout à bout, les barils de bière vidés par les convives auraient couvert une distance de 500 m.

New York University : naissance et croissance. — Institution privée, fondée en 1831 par **Albert Gallatin**, secrétaire du Trésor sous les présidents Jefferson et Madison, New York University commença à fonctionner avec 15 professeurs et 100 élèves dans des locaux loués à des particuliers. Puis, en 1836, elle émigra à Washington Square dans un beau bâtiment « Gothic Revival » construit pour elle et qui fut remplacé en 1894 par un immeuble de style classique, à frontons triangulaires, toujours visibles sur le côté Est du Square. Les pierres servant à la construction furent taillées par les condamnés de la fameuse prison de Sing-Sing, ce qui provoqua une des premières manifestations ouvrières de masse, organisée par la corporation des tailleurs de pierre.

Ces mêmes années 1890 virent par ailleurs le transfert d'une partie de New York University sur les hauteurs du Bronx (University Heights) en bordure de Harlem River *(voir p. 140)*.

Aujourd'hui New York University compte 13 collèges et environ 41 000 étudiants (2 350 étrangers) partagés entre 6 points. Les principaux campus sont ceux de Washington Square (Sciences et Lettres, Commerce, Droit, Pédagogie), du Centre Médical *(voir p. 122)*, de la 1re Avenue (Médecine et Dentaire).

Les sept bibliothèques de New York University comptent plus de 2,5 millions de volumes.

Uptown : *haut de la ville (Nord Manhattan).*
Downtown : *bas de la ville (Sud Manhattan).*

VISITE

Nous conseillons à nos lecteurs de se rendre à Washington Square en fin d'après-midi ou dans la soirée, surtout au moment de la belle saison, pour profiter de l'ambiance créée par les étudiants et les artistes.

Washington Arch. — La dénomination intégrale de cet arc, « Washington Centennial Memorial Arch », rappelle qu'il fut élevé pour commémorer le centenaire de l'élection, en 1789, du premier président des États-Unis, George Washington *(détails p. 95).*

Arc triomphal placé à l'entrée d'une voie triomphale (la 5ᵉ Avenue), Washington Arch, construit en marbre blanc, a été terminé en 1892 ; sa silhouette néo-classique rappelle celle de l'arc du Carrousel à Paris.

On identifie sur la face Nord, vers la 5ᵉ Avenue, deux statues de Washington l'une le représentant en uniforme de général, l'autre en civil. La première de ces statues, d'un classicisme qui paraît aujourd'hui démodé, est l'œuvre de A. Sterling Calder, père d'Alexandre Calder, le célèbre auteur de « mobiles » et des «stabiles » : on mesurera le fossé qui sépare la facture du père et celle du fils.

Sur la face Sud, remarquer la frise que marque au centre l'aigle américain et les initiales de George Washington. Des bas-reliefs sculptés représentant des Renommées garnissent les écoinçons.

Statue de Garibaldi, — Érigée en 1888, elle fait office de lieu de rendez-vous pour les habitants de la proche « Petite Italie » *(p. 83).* Héros de l'indépendance italienne, Garibaldi séjourna en 1850 à New York où il fonda une fabrique de chandelles. La tradition estudiantine veut que sa statue salue de la tête le passage des étudiantes vertueuses.

New York University. — Ses bâtiments sont éparpillés autour de la place. Parmi les plus importants, on notera, sur le côté Est, le **Main Building,** de style classique, qui date de 1894, et sur le côté Sud, la **Bobst Library,** le **Loeb Student Center,** Maison des Étudiants, et la chapelle de la Sainte-Trinité de rite catholique (Holy Trinity Chapel) dont le modernisme contraste avec l'aspect roman lombard (galeries d'arcatures et campanile isolé) d'une église baptiste voisine (Judson Memorial Church).

Washington Square Nord★. — C'est le côté le plus attachant de la place grâce à la présence de charmantes petites maisons de style néo-grec qui ont survécu aux démolitions effectuées à partir de la fin du 19ᵉ s. Leurs murs de briques, leur portique de pierre à colonnes doriques ou ioniques, leur perron, leurs baies à entablement donnent une idée de ce qu'était Washington Square vers 1840.

En arrière de ces maisons, deux pittoresques ruelles ont subsisté qui desservaient jadis les communs, écuries, remises, logements de domestiques : ce sont **Washington Mews** et **MacDougal Alley,** dont un malencontreux building a coupé la perspective. Telles quelles pourtant, avec leurs murs chaulés, leurs réverbères à gaz, parmi les rares encore en activité à New York et, pour Washington Mews, un vieux pavé villageois, elles attirent des artistes, des cinéastes et des intellectuels qui y trouvent le silence.

A l'angle de Washington Mews et de University Place, la **« Maison Française »,** dépendant de New York University, occupe une maison restaurés avec goût : elle dispose d'une bibliothèque et organise des expositions documentaires, des conférences, des spectacles très appréciés.

(D'après photo Seymour Linden)

Washington Mews.

5ᵉ Avenue Sud. — Dans le vestibule du nº 2 a été aménagée une fontaine où sourd l'eau d'une rivière, la Minetta, aujourd'hui recouverte.

■ AUTRES CURIOSITÉS

Church of the Ascension. — Située à l'angle de la 5ᵉ Avenue et de la 10ᵉ Rue, cette église anglicane, construite en 1841 dans le style « Gothic Revival » *(détails p. 33),* a été remaniée par la suite par Stanford White. Elle abrite une peinture murale, l'Ascension, œuvre de John La Farge (1835-1910).

New School for Social Research. — Entre la 5ᵉ Avenue et l'Avenue of the Americas, au 66 Ouest 12ᵉ Rue, cette institution qui présente l'originalité d'être réservée aux adultes a été fondée en 1919 pour traiter de problèmes économiques et politiques. L'intérieur est orné de peintures dues à T.H. Benton et à l'artiste mexicain José Clemente Orozco, exécutées en 1930 ; on remarquera surtout celles qui ont trait à la vie rurale en Amérique intitulées « l'Amérique d'aujourd'hui ».

Pour visiter, faire la demande à l'avance : ☏ 741-5668.

Parcours : 1,5 km — Durée : 2 h.

Greenwich Village s'étend de Spring Street au Sud à la 14e Rue au Nord, et de Greenwich Street à Broadway. Mais son cœur bat dans un espace restreint au Sud-Ouest de Washington Square. Là se côtoient cafés et « caves », échoppes italiennes et théâtre d'avant-garde, restaurants typiques et boutiques d'artisans, galeries d'art et antiquaires, installés dans de vieilles maisons basses dont certaines ont été aménagées en confortables résidences.

Greenwich Village a deux visages. L'un, diurne, nous montre des rues calmes, presque provinciales, qui s'animent les samedis et dimanches après-midi lorsque les badauds s'agglutinent pour écouter les musiciens ambulants ou se faire tirer le portrait en plein vent. L'autre, nocturne, évoque à la fois Montmartre et St-Germain-des-Prés : la foule composite des touristes coudoie des artistes, des intellectuels, des étudiants mêlés à une faune interlope tandis que s'emplissent les théâtres et les cinémas et que dans les boîtes se produisent chanteurs de blues ou de refrains folkloriques.

UN PEU D'HISTOIRE

Un village de campagne. — Au début du 17e s., lorsque Hudson aborde à Manhattan, le territoire verdoyant qui devait devenir Greenwich Village est coupé de bois et de rivières poissonneuses ; les Indiens l'occupent (camp de Sapohanickan). Puis le second gouverneur de la Nouvelle-Amsterdam, Wouter van Twiller, s'y taille un domaine où prospèrent les plantations de tabac.

Avec la domination britannique, l'endroit se peuple de colons et un petit village se forme, lequel est connu, dès 1696, sous le nom de Greenwich, emprunté à une ville anglaise proche de Londres. Jusqu'à la Révolution, des citoyens fortunés, comme les Delancey et les Bayard, y possèdent des propriétés. Entre deux rangées de maisons de bois court la grande rue du Village, Greenwich Street, qui dominait alors l'Hudson, bordé d'entrepôts.

Puis, alors que la variole ou la fièvre jaune dévastent la ville basse au début du 19e s., des New-Yorkais se réfugient à Greenwich Village où l'air reste salubre : c'est ainsi que l'actuelle Bank Street, au Nord du Village, tient son nom des banques de Wall Street qui s'y établirent au cours de l'accès de fièvre jaune en 1822.

La vie de bohême. — C'est vers 1910 que le village s'installe dans sa période bohème. Les gens chics poursuivant leur progression vers le Nord, les Noirs investissent Gay Street et les Italiens assiègent Bleecker Street. D'autre part, profitant de la baisse des loyers, intellectuels et artistes commencent à affluer, imitant **Edgar Poe** qui, déjà en 1845, habitait au 85 Ouest 3e Rue, où il écrivit Gordon Pym et la Chute de la Maison Usher.

Corollairement, la fermentation des esprits est vive. Un Hollandais nommé **Piet Vlag** crée « The Masses », publication impertinente à l'égard de l'ordre établi qui symbolise l'esprit frondeur du Village. De son côté le distingué **Bobby Edwards** chante avec l'accent de Harvard des airs non-conformistes en s'accompagnant sur un ukulélé, fait de boîtes à cigares ; il se tient souvent chez Enrico Paglieri, un restaurant italien où l'actrice Mary Pickford vient l'entendre. C'est Bobby Edwards qui a fondé le « Club des Chats fous d'Amérique ».

Mais le rendez-vous préféré des jeunes rebelles est le **Liberal Club** que fréquente, entre autre le romancier social **Upton Sinclair**. Situé au n° 137 MacDougal Street, ce club organise les premières expositions de peintres cubistes, des débats sur le contrôle des naissances et des bals appelés « raouts païens » qui, en raison de leur succès, seront obligés de s'installer dans un local plus vaste. Au rez-de-chaussée du Liberal Club se réunissent les anarchistes dans un restaurant tenu par une femme, Polly Holliday, et où pérore **Emma Goldman,** une anarchiste connue. Au n° 25 de la 5e Avenue la riche Mabel Dodge reçoit dans son salon blanc tous les intellectuels avancés, supporters de James Joyce, de Dreiser, de O'Neill.

Après la guerre 1914-18, changement de décor. L'ère de la Lost Generation et du Jazz commence que célébrera **F. Scott Fitzgerald,** un des acteurs les plus en vue de la nouvelle épopée.

Aujourd'hui le Village s'est quelque peu embourgeoisé et nombre d'artistes ou d'intellectuels élisent domicile à l'Est de Washington Square, dans l'**East Village** *(voir p. 84).* A côté d'eux, les publicistes de Madison, quelques artistes et écrivains à succès ont pris place, désireux de faire preuve de non-conformisme. Tous ceux qui veulent fuir le côté formel, conventionnel des résidences « uptown » viennent volontiers rechercher l'atmosphère colorée du village, ils y trouvent de quoi satisfaire leurs goûts et leurs besoins et conséquemment, se font les ardents défenseurs du caractère propre au Village que les ans ne doivent pas effacer.

VISITE

Nous conseillons de faire deux visites, l'une le jour, l'autre la nuit.

Partant de Washington Square, l'intinéraire emprunte d'abord un tronçon de Sullivan Street avant de tourner à droite dans la 3e Rue, bordée de restaurants et de « boîtes », puis de nouveau à droite dans MacGougal Street : au n° 133 cette rue se trouve **Provincetown Playhouse,** issu d'une troupe fondée par le grand dramaturge new-yorkais Eugène O'Neill dont les meilleures pièces, comme « Le Deuil sied à Électre », sont fréquemment reprises ici même.

Remonter Washington Square West en direction de la 8e Rue. Au passage pénétrer dans MacDougal Alley *(voir p. 81)* où Gertrude Vanderbilt Whitney ouvrit une galerie, point de départ du Whitney Museum. Par la diversité de ses boutiques, la 8e Rue ne manque pas d'un certain charme : bijoux, vêtements, livres s'y cotoient, sans oublier pizzerias, autres restaurants et boîtes. Se diriger vers l'Ouest, tourner à gauche sur l'Avenue of the Americas,

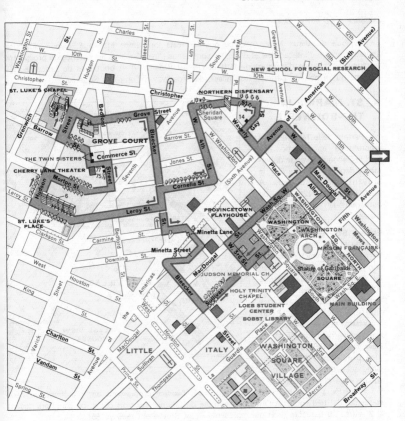

puis à droite dans Wawerly Place. Prendre de nouveau à droite Gay Street, petite rue étroite qui s'incurve entre de jolies maisons de briques dont certaines sont blanchies à la chaux. Au nº 14, vécurent Ruth McKenney et sa sœur, héroïne de l'ouvrage « My sister Eileen » qui connut les succès de la rampe et de l'écran. A l'extrémité de Gay Street, ont tourne à gauche sur Christopher Street. Au prochain carrefour, un terre-plein triangulaire porte le **Northern Dispensary,** installé dans un austère bâtiment de briques édifié en 1831 pour l'Association des Médecins.

Suivre ensuite la 4e Rue où se pressent les restaurants, les « boîtes » et les boutiques d'artisans (craft shops) : objets (bijoux, gants) exécutés à la main.

Par Cornelia Street et Leroy Street, on gagne **St. Luke's Place ★** le long de laquelle s'alignent de charmantes maisons néo-classiques à escalier (début 19e s.), formant un ensemble très homogène, qu'agrémente une rangée de beaux arbres. Au nº 16, Théodore Dreiser écrivit « An American Tragedy ». Le nº 6, marqué de deux lampadaires symboliques (Mayor's Lamps), a été habité par le maire de New York, Jimmy Walker. Au Sud de ce secteur, entre Charlton et Vandam Streets, existait une élégante demeure, Richmond Hill, qui servit de quartier général à George Washington et plus tard de résidence au vice-président John Adams et à Aaron Burr. Morton Street conduit à Bedford Street, paisible rue villageoise : la maison qui porte le nº 75 A serait la plus étroite de New York, celle au nº 77 la plus vieille (1799) du Village. D'autres maisons du 19e s. bordent Commerce Street, certaines à persiennes et à lucarnes, ce qui est rare à New York.

A l'extrémité Sud-Ouest de Commerce Street, au nº 38, une ancienne grange abrite depuis 1920 un théâtre d'essai, le **Cherry Lane Theater,** qui a produit en avant-première les pièces de Becket, Ionesco et Edward Albee ; aux nºs 39 et 41, deux jolies maisons de briques, les Twin Sisters (Sœurs jumelles), construites par un marin pour ses deux filles.

Sur Hudson Street, à hauteur de Grove Street, s'élève **St. Luke's Chapel,** charmante petite église de campagne à clocher-porche datant de 1822. On pénètre dans Grove Street : presque tout de suite à droite, dans un angle que forme le mur, s'ouvre **Grove Court ★★,** enclos verdoyant entouré de maisons en bois ou en briques (1840) ; au coin Nord de Grove Street et de Bedford Street, on remarque une autre curieuse maison de bois. Grove comme Bedford, est une rue calme qui semble bien éloignée du centre fiévreux de Manhattan.

La scène change avec **Bleecker Street,** un des axes de "**Little Italy**" (Petite Italie), la 8e Rue et celle de MacDougal, la plus commerçante du Village. Le débordement de fruits et de légumes, les épiceries fines, pâtisseries, cafés où vont les amateurs d'« espresso », engendrent un brouhaha qu'accentue le débit aigu des matrones et des gamins s'agitant sur le trottoir. Un crochet permettra de savourer, par contraste, le calme qui règne dans **Minetta Lane** et Minetta Street, rues sous lesquelles court la rivière du même nom. On revient à Washington Square par Sullivan Street, autre artère principale, à travers le quartier italien.

« Next Stop », film de Paul Mazursky tourné en 1975 à Greenwich Village.

Distance : 1,5 km — Durée 1 h.

Typique du Vieux New York, ce quartier resta longtemps inchangé. Depuis quelques années, nombre d'intellectuels et d'artistes sont venus s'installer dans les parages où prospèrent restaurants, théâtres d'avant-garde (Off et Off-Off Broadway) et boutiques de brocanteurs : c'est ce qu'on nomme parfois l'**East Village**, de Broadway à Tompkins Square.

■ ST. MARK'S-IN-THE-BOUWERIE

Partant de la 14e Rue nous empruntons en direction du Sud la Seconde Avenue débarrassée depuis 1941 du « El », le bruyant métro aérien. A hauteur de la 12e Rue on remarque le théâtre Entermedia.

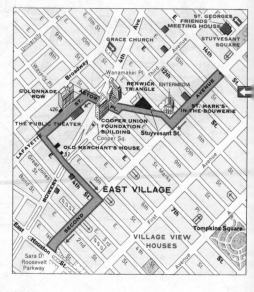

Église St. Mark. — Au coin de la 10e Rue, St. Mark a conservé miraculeusement son visage de petite église de campagne depuis presque 200 ans, avec son cimetière ombragé. Parmi les tombes figurent celles de **Peter Stuyvesant** et de **Daniel Tompkins**, gouverneur de l'Etat de New York de 1807 à 1817 puis vice-président des Etats-Unis, qui a donné son nom au square situé plus à l'Est.

Précédée par un portique ajouté en 1854, l'édifice proprement dit, d'architecture néoclassique, est très sobre. A l'intérieur, entouré de tribunes sur trois côtés, on s'arrêtera devant le 2e vitrail du bas-côté droit qui représente Peter Stuyvesant *(voir p. 85)*.

Prendre Stuyvesant Street : à droite le **Renwick Triangle** comprend 16 demeures aux façades identiques, bâties par l'architecte Renwick au milieu du 19e s. et restaurées en 1966.

Astor Place. — Entre la 3e et la 4e Avenue sont installés les bâtiments du Cooper Union for the Advancement of Science and Art, collège universitaire privé et gratuit. Sur la gauche s'élève le **Cooper Union Foundation Building ★** , édifice de grès rouge fondé en 1859 par Peter Cooper (1791-1883), industriel, inventeur et philanthrope, qui a réalisé notamment Tom Thumb (Tom Pouce), première locomotive mise en service aux États-Unis. Le Grand Hall *(sous-sol)* a entendu Abraham Lincoln prononcer en 1860 son célèbre discours « Right makes Might » (le Droit fait la Force) considéré comme le point de départ de son ascension vers la Présidence.

Au 19e s. se dressait en ces lieux la masse majestueuse de l'**Astor Place Opera House**, inauguré en 1847, qui fut, deux ans plus tard, le cadre d'une émeute dirigée contre l'acteur anglais William Macready qu'on accusait de « barrer » les artistes locaux : au cri de « Vive à jamais Washington », le peuple tenta en vain de mettre le feu à l'Opéra où jouait le malheureux artiste ; le 7e Régiment dispersa les assaillants, il y eut 22 morts et 150 blessés.

S'engager dans Lafayette Street. Bientôt, le touriste découvre à droite (n° 428 à 434) un alignement de colonnes corinthiennes en marbre du Westchester, dont l'aspect aristocratique bien que quelque peu délabré s'impose : il s'agit de **Colonnade Row ★** qui se nommait à l'origine La Grange Terrace, du nom du château de la Grange, domaine de La Fayette aux environs de Paris. A l'époque de la construction (1836), l'ensemble comprenait 8 maisons ; il en subsiste 4. Le grand-père maternel de F.-D. Roosevelt habitait au n° 426.

Le building monumental situé en face de Colonnade Row abritait l'Astor Library, ouverte en 1854, qui fut à l'origine la New York Library : 100 000 volumes y étaient mis à la disposition des lecteurs à titre gratuit ; ce qui était exceptionnel pour l'époque. Aujourd'hui c'est le siège du Public Theater of the New York Shakespeare Festival, qui donne notamment des représentations gratuites dans Central Park en été *(voir p. 103)* ; sept salles de théâtre sont aménagées à l'intérieur des bâtiments, offrant des représentation allant des pièces nouvelles à grand spectacle jusqu'aux revues de cabaret.

Tourner à gauche dans la 4e Rue : au n° 29 se trouve Old Merchant's House.

Old Merchant's House. — Bâtie en 1832 pour un commerçant aisé, Seabury Tredwell, la demeure offre de délicates grilles de fer forgé et un portail souligné d'une élégante arcature à chaînages. L'intérieur a conservé son décor et son mobilier Nouvel Empire, dans lesquels vécurent les Seabury Tredwell, habitants de ces lieux jusqu'en 1933.

Au n° 37 de la même rue se trouve une maison au style « Greek Revival », avec ses deux colonnes ioniques supportant une corniche en bois. Un puissant homme d'affaires l'habitait, Samuel Tredwell Skidmore.

On revient à la Seconde Avenue qu'on suit à droite jusqu'à Houston Street.

Autres maisons historiques : Poe Cottage et Van Cortland House Museum (p. 130).

Distance : 2 km — Durée : 2 h.

De Houston Street à Canal Street et de Lafayette Street à Clinton Street, on peut explorer **Lower East Side**, un quartier pauvre et sans curiosités importantes mais attachant par son atmosphère et ses mœurs populaires.

■ LA BOWERY ★

Après avoir été, au 19e s., le paradis des fêtards, la Bowery est devenue le refuge des vagabonds, la « Skid Row » de New York, de la 4e Rue à Chatham Square.

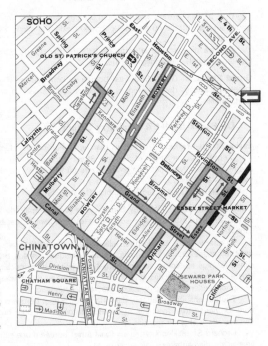

La ferme du gouverneur. — **Peter Stuyvesant** (1592-1672) fut le dernier gouverneur hollandais de la Nouvelle-Amsterdam de 1647 à 1664. C'était un homme sévère, rigoriste, toujours habillé de noir... et pourvu d'une jambe de bois remplaçant celle qu'il avait perdue en attaquant l'île St-Martin, dans les Antilles.

Colonisateur dans l'âme, il avait créé sur un ancien territoire des Indiens qu'il avait contribué à refouler, une ferme appelée « Bouwerij » s'étendant de Broadway à l'East River et entre les actuelles 3e et 23e Rues. Il avait fait tracer une large allée rectiligne qui est aujourd'hui la « Bowery ». Sa résidence personnelle se trouvait près d'une petite chapelle, reconstruite en 1799 par un de ses descendants : c'est l'actuelle église épiscopalienne St. Mark's- in-the-Bouwerie *(p. 84)*.

La « rue des ombres ». — Au-dessus de la chaussée sale de la Bowery rôdent, la nuit, des centaines de fantômes. L'homme à la jambe de bois Peter Stuyvesant conduit une troupe composée d'immigrants, d'étoiles de music-hall ou de théâtre, de spectateurs, de bandits...

Dans la première moitié du 19e s. en effet, la Bowery est le refuge des débarqués de fraîche date venus en majorité d'Irlande ou d'Europe Centrale. Pour eux des tavernes, fréquentées surtout par des Allemands amateurs de bière, sont aménagées avec jardins ; le premier théâtre, Bowery Theater, s'ouvre en 1826.

Mais c'est seulement en 1840 avec l'inauguration de l'Opéra sur Astor Place *(p. 84)* que le quartier se lance vraiment comme lieu de plaisir. A vrai dire, en dehors de cet établissement élégant, les salles de spectacle du quartier offrent rarement confort et bienséance. Si les prix sont peu élevés (de 50 à 12 cents), des bancs de bois servent de sièges, l'éclairage est insuffisant, le chauffage inexistant et il n'est pas rare de voir des rats surgir du plancher. Quant au comportement des spectateurs, il apparaît à certains observateurs trop proche de la nature.

(D'après un dessin Museum of the City of New York)

La Bowery. — Un bal en 1871.

A la fin du siècle s'altère la simplicité de ces mœurs. En 1864, le Tony Pastor's Opera House met à la mode le vaudeville, parfois grivois ; les « chorus girls », en maillot et bas de soie noire, apparaissent en 1866 ; puis vers 1890 s'impose la revue, dite « passing-show ». Dans le même temps des caveaux accueillent des hommes en melon, à mine patibulaire, et leurs « dames » en cheveux : ce sont les membres de ces gangs, parmi eux les « Bowery Boy's », qui détroussent les danseurs à la sortie des bals ou des « saloons ». Sur la Bowery, devenue « Boulevard du Crime », se pressent les mauvais garçons, à l'ombre propice de l'Elevated qui passe avec fracas à la hauteur des premiers étages et ne sera démoli qu'en 1955. **Charles Dickens** a décrit dans plusieurs de ses œuvres (American Notes) des types observés sur la Bowery.

85

Le royaume des vagabonds. — Bien que la Bowery soit habituellement connue pour ses clochards, c'est aujourd'hui une voie commerçante avec des restaurants, des boutiques d'équipement électrique et d'objets chinois.

Ceux qui ont fait de la Bowery leur domaine depuis la création du « El », ligne aérienne du métro de la 3e Avenue, ont été rejoints par une vague d'épaves. Fuyant West Village, trop cher, des artistes ont déniché des greniers (lofts) habitables au-dessus des boutiques et entrepôts.

La ville s'attache à améliorer le quartier par des centres d'accueil et d'entraide aux déshérités.

De Houston Street à Essex Street

Une promenade sur la Bowery n'est pas dangereuse mais déprimante ; des malheureux gisent sur les trottoirs ou sous les porches, tendant la main ; certains vendent leur maigre avoir sur la rue.

Après avoir parcouru la partie centrale de Bowery, de Houston Street à Grand Street, on prendra à gauche cette dernière rue.

Grand Street. — Grand Street est bordée de boutiques de meubles, vêtements et tissus, certaines spécialisées dans les tenues de mariée d'autrefois. Çà et là, des camelots vantent leurs marchandises.

De Essex Street à Mulberry Street

Essex Street Market. — C'est un marché à l'européenne dont les bâtiments de briques sont situés entre Broome Street et Stanton Street : grande abondance de viandes, légumes, fruits, coquillages, etc. Noter les nombreux bazars où fourmillent objets de tout pays et où se parlent toutes les langues.

Continuant Essex Street, on croise Delancey Street.

Delancey Street. — Delancey Street est la rue principale de Lower East Side et du quartier juif ; beaucoup de boutiques y sont ouvertes le dimanche, car elles ferment le samedi, jour du sabbat.

Le quartier qui s'étend entre Delancey et Canal Street était, naguère encore, presque entièrement occupé par des Israélites. Depuis quelques années beaucoup d'entre eux sont allés s'installer plus au Nord. Les nouveaux hôtes sont les Portoricains, les Grecs, les Italiens ou les Orientaux qui vendent des vêtements bon marché et des articles ménagers. Les inscriptions en espagnol tendent à remplacer les caractères hébraïques.

Tourner ensuite, à gauche, dans Rivington Street bordée d'échoppes puis encore à gauche dans Orchard Street avec ses marchands de costumes pour hommes, dames et enfants, dont certains vêtements de marque.

Orchard Street débouche dans **Canal Street** bordée d'une suite presque ininterrompue de joailliers et de diamantaires *(voir aussi p. 51)*.

Mulberry Street. — Appelée aussi Via San Gennaro (rue St-Janvier), c'est l'artère principale d'un des quartiers italiens de New York : nombreuses boutiques aux étalages colorés présentant les spécialités de la Péninsule : pâtes, salamis, artichauts, olives, fromages, etc.

Par Spring Street, à gauche on atteint la station de « subway » qui porte ce nom.

■ AUTRES CURIOSITÉS

Au coin de Mulberry Street et de Prince Street, **Old St. Patrick's Church** fut la première cathédrale catholique de New York. L'édifice original, bâti en 1809, était dû à l'architecte français Mangin *(voir p. 32 et 88)* : incendié en 1866, il en subsiste cependant une partie de la façade de style « Gothic Revival » *(voir p. 33)*.

L'actuelle cathédrale catholique de New York, St-Patrick, se trouve sur la 5e Avenue *(voir p. 51)*.

SoHo. — Reconnu en 1973 comme quartier historique, SoHo (contraction de South of Houston Street) est bordé à l'Ouest par West Broadway, au Nord par West et East Houston Streets, à l'Est par Crosby Street, au Sud par Howard Street, Boadway et Canal Street. Autrefois berceau de petites industries, il se distingue par ses maisons à structure métallique (cast-iron houses) qui de 1850 à 1180 connurent une grande popularité, ce mode de construction rapide permettant à peu de frais une décoration variée. Le « **Cast Iron** », avec ses possibilités de hautes façades, est le précurseur des gratte-ciel du 20e s.

Chassés par l'augmentation des loyers de Greenwich Village, des peintres, sculpteurs, artistes en général ont émigré vers cet endroit dès 1960. Les anciens ateliers industriels ont constitué des emplacement rêvés pour ce monde artistique. Après une période d'occupation illégale, les artistes sont maintenant officiellement installés.

Parmi les 26 « blocs » de ce cast-iron district, on compte 85 galeries d'art ainsi que des boutiques, restaurants et attractions. Le meilleur moment pour flâner dans les rues, est le samedi après-midi quand l'activité est à son comble.

La nuit tombée, en dépit des rondes de police, certains secteurs sont à éviter : le Lower East Side en particulier, Central Park (sauf lors de manifestations artistiques), les environs de Columbia University, en général les rues désertes ou les quartiers très pauvres. Quant à Harlem, la parcourir seulement de jour en taxis ou en circuit organisé.

Parcours : 1 km — Durée 1 h 1/2.

Bien qu'un peu américanisée, Chinatown, la ville chinoise de New York, évoque encore le parfum de l'Orient. Moins important que celui de San Francisco mais plus homogène, ce quartier rassemble, entre Baxter Street, Canal Street, la Bowery et Chatham Square, 10 000 Chinois alliant la courtoisie orientale à l'efficacité américaine.

Un quartier qui a évolué !
Les premiers ressortissants du Céleste Empire à s'établir après la Guerre Civile sont des Cantonais. En 1882 il y a là une communauté importante et qui continue à s'accroître, lorsque le « Chinese Exclusion Act » arrête l'immigration.

Mais comme la Bowery, le quartier est livré aux mauvais garçons, alors que sévit la guerre des gangs (les « tongs ») qui se disputent l'exploitation des fumeries et des tripots. On règle les comptes au revolver, souvent à l'angle de Doyers et de Pell Street, surnommé depuis le « coin du sang ». D'autres fois les haches entrent en action.

Après 1910, les Chinois assimilent le mode de vie américain et s'enrichissent, faisant de Chinatown un quartier respectable et policé.

Visite. — Pour visiter, on choisira de préférence le dimanche, jour où les Chinois n'habitant pas Chinatown viennent faire leurs achats de produits nationaux et rendre visite à leurs compatriotes. Mais c'est surtout à l'occasion du **Nouvel An Chinois** (première pleine lune après le 21 janvier) que Chinatown prend son caractère : c'est le cérémonial du défilé, dans les rues illuminées, des lions et des dragons accompagnés de danseurs masqués tandis que les pétards et les fusées du feu d'artifice sont chargés d'éloigner les mauvais esprits.

Une lente promenade permettra à l'Honorable Visiteur de saisir tout ce que le quartier a de singulier : les rues grouillant de gamins éveillés et de vénérables sages qui portent encore, aux jours de fête, le kimono de soie et même la natte, les cabines téléphoniques à toit recourbé de pagode, les enseignes multicolores couvertes de signes énigmatiques, les salons de thé où se réunissent parfois les joueurs de mahjong, les bazars fleurant le camphre et le santal, les épiceries où s'alignent des produits insolites, tels ces champignons séchés analogues à d'étranges plantes sous-marines, les inévitables canards pendus comme un tableau de chasse, les pharmacies dans lesquelles s'élaborent des préparations à base d'herbes aromatiques (à Pell Street, par exemple). Des restaurants profonds et odorants offrent les spécialités gastronomiques chinoises : potages aux ailerons de requins ou aux nids d'hirondelle, boulettes de viande appelées « têtes de lion », riz aux pousses de bambous, œufs pourris à la mode de Canton, le tout arrosé de thé vert ou d'alcool de riz.

(D'après photo éd. Sun, Paris)

Cabine téléphonique
à Chinatown.

Enfin un certain nombre de magasins de souvenirs proposent au promeneur soieries, tapis, éventails, lanternes chinoises, jouets, bibelots, estampes... souvent en provenance du Japon.

Chinese Museum. — *8 Mott Street. Ouvert de 10 h à 18 h. Entrée : 0,75 $ (1 $ les dimanches et jours fériés).*
La visite de ce musée, qui est consacré aux mœurs, à la religion et à la culture chinoise, peut servir de conclusion à la visite de Chinatown. On y voit en particulier, des reconstitutions d'autels de prières et d'un marché chinois, une collection d'instruments de musique, des documents et des objets relatifs à la culture du riz, à l'encens, à l'écriture, à l'imprimerie et à l'art chinois.

Le musée possède une réplique du fameux dragon, symbolisant les puissances de la Nature, qu'on promène dans Chinatown à l'occasion du Jour de l'An chinois ; ce dragon, long de 6 m, pèse près de 1,5 t. Pour 25 cents il gronde et crache le feu.

Chatham Square. — Dominée par le mémorial aux Chinois américains morts à la guerre, cette place marque la limite orientale de Chinatown. Au n° 6, Bowery, se trouve la plus ancienne pharmacie des États-Unis (Olliffe Pharmacy) établie en 1805. Au n° 18, Bowery, l'Edward Mooney House, maison de paris, est un des derniers exemples de style fédéral datant de la période révolutionnaire. Au Sud, **cimetière israélite** où furent enterrés à l'origine les Juifs portugais : sa date de fondation (1656) en fait le plus ancien cimetière de New York.

Parcours : 1 km — Durée : 3 1/2 h.

Au débouché du célèbre pont de Brooklyn, les principaux bâtiments administratifs de New York sont groupés autour de l'hôtel de ville, **City Hall** et constituent le **Civic Center**. C'est un quartier aéré formant tache de verdure dans la ville basse (Downtown).

■ CIVIC CENTER ★

Partir de **Foley Square** qui occupe l'emplacement d'un ancien étang (The Collect) sur lequel, en 1796, John Ficht essaya ses premiers modèles réduits de bateaux à vapeur. Cet étang fut asséché en 1811 lors du creusement du canal, lui-même disparu, qui a donné son nom à **Canal Street**.

Aujourd'hui, Foley Square est un centre administratif et judiciaire, au Nord de City Hall. Du milieu de la place, on reconnaît, dans le sens contraire à celui des aiguilles d'une montre, les principaux bâtiments :

— Municipal Building, haut de 40 étages, bâti en 1914, où se trouvent notamment le bureau des mariages et la bibliothèque de la Ville ; à l'Est de Centre Street, Chambers Street qui traverse l'édifice par des arcades, a été repavée pour les piétons et forme une plaza surélevée vers le nouveau quartier général de police (Police Headquarters). En se plaçant devant le Municipal Building et en regardant vers le Sud-Ouest, on aperçoit le Woolworth Building et les tours du World Trade Center qui offrent un saisissant contraste architectural.

— U.S. Court House, Cour de Justice fédérale, bizarre assemblage d'une façade corinthienne et d'une tour « modern style » dont le couronnement est revêtu de feuilles d'or.

— New York County Court House, Cour de Justice du Comté, monument néo-classique (1926) à colonnade dont l'intérieur en impose par sa haute rotonde et son riche dallage de marbres polychromes à incrustations de cuivre dessinant les signes du zodiaque.

— Federal Office Building, achevé en 1966 qui abrite l'administration des Douanes.

— Hall of Records qui conserve les archives de la Ville (depuis 1643).

City Hall ★★. — Entouré d'un agréable parc, cet édifice aux lignes pures, un peu écrasé par la masse de ses voisins, abrite les bureaux du maire et des autorités municipales.

Grands hommes et grandes heures. — L'hôtel de ville actuel a succédé au Stadhuis hollandais installé en 1653, dans une ancienne taverne de Pearl Street et à la Town Hall anglaise sise durant tout le 18e s. à l'angle de Wall Street et de Broad Street, où se trouve l'actuel Federal Hall National Memorial *(p. 95)*,

L'édifice a été élevé de 1803 à 1812. Les plans en sont dus au Français **Joseph-François Mangin**, lauréat d'un concours doté d'un prix de 350 dollars. Chassé de son pays par la Révolution, ce Mangin était arrivé à New York en 1793 et avait commencé par travailler comme

(D'après une estampe, photo City of New York)

City Hall, au début du 19e s.

ingénieur aux fortifications de New York ; puis, en 1795, il était devenu architecte-voyer de la ville dont il fit lever le plan, publié en 1803. Pour la construction de City Hall, il fut assisté d'un architecte-ornemaniste, John McComb Junior.

Inauguré solennellement le 15 mai 1812, City Hall fut le théâtre d'événements mémorables. C'est ainsi qu'en 1824, La Fayette *(voir aussi p. 97)* y est reçu officiellement à l'occasion de son voyage triomphal en Amérique. Les premières parades sur Broadway lors de la visite de dignitaires, datent de cette époque.

Le 9 avril 1865, au fort de la nuit, City Hall apprend la capitulation du Sudiste Lee à Appomattox, et le lendemain toute la ville pavoise. Mais l'allégresse dure peu, car moins d'une semaine plus tard, l'assassinat de **Lincoln** sème la consternation. Le corps du président est exposé à City Hall ou 120 000 New-Yorkais viennent lui rendre hommage. Puis, le 25 avril, le char funèbre, tiré par 16 chevaux noirs, parcourt lentement Broadway pour gagner le dépôt de Hudson Railroad River où le cercueil doit être embarqué pour Springfields (Illinois).

En 1860, eurent lieu des réunions moins solennelles au City Hall et au **Tammany Hall** voisin. Le parti politique Tammany, fondé au début du 19e s., prit l'essor sous la direction de William M. Tweed. Son emblème, une tête de tigre, provenait de la pompe à incendie Americus, car Tweed sortait du rang de pompiers volontaires. A la suite d'un revirement en 1870, le mécontentement des officiels soutenu par les caricatures de Thomas Nast, contribua à la chute de ce politicien corrompu et à son emprisonnement.

Restauré en 1956, City Hall reste un lieu d'accueil solennel pour hautes personnalités. C'est une des étapes des fameuses **Ticker Tape Parades,** dans lesquelles le cortège des voitures officielles défile sous une pluie de confettis confectionnés généralement avec des bandes de téléscripteurs. Parmi les plus spectaculaires de ces réceptions, citons celles de l'aviateur Lindbergh, de l'astronaute Gordon Cooper, des généraux Eisenhower et MacArthur.

L'édifice. — *Ouvert de 10 h à 15 h du lundi au vendredi.*

Construit à l'origine en marbre blanc du Massachussets sur des fondations de grès brun, l'édifice a été restauré en calcaire de l'Alabama et granit du Minnesota.

L'ensemble apparaît d'une architecture sobre, dans la tradition française du style Louis XVI, avec un pavillon central et deux courtes ailes en retour.

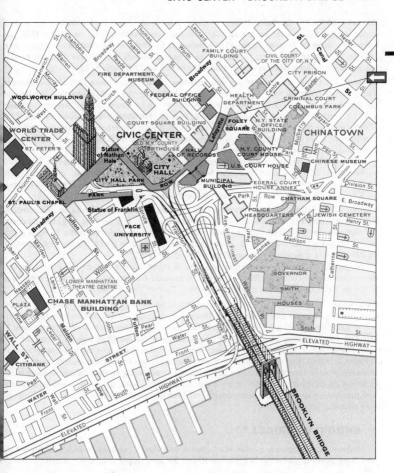

Par un majestueux degré on accède au vestibule sur lequel prend naissance un magnifique escalier à double volée avec une rampe de fer forgé. Ces escalier conduit à **l'Appartement du Gouverneur** (Governor's Rooms) qui a conservé son décor et son mobilier d'acajou du début du 19e s. Dans le salon, aux portes latérales surmontées de sculptures reproduisant des emblèmes civiques, on passera devant les portraits des gouverneurs et de personnalités politiques, avant de s'arrêter près du grand bureau aux nombreux tiroirs, que Washington utilisa en 1789 et sur lequel il rédigea son premier message au Congrès *(voir aussi p. 95)*. A cette époque, New York était pour une courte période, capitale des États-Unis, la première Maison Blanche (White House) du président Washington se trouvait au 1-3 Cherry Street, maintenant recouverte par une des piles du pont de Brooklyn.

Dans la salle du Conseil, portraits parmi lesquels celui de Lafayette par Morse, peintre et inventeur du télégraphe, fait en 1824 lors du voyage du célèbre homme d'État en Amérique.

Le parc. — Au temps de la Révolution américaine s'étendaient ici des prés plantés de pommiers où, en juillet 1776, la Déclaration d'Indépendance fut lue en présence de Washington, de ses troupes et de patriotes tandis qu'étaient érigés des mâts de la Liberté et que la foule déferlait sur Bowling Green *(p. 92)*. Mais avec le retour des Anglais, quelques semaines plus tard, le décor changea et les pommiers se transformèrent en potences. Une statue, érigée en bordure du parc, côté Broadway, commémore un des héros de cette lutte, **Nathan Hale**, capitaine de 21 ans, pendu pour avoir, déguisé en maître d'école, espionné les Anglais. Ses dernières paroles : « Mon seul regret est de n'avoir qu'une seule vie à offrir pour mon pays » sont restées célèbres dans l'histoire américaine.

Tracé au début du 19e s., le parc devint une promenade à la mode. Une rotonde abritait les panoramas de Paris, de Versailles, d'Athènes, réalisés par le peintre **Vanderlyn** (1775-1852) qui, à Paris, avait reçu une Médaille d'Or au Salon, des mains de Napoléon.

Passer devant City Hall et prendre à gauche dans Broadway.

Woolworth Building★. — *233 Broadway.* Le président Wilson l'inaugura, le 24 avril 1913, de façon originale : alors qu'il se trouvait à Washington dans sa Maison Blanche, il se borna à pousser un bouton et le Woolworth s'illumina subitement sous l'éclairage de 86 000 ampoules. Il a été construit pour la chaîne de magasins de même nom. Ce patronage et un décor sculpté de style gothique flamboyant expliquent son surnom de « cathédrale du commerce ».

Atteignant la hauteur de 241,39 m pour 60 étages, Woolworth Building détint le titre de plus haut immeuble du monde jusqu'en 1931. Entrer dans le hall décoré de motifs sculptés et dorés, de mosaïques et de fresques ; on remarquera les « masques grotesques » sculptés représentant les principaux maîtres d'œuvre de la construction (parmi eux, Woolworth et Gilbert).

Chapelle St-Paul★ (St. Paul's Chapel). — Cette chapelle de pierre de Manhattan, est le plus ancien édifice religieux de New York. Construite sur plan rectangulaire, de 1764 à 1766, par l'architecte écossais Thomas McBean qui s'inspira de St-Martin in the Fields à Londres, la tour et le portique datent seulement de 1794. C'est ici que se déroula la cérémonie d'actions de grâces qui suivit la prestation de serment de Washington en 1789 *(voir p. 95)*.

Extérieur. — St-Paul, entourée de son vieux cimetière, constitue non seulement un rare exemple d'architecture coloniale mais offre aussi à la vue un tableau des plus pittoresques. La façade, sur Broadway, est précédée par un portique à fronton qui lui donne un air d'entrée principale ; sous ce portique on remarque le mémorial du général révolutionnaire Montgomery tombé en 1775 à l'attaque de Québec : le monument commandé à Paris par Franklin est l'œuvre du sculpteur français J.-J. Caffieri. La véritable façade regarde le cimetière du côté de Church Street et comprend un élégant clocher-porche que termine une flèche effilée.

Dans le cimetière, des stèles d'officiers anglais s'éparpillent sur les pelouses. A l'extrêmité se rencontre la tombe d'un Français, **Béchet de Rochefontaine** (1755-1814), qui servit sous Rochambeau durant la guerre d'Indépendance, devint colonel au service des États-Unis et mourut à New York honoré comme symbole de l'amitié franco-américaine.

Intérieur. — Il présente un aspect intime et même coquet avec ses murs peints aux tons pastels, ses colonnes élancées, ses bancs de bois et ses tribunes bien alignées, ses 14 lustres de cristal scintillant (ils ont été mis en place en 1802), sa chaire crème et or que surmonte le cimier à plumes symbolisant la domination des princes de Galles. L'autel et le décor intérieur ont été refaits en 1796 sous la direction du major l'Enfant *(voir p. 32 et 95)*.

A gauche, le banc de Washington est celui-là même où le président prit place fréquemment après son élection de 1789. A l'opposé, le banc du Gouverneur Clinton se reconnaît aux armes de l'État de New York peintes sur le mur. *Concert tous les jeudi à 12 h 10.*

Park Row. — Park Row fut un lieu de promenade fréquenté. On y voyait beaucoup d'amateurs d'art dramatique attirés par le **Park Theater**, un des plus anciens théâtres de New York.

A partir de 1850 et jusqu'en 1920 Park Row devint le quartier général de la presse dont le **New York Tribune Building** bâti en 1874, a jusqu'à sa démolition en 1966, rappelé le souvenir. En 1887, l'Evening Sun s'installa dans l'ancien Tammany Hall près d'autres journaux, la Tribune, le Times et le World. Derrière la statue de Franklin en imprimeur (c'était son métier), se tient **Pace University** dont la façade est ornée d'une fresque composée de feuilles de cuivre soudées. A l'intérieur du bâtiment, un jardin japonais égaye l'ensemble, avec ses pièces d'eau et sa sculpture futuriste en lames d'aluminium torsadé, où l'eau frémissante se reflète, créant une impression de métal en mouvement.

■ BROOKLYN BRIDGE★★

Premier pont suspendu à relier Manhattan à Brooklyn, c'est aussi le plus ancien pont de New York après High Bridge (sur Harlem River). Sa silhouette a inspiré écrivains et artistes.

Sa construction. — Maître d'œuvre d'un pont ferroviaire suspendu au-dessus des gorges du Niagara, **John-Augustus Roebling.** Allemand émigré, est chargé en 1869 de dresser les plans du futur pont. Procédant à des mesures pour l'édification des pylônes, il se fait écraser le pied ; malgré une amputation, la gangrène se déclare et il meurt trois semaines plus tard.

Un de ses neuf enfants, Washington Roebling, poursuit les travaux en expérimentant une nouvelle méthode. Pour édifier les fondations, les ouvriers travaillent dans des caissons immergés et emplis d'air comprimé de façon à empêcher l'eau d'entrer. Afin de supporter la pression de cet air les hommes subissent une période de compression progressive avant le travail, puis de décompression à l'issue de celui-ci. Les précautions n'empêchent pas certains d'entre eux d'avoir les tympans crevés ou de contracter le « mal des caissons » qui se manifeste par des états convulsifs pouvant se transformer en paralysie.

Washington Roebling, n'échappe pas à cette maladie. Mais, de sa chambre qui ouvre sur le pont, cloué sur son lit de douleurs, il continue de diriger et de surveiller les travaux en s'aidant d'une paire de jumelles. Terminé en 1883, le pont a coûté 25 millions de dollars.

Ses débuts. — Dès son ouverture le pont de Brooklyn devint un passage très fréquenté, selon les prévisions de ses constructeurs. Par beau temps, les promeneurs empruntaient la passerelle pour piétons. Cependant, une semaine après l'inauguration du pont, assurée par le président Arthur, un accident survint. Une femme chute lourdement dans les escaliers, hurle et une panique se déclenche dans la foule qui se presse nombreuse sur le pont : 12 personnes trouvent la mort et beaucoup d'autres sont blessées.

Un peu plus tard en 1886, un certain Steve Brodie s'étant vanté d'en avoir plongé du haut, une épidémie de suicides s'ensuit qui ne s'arrêtera qu'à l'achèvement de l'Empire State.

Ses caractéristiques. — D'une longueur de 2 065 m en comptant les rampes d'accès, le pont possède un tablier long de 1 052 m et large de 26. Sa travée centrale repose sur deux pylônes en granit de 83 m de haut ; elle domine de 41 m le niveau de l'East River. Les quatre gros câbles qui la soutiennent ont 28 cm de diamètres et chacun d'eux est formé de 5 700 fils.

Visite. — C'est en naviguant sur l'East River *(voir p. 20)* qu'on découvre la meilleure vue sur le pont de Brooklyn, mais une promenade sur la passerelle pour piétons, au-dessus des voies de circulation routière, ne manque pas d'attraits. *On accède à cette passerelle par la station de métro « City Hall » : emprunter le couloir signalisé « Brooklyn Promenade » ou descendre à la station High Street - Brooklyn Bridge, côté Brooklyn.*

La vivacité de l'air, le grondement du flot de voitures en contrebas, le réseau de câbles énormes qui s'entrecroisent de toutes parts causent une sensation étrange d'irréel. On admirera la **vue★★** sur Manhattan, la statue de la Liberté et, à l'horizon, le pont Verrazano. Le spectacle est fascinant à la tombée de la nuit.

Distance : 2 km — Durée : 4 1/2 h.

De gigantesques gratte-ciel, serrés les uns contre les autres, caractérisent le Quartier des Affaires (**Financial District**), fiévreux en semaine et désert les jours fériés. Avec Broad Street, Wall Street en est la rue la plus célèbre dont le nom symbolise la puissance financière des États-Unis. *Faire la visite de préférence le matin, durant les jours de travail.*

UN PEU D'HISTOIRE

New York à l'époque hollandaise. — Ce quartier est, au milieu du 17e s., le siège de la puissance hollandaise alors que la cité s'appelle encore Nieuw Amsterdam. Celle-ci occupe un espace restreint, protégé au Sud par un fort, au Nord par une palissade de pieux et de planches (d'où le nom de Wall Street, rue du Mur) allant de l'Hudson à l'East River.

Un millier de personnes s'abritent dans environ 120 maisons de bois ou de briques, ces dernières à pignon en escalier et toits de tuiles vernissées. Le moulin à vent et un canal, le « Ditch », parallèle à Broad Street, achèvent de donner à la cité un aspect batave. Au débouché du canal sur l'East River où naviguent les pirogues d'Indiens, des voiliers ventrus sont à l'ancre dans le havre. Un bac relie déjà Nieuw Amsterdam à « Longe Eyelandt ».

Les habitants sont d'origines diverses ; en 1642, quand le 1er Stadhuis (hôtel de ville) fut construit 71 Pearl Street, les Nouveaux Amstellodamois auraient parlé près de 18 langues.

Sur cet ensemble règne d'abord un agent commercial de la Compagnie auquel succèdent des gouverneurs dont le plus connu se nomme **Peter Stuyvesant** *(voir p. 85)* : ce dernier interdit la construction des maisons en bois et fonde en juin 1648 le corps des « inspecteurs de cheminées », les incendies étant déjà très redoutés des New-Yorkais. En 1659, une rue de la ville reçoit son premier pavement de pierre : c'est l'actuelle Stone Street.

Sous le signe de la Croix de St-Georges. — A l'heure de l'occupation anglaise, en 1664, la ville ne change guère. Des porcs vagabondent encore par les rues boueuses. Mais Breetweg a changé son nom en Broadway, le canal a été comblé, le mur a été abattu, et, dès le début du 18e s., les coquettes habitations de style colonial géorgien *(p. 33)*, telle Fraunces Tavern, tendent à remplacer les étroites maisons hollandaises. La ville est divisée en quartiers dirigés chacun par un « alderman » et un nouvel hôtel de ville est achevé au carrefour de Broad et Wall Streets.

La presse pose des problèmes. William Bradford crée le premier journal new-yorkais, la Gazette ; **John P. Zenger**, édite en 1733 le New York Weekly Journal dans lequel il attaque le Gouverneur. Celui-ci fait alors brûler les numéros coupables, en pleine Wall Street, et Zenger est jeté en prison où il languit un an. Enfin s'ouvre le procès au Colonial City Hall, situé à l'emplacement de l'actuel **Federal Hall National Memorial** : défendu par Andrew Hamilton, Zenger est acquitté. Cinquante ans avant l'Angleterre, la cité connaît la liberté de la presse.

Les Noirs, Africains ou Indiens de l'Ouest, forment un cinquième de la population, au milieu du 18e s. Certains esclaves affranchis s'installent à l'extrémité de Wall Street, près du marché aux esclaves.

Deux incendies, en 1776 et 1835, ont dévasté le quartier, sans nuire à son rôle commercial.

VISITE

■ LE WORLD TRADE CENTER ★★★

Le centre de commerce mondial de New York occupe un terrain de 615 ha près de l'Hudson River. L'idée d'une telle réalisation fut proposée en 1960 et approuvée par le Port Autonome de New York (Port Authority of New York and New Jersey). Les plans ont été conçus par d'éminents architectes : Minoru Yamasaki and Associates et Emery Roth and Sons. La construction a commencé en août 1966. L'ensemble, composé de six bâtiments, abrite dans ses bureaux 50 000 personnes, alors que 80 000 visiteurs sont attendus chaque jour.

Le World Trade Center groupe tous les services utiles au commerce extérieur : importation, exportation, fret, douane, banques internationales, agences commerciales, sociétés de transport, etc., et constitue en quelque sorte les « Nations Unies des Affaires ».

L'ensemble. — On compte six bâtiments répartis autour d'une plaza : deux gratte-ciel de 110 étages (1 et 2 WTC), deux bâtiments-plaza (4 et 5 WTC), le bureau des douanes des États-Unis (6 WTC) (U.S. Customhouse) dont le vestibule et la rotonde abritent des manifestations culturelles et un hôtel de 20 étages (3 WTC), le Vista International. En sous-sol six niveaux comportent de grand parcs de stationnement pour 2 000 voitures, des emplacements pour le chargement et le déchargement des camions, un terminus ferroviaire du PATH (Port Authority Trans-Hudson). Sous la plaza, un immense hall (the concourse) avec de nombreux magasins est réservé aux piétons, et permet d'accéder aux métros desservant la ville.

La Plaza. — S'étendant sur deux hectares et reliée à une zone piétonne, elle est le centre du complexe commercial. Plantée d'arbres, agrémentée de plans d'eau, elle adoucit la rigueur architecturale de l'ensemble. Parmi les sculptures, ressort un immense globe de bronze en rotation au milieu d'un bassin, œuvre de l'allemand Fritz Koenig.

Les bâtiments (4, 5). — Flanquant la principale entrée sur Church Street, hauts de 9 étages, ils réunissent les bureaux des agences de commerce étrangères, gouvernementales et privées, ainsi que des magasins d'exposition et de vente de produits internationaux.

Galerie ouverte de 9 h 30 à 16 h. Fermée le dimanche.

U.S. Customhouse (6). — *Ouvert de 8 h 30 à 16 h du lundi au vendredi.* Au Nord-Ouest de la plaza, le bureau des douanes centralise toutes les opérations douanières du port. Dans le hall, des documents en rapport avec les douanes américaines sont exposés.

Les gratte-ciel (1, 2). — Deux tours jumelles, parallélépipédiques, à la sobre façade donnent à Manhattan une ligne d'horizon nouvelle. D'une hauteur de 410 m, elle viennent en deuxième position aux États-Unis, après le Sears Roebuck Building de Chicago.

Les façades sont composées de panneaux d'acier recouverts d'un mur-rideau en aluminium. De même les poutres horizontales reliant les piliers sont recouverts d'aluminium.

Des ascenseurs ultra-rapides desservent les étages. Chaque tour est divisée en trois zones : 1er au 34e ; 44e au 77e ; 78e au 110e, avec des batteries d'ascenseurs indépendants. Dans chacune des zones, des ascenseurs « omnibus » relient les différents niveaux.

One World Trade Center (tour Nord) comporte dans le hall un **centre de renseignements** (Information Center) où se trouve **Interfile** qui, grâce à un système d'ordinateurs, répond à toute question concernant le monde du commerce international. L'**annuaire électronique** (Electronic Yellow Pages Service) indique le nom, l'emplacement et le numéro de téléphone de firmes spécialisées dans un domaine particulier.

Le **World Trade Institute** *(55e étage)* ouvert en septembre 1971, organise des séminaires pour le monde des affaires et dispense un enseignement sur le commerce international.

Des restaurants sont ouverts au public, notamment au 107e étage. Windows on the World (Fenêtres sur le monde), au 1 WTC, snack-cafétéria au 2 WTC avec observatoire (Observatory Deck) offrant un merveilleux **panorama★★★**. Prendre l'ascenseur jusqu'au 110e étage *(si le temps le permet)* pour atteindre le promenoir du sommet. *Accès de 9 h 30 à 21 h 30. Prix : 2 $.*

Rejoindre Church Street, tourner à gauche dans Cortlandt Street qui est dominée par un surprenant building : One Liberty Plaza.

De Liberty Plaza à Hanover Square

One Liberty Plaza. — Masse sombre de 54 étages, en acier gris-bleu et aux vitres de couleur grise, One Liberty Plaza abrite le quartier général de Merrill Lynch, une des plus grandes sociétés mondiales de placement.

La plaza environnante et Liberty Park au Sud de Liberty Street, forment une importante zone piétonne unissant le Wold Trade Center au quartier des Affaires.

L'**Investment Information Center** *(sous-sol : entrée 165 Broadway ; ouvert de 9 h à 17 h du lundi au vendredi)* renseigne le visiteur sur le fonctionnement de nombreuses opérations financières. Le **Money Tree** explique la circulation de l'argent aux États-Unis.

Église de la Trinité★ (Trinity Church). — Sur Broadway, à l'extrémité de Wall Street, **Trinity Church** paraît petite en face des buildings du Quartier des Affaires.

La première paroisse anglicane de New York. — Église épiscopalienne, Trinity Church doit sa naissance à une charte de Guillaume III d'Angleterre, datée de 1697. Des citoyens influents aidèrent à sa croissance, comme le **Captain Kidd**, fameux corsaire ou pirate suivant les circonstances, qui habitait à Hanover Square et devait être pendu à Londres en 1701. De son côté, la reine Anne, qui avait succédé à Guillaume, offrit à Trinity Church des pâturages sur le territoire de Greenwich Village, qui en firent la plus riche paroisse du Comté.

Le premier sanctuaire avait l'aspect d'une église de campagne à clocher-porche, éclairée par d'étroites baies. Dans la sacristie attenante fut logé en 1754 le King's College qui devait devenir Columbia University *(voir p. 111).* Puis, l'église ayant brûlé lors de l'incendie de 1776, on la remplaça par une autre, conçue sur le même plan, mais dont le toit s'effondra en 1830. C'est alors que fut décidée la construction en style néo-classique de l'édifice actuel, achevé en 1846 ; cependant une partie du chœur, la chapelle de Tous les Saints et le corps de bâtiment du « Bishop Manning Memorial Wing » sont postérieurs.

L'église. — Extérieurement, la partie la plus intéressante est le clocher-porche (cloches remontant à 1797) dont la flèche aiguë, haute de 85 m, dominait fièrement, quand elle fut construite, les maisons voisines. De belles portes de bronze, inspirées de celles du Baptistère de Florence, donnent accès à l'intérieur où l'on remarquera à gauche de l'entrée, la maquette de l'église primitive, les vitraux du chœur, très colorés, l'autel de marbre blanc érigé en 1877 et la clôture en bois de la chapelle de Tous les Saints (1913), à droite du chœur.

Le cimetière. — Beaucoup de sépultures vénérables y sont conservées parmi lesquelles plusieurs portent des noms hollandais ; la plus ancienne serait celle du petit Richard Churcher, mort en 1681 (à droite de l'église côté Broadway). On repérera aussi les tombes de l'imprimeur William Bradford Junior (près de l'entrée, à droite de l'église), de Fulton, l'inventeur du bateau à vapeur (à gauche de l'église) et d'Alexandre Hamilton.

Après Trinity Church, l'itinéraire emprunte Broadway qui descend vers Bowling Green.

Bowling Green. — Petite place s'ordonnant autour d'un square entouré d'une grille qui daterait de 1771, Bowling Green tient son nom de la pelouse sur laquelle les colons s'exerçaient au jeu de boules en échange d'une modeste rétribution fixée à un grain de poivre par an. D'après la tradition, c'est là que **Peter Minuit** *(voir p. 26)* aurait acheté Manhattan aux Algonquins pour l'équivalent de 24 dollars. De 1637 à 1648, un marché aux bestiaux s'y tint à l'ombre protectrice de Fort Amsterdam qui occupait l'emplacement de l'ancienne **Custom House.**

La statue d'**Abraham de Peyster**, maire de New York entre 1691 et 1695, a remplacé celle de George III d'Angleterre, abattue peu après la Déclaration d'Indépendance et fondue pour fabriquer des balles. De même les maisons de notables qui entouraient la place jusqu'à la fin 19e s. ont disparu devant les buildings de bureaux.

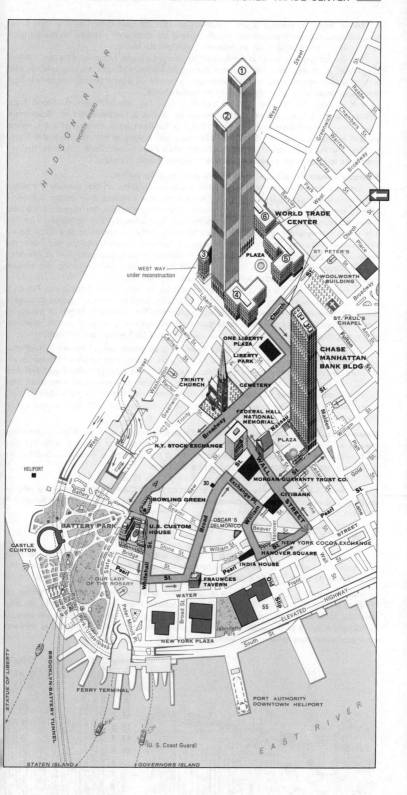

West Side *désigne la partie de Manhattan située à l'Ouest de la 5e Avenue.*

East Side   "   *la partie de Manhattan située à l'Est de la 5e Avenue.*

Downtown   "   *le Sud de Manhattan, (Bas de la ville).*

Midtown   "   *le centre de Manhattan, (Centre de la ville).*

Uptown   "   *le Nord de Manhattan, (Haut de la ville).*

U.S. Custom House. — *Bowling Green.* Construite en 1907 par Cass Gilbert dans le style Beaux Arts, elle présente une monumentale façade ornée d'une abondante statuaire, en marbre blanc du Tennessee, se détachant sur les murs en granit gris du Maine.

En bas, les groupes sculptés symbolisent de droite à gauche l'Afrique, d'Europe, l'Amérique, l'Asie. A hauteur de la corniche sont placées de curieuses effigies des plus célèbres cités et nations commerçantes du monde : remarquer, à gauche du blason central, une femme figurant Lisbonne et un doge à tête de mort évoquant Venise.

Les services des douanes ont été transférés dans l'un des bâtiments du World Trade Center *(voir p. 91)*. L'ancienne Custom House est édifiée à l'emplacement de Government House où siégeaient les gouverneurs de l'État : le bâtiment qu'ils occupaient a été démoli en 1815 et remplacé par une rangée de belles demeures portant le nom de Steamship Row.

De Bowling Green suivre Whitehall Street jusqu'à Pearl Street. Cette très vieille rue longeait jadis le rivage ; elle conserve quelques maisons de style classique.

Fraunces Tavern ★. — *Visite de 10 h à 16 h du lundi au vendredi.*

Cette élégante demeure de briques à toit d'ardoises constitue un bon exemple d'architecture coloniale géorgienne *(voir p. 33)* avec son joli portique surmonté d'un balcon. Édifiée en 1719, c'était à l'origine une maison particulière dont le propriétaire, un Huguenot français, **Etienne de Lancey**, avait quitté sa patrie à la suite de la Révocation de l'Édit de Nantes. Transformée en local commercial en 1737, elle devint taverne en 1762 sous la férule de « Black Sam » alias Samuel Fraunces, Noir antillais d'allégeance française, comme l'indique son nom, qui devait devenir maître d'hôtel de Washington. Les Révolutionnaires y fréquentaient et Washington y festoya ses compagnons d'armes en 1783 au lendemain de l'évacuation des troupes anglaises qui mettait fin, pratiquement, à la guerre d'Indépendance.

La Fraunces Tavern a été complètement restaurée, en 1907, par la Société des Fils de la Révolution qui rassemble les descendants des Américains ayant pris part à la guerre d'Indépendance. Un restaurant renommé occupe le rez-de-chaussée. Par un escalier de bois on accède au musée qui renferme des souvenirs de la guerre d'Indépendance : drapeaux, armes, gravures, objets ayant appartenu à Washington (son chapeau) et à La Fayette (ses pistolets).

De la Fraunces Tavern remonter **Broad Street**, sorte de couloir incurvé suivant le tracé d'un ancien canal, qui fut jadis la rue principale de New York et dont l'animation est intense durant les jours ouvrables : l'immeuble au n° 30 abritait le Wall Street Journal, célèbre quotidien économique et financier dont le tirage atteint 1 500 000 exemplaires, le journal est maintenant situé au n° 22 Cortlandt Street. Prendre ensuite à droite Exchange Place et encore à droite William Street. Noter l'Oscar's Delmonico, version moderne du restaurant de 1830. En quelques pas on atteint Hanover Square.

Hanover Square. — Cette placette plantée d'arbres donne une idée de ce que pouvait être New York à son début, alors que les flots de l'East River remontaient encore la vieille cale (Old Slip) jusqu'à lécher les assises du marché couvert qui bordait Hanover Square au Sud-Est. En ces lieux et dans Pearl Street se pressaient les boutiques.

Remarquer **India House**, bel immeuble classique bâti en 1837.

Par Pearl Street, qui passe devant la Bourse du Cacao (New York Cocoa Exchange), on gagne Wall Street : **vue ★★★** très caractéristique sur le célèbre « canyon » dont la perspective est close par la silhouette, noire et minuscule, de Trinity Church *(voir p. 92)*.

■ WALL STREET ★★

Royaume de la finance, Wall Street se fraye un passage entre les murailles des gratte-ciel qui l'enserrent. Ceux-ci cachent le ciel à une foule affairée, si dense (de 9 h à 17h), en particulier à l'heure du repas, qu'elle a presque réussi à chasser les voitures de la chaussée.

Le mur et la rue. — C'est en 1653 que le gouverneur hollandais **Peter Stuyvesant** fait édifier, de l'Hudson à l'East River, une palissade de planches épaisses destinée à protéger la ville des attaques des Indiens. A vrai dire, la protection offerte par cette modeste enceinte est presque symbolique d'autant plus que les habitants ont pris l'habitude d'en distraire quelques éléments pour consolider leurs cabanons ou alimenter leurs feux.

(D'après document
Museum of the City of New York)

Wall Street, au début du 19e s.

(D'après photo
Andreas Feininger, New York.

Wall Street de nos jours.

Mis à bas en 1699 par les Anglais, le mur est remplacé par une rue sur laquelle s'installe, face à Broad Street, le nouvel hôtel de ville. Wall Street devient dès lors une artère à la fois administrative et résidentielle sur laquelle s'alignent de riches demeures à pilastres ou péristyle géorgiens. A l'Est cependant, s'élèvent, après l'Indépendance, ces entrepôts de café près desquels s'agglutinent les tavernes, notamment la **Tontine Coffee House**, bâtie en 1792 et premier siège du Stock Exchange, dont l'enseigne se balance à l'angle de Water Street.

Le temps des affaires. — Il commence dans les années 1840, époque à laquelle maisons de commerce, entrepôts, magasins et banques s'établissent dans les bâtiments rapidement relevés après le grand incendie de 1835 qui détruisit 700 maisons du quartier.

Mais c'est surtout à partir de 1860 que la spéculation fleurit. Jay Gould (1836-1892) cherche à contrôler le marché de l'or à l'époque de la fameuse « ruée », en liaison avec un compère, James Fisk ; mais, abandonné par celui-ci qui joue son propre jeu, Gould vend à outrance ce qui provoque la panique financière du 24 septembre 1869, le « vendredi noir » (Black Friday).

Père de 13 enfants, **Cornelius Vanderbilt** (1794-1877) est surnommé le « Commodore » parce qu'il s'est d'abord intéressé aux transports maritimes. A partir de 1862, il finance les chemins de fer. D'abord propriétaire de petites lignes, celles de l'Harlem, de l'Hudson, de New York Central, il crée en 1873 la relation New York-Buffalo.

John Pierpont Morgan (1837-1913), enfin, exerce la profession de banquier, finançant les grandes industries nouvelles, acier, pétrole, chemins de fer. D'un naturel généreux, mais brutal, le fondateur de la célèbre Morgan Library *(voir p. 78)* aura pour successeur son fils John Pierpont Morgan Junior qui sera l'objet, en 1920, d'une tentative d'assassinat : le 16 septembre une bombe, dissimulée dans un chariot placé près de la banque Morgan, explose, épargnant Morgan Junior, mais tuant 38 innocents.

Ultérieurement d'autres financiers s'imposeront, qui contribueront à donner à Wall Street, vers 1920, la première place du marché financier mondial, supplantant Londres. Cette primauté sera conservée malgré le grand « krach » de 1929.

VISITE

Du carrefour Wall Street-Peark Street, se diriger vers Trinity Church. Tourner à droite dans la première rue rencontrée, William Street, qui conduit à la Chase Manhattan Bank *(description p. 96)*. Revenir à Wall Street.

Citibank. — Cet établissement financier, qui date de 1812, est issu de la première banque fondée à New York, dix ans plus tôt, par Alexander Hamilton. Son siège de Wall Street occupe un massif bâtiment à double colonnade superposée.

Continuant toujours, on arrive à l'intersection de Wall Street et de Nassau Street où se trouvent le Federal Hall National Memorial, la banque Morgan, le New York Stock Exchange.

Federal Hall National Memorial★. — Austère édifice en marbre du Massachusetts, pastichant les temples doriques, le Federal Hall Memorial évoque le souvenir de deux des plus éminents édifices de l'ancienne New York : l'hôtel de ville et le Federal Hall. Sur les marches a été érigée en 1883 une statue en bronze de Washington.

L'hôtel de ville fut transféré ici en 1699 sur un terrain offert par Abraham de Peyster. Devant sa façade s'érigeaient le pilori où l'on exposait les malfaiteurs et le poteau où ils étaient attachés pour être flagellés. L'hôtel de ville servait aussi de tribunal et de prison pour dettes ; le procès de John Zenger y fut jugé en 1735 et la Loi du Timbre (Stamp Act) y fut repoussée trente et un ans plus tard.

Refait en 1788 sous la direction du **major Charles Pierre L'Enfant**, ingénieur français qui devait donner les plans de la ville de Washington, le bâtiment devint Federal Hall, c'est-à-dire le siège du Congrès, à l'époque de la mise sur pied de la Constitution fédérale. **Georges Washington** y prêta serment, le 30 avril 1789, à la suite de son élection à la présidence. La statue du premier président des États-Unis commémore cet événement. Transformé en bureaux, après le départ du gouvernement pour Philadelphie, l'édifice fut vendu en 1812 pour la démolition, en échange de la modique somme de 425 dollars. Reconstruit en 1842 dans le style néo-grec, il fut affecté aux Services de la Douane puis reçut le Subtreasury et classé monument historique en 1955.

L'intérieur *(visite tous les jours du 1ᵉʳ juin au 30 septembre de 9 h à 16 h 30 ; du lundi au vendredi le reste de l'année)* s'ordonne autour d'une rotonde que surmonte une coupole reposant sur huit colonnes de marbre ; on peut y voir des souvenirs de Zenger *(voir p. 91)* et de Washington et des documents sur le « Bill of Rights », sorte de Déclaration des Droits de l'Homme ainsi qu'une presse du 18ᵉ s. encore en état de marche.

Morgan Guaranty Trust Company. — Le bâtiment à revêtement de marbres, qui abrita J.-P. Morgan et sa fortune, porte encore sur la façade côté Wall Street les traces d'éclats de la machine infernale qui explosa ici en 1920. Par l'entrée du n° 23, Wall Street, on peut admirer l'énorme lustre de cristal.

New York Stock Exchange★. — Sa façade à colonnes cortinthiennes et fronton sculpté d'une allégorie symbolisant le Commerce s'élève sur Broad Street. Devant l'entrée un arbre rappelle celui sous lequel s'assemblaient les 24 premiers courtiers qui, le 17 mai 1792, décidèrent de s'unir pour négocier les actions émises par le gouvernement et quelques sociétés ; l'accord se scellait alors par une poignée de main ou une tape sur l'épaule : quand le temps était mauvais, on palabrait dans les cafés.

Aujourd'hui sont cotés les titres d'environ 1 500 sociétés représentant presque toute la production automobile du pays, 90 % de la production d'acier, 80 % de celle d'électricité.

Un Américain sur 8 possède des valeurs cotées en Bourse. Quant aux membres du New York Stock Exchange ils sont passés de 24 à 1 366.

Le **bâtiment** date de 1903. Au rez-de-chaussée se trouve la salle réservée aux opérations boursières *(de 10 h à 16 h)*. Le public peut accéder dans le hall d'exposition où sont présentés des documents retraçant l'histoire du Stock Exchange, dans l'amphithéâtre où des professeurs enseignent la façon d'opérer en Bourse dans la salle de projections où des films expliquent l'organisation des sociétés. *Ouvert du lundi au vendredi de 10 h à 16 h. Fermé les jours fériés.*

Du hall d'exposition *(entrée : 20 Broad Street)*, on passe à la galerie dominant le « parquet » où s'effectuent les transactions dans une agitation à la fois fiévreuse et ordonnée : des haut-parleurs fournissent les données techniques nécessaires.

On revient à Trinity Church.

■ CHASE MANHATTAN BANK BUILDING ★★

Née de la fusion de Chase Bank et de la Manhattan Company, la Chase Manhattan Bank possède depuis 1961 un building de prestige dont la haute silhouette luisante se distingue facilement au milieu des gratte-ciel, plus anciens, de cette partie du Quartier des Affaires.

La Manhattan Company : des conduites d'eau aux carnets de chèques. — En 1798, une épidémie de fièvre jaune s'étant déclarée à New York, les habitants (55 000 à l'époque) pensèrent qu'elle était due à la pollution des eaux. L'année suivante il fut donc décidé de fonder la Manhattan Company, chargée de créer un système hydraulique pour l'alimentation de la ville en eau potable. Un réseau de conduits souterrains, en bois, fut alors posé, dont on retrouve encore parfois des éléments lorsque des travaux d'affouillement sont pratiqués dans le sol ; on verra certains de ces tuyaux au cours de la visite du bâtiment.

En même temps, la Manhattan Company, sous l'impulsion d'un de ses fondateurs, **Aaron Burr**, s'intéressa aux opérations financières, et ouvrit le 1er septembre 1799 un Comptoir d'escompte et de dépôts. Or il se trouva que cette nouvelle orientation n'arrangeait pas un autre des promoteurs, **Alexander Hamilton**, qui cautionnait les deux seules banques existant à New York. Il s'ensuivit une divergence d'intérêts, prolongée par une rivalité politique et terminée par un duel dans lequel Hamilton fut mortellement blessé, le 11 juillet 1804 : les pistolets ayant servi aux deux antagonistes sont conservés à la Chase Manhattan Bank.

La Chase : Salmon P. Chase, père du système bancaire moderne. — La Chase Bank fut fondée en 1877 par John Thompson et son fils qui lui donnèrent ce nom en hommage à **Salmon P. Chase** (1808-1873). Celui-ci, Sénateur américain, gouverneur de l'Ohio, fut aussi président de la Cour Suprême des États-Unis et secrétaire au Trésor sous la présidence d'Abraham Lincoln et, à ce titre, fit promulguer la loi de 1863 qui établit aux États-Unis une monnaie uniforme et un système bancaire à l'échelle fédérale. Le portrait de Chase figurait d'ailleurs sur le plus gros billet ayant été mis en circulation, celui de 10 000 dollars.

LE BUILDING

Construction. — A l'origine, la Chase Manhattan disposait seulement du terrain, assez vaste mais qui présentait l'inconvénient d'être scindé en deux par une rue. La Chase Manhattan devint propriétaire de cette rue par voie d'achat et d'échange avec la Ville.

Sur ce terrain, le plus cher du monde (13 450 F le m²), la Chase Manhattan décida de ne bâtir qu'une tour, mais gigantesque, réservant ainsi presqu'un ha de la surface disponible à une esplanade bien dégagée. Constituée de murs-rideaux en verre et aluminium sur armature d'acier revêtu d'un isolant thermique, la tour fut élevée et aménagée en moins de cinq ans ; l'intérieur fut divisé par des cloisons amovibles et les architectes dessinèrent aux-mêmes les moindres détails : robinets, poignées de portes, distributeurs de boissons...

Sur la plaza, la sculpture de Dubuffet « Groupe de Quatre Arbres », suscite étonnement ou admiration *(voir p. 34)*.

Quelques chiffres. — Plus haut immeuble commercial construit dans ce quartier avant l'édification du World Trade Center, le Chase Manhattan Building compte 247,79 m en hauteur, 65 étages (dont 5 en sous-sol), 8 800 baies vitrées. Il reçoit un total de 15 000 personnes dont 7 000 travaillent à la banque, celle-ci occupant les 5 sous-sol (30 m de fondations), les 35 premiers étages et le 60e ; le reste est loué. Les lignes téléphoniques intérieures relient 6 000 postes différents.

Le budget de construction comptait 500 000 dollars destinés à l'acquisition de tableaux et d'objets d'art. Précisons enfin que les 100 000 pièces de mobilier des anciens bureaux ont été offerts à une quarantaine de fondations, parmi lesquelles l'Université de Columbia qui a été obligée de faire construire un garde-meuble spécial.

Hall. — A gauche du hall, les services de la banque à l'usage de la clientèle encadrent un jardin japonais animé de jeux d'eau en été.

Comptabilité générale. — Ce service (sous-sol) utilise des machines électroniques en action 24 h sur 24, louées plus de 2 millions de dollars par an et qui peuvent enregistrer ou exploiter 2 millions de chèques par jour, d'une valeur totale de 5 milliards et demi de dollars.

Chambre forte. — Située au 5e étage en sous-sol, elle serait la plus grande du monde : plus longue qu'un terrain de football, elle pèse 985 t et est défendue par 6 portes de 0,50 m d'épaisseur. Les 4 plus grandes pèsent chacune 45 t et les 2 autres 3 t. Précisons que les coffres du siège central de Chase Manhattan renferment environ 43 milliards de dollars en titre contre seulement 3 à 4 millions de dollars en espèces.

Distance : 1,5 km — Durée : 2 h 1/4, sans la visite de la statue de la Liberté.

Battery Park est à l'extrême pointe de Manhattan. La statue de la Liberté, dans Liberty Island, permet de contempler l'un des plus beaux panoramas du monde.

« La Dauphine ». — Tel est le nom de la caravelle qui, au mois d'avril 1524, mouille en vue de l'île de Manhattan : à son mât flotte le pavillon d'azur à fleurs de lis d'or, emblème de François Ier, souverain de la France depuis 1515. Du bord se détache bientôt un canot monté par quelques hommes qui vont prendre possession du territoire, l'appelant « Terre d'Angoulême », en hommage à leur maître François Ier issu de la branche des Valois-Angoulême.

Courte et ventrue, elle a été baptisée « la Dauphine » en l'honneur du dauphin fils de François 1er, né en 1518. Partie de Rouen en mai 1523, avec trois autres nefs, pour découvrir le légendaire passage vers les Indes, elle a perdu ses compagnes à la suite d'incidents de navigation.

Son équipage, composé d'une cinquantaine d'hommes, est commandé par Antoine de Conflans. Mais le véritable chef de l'expédition est le pilote, **Giovanni da Verrazano**, un marchand florentin au service de la France. Revenu à Dieppe le 8 juillet 1524, Verrazano relatera sa découverte dans un rapport adressé à François Ier dont il subsiste quatre copies, l'une d'elle étant annotée de la main même du navigateur. Celui-ci périra en 1528, au cours d'un voyage, dévoré par les indigènes des Caraïbes (Antilles).

(D'après une estampe, photo The French Book Guild, New York)

Verrazano.

Aujourd'hui une statue et un pont géant, inauguré en 1965 *(voir p. 133)* rappellent le souvenir du premier découvreur de New York, 85 ans avant Hudson.

■ BATTERY PARK★★

Devant les gratte-ciel du Quartier des Affaires se profilant en toile de fond, Battery Park forme un terre-plein de 8,5 ha qui s'étend du Bowling Green *(p. 92)* au confluent de l'Hudson et de l'East River.

Sous Battery Park passe **Brooklyn-Battery Tunnel**, long de 3 km, reliant Manhattan à Brooklyn.

Où la main de l'homme intervient. — Aux 17e et 18e s. il n'y avait là, à l'emplacement de Battery Park, que de l'eau, le contour de Manhattan suivant approximativement le tracé délimité par Greenwich Street, Bowling Green, Pearl Street. Les Anglais construisirent un fort en 1693, sur un îlot rocheux. Au début du 19e s. fut aménagé la West Battery (fort de l'Ouest) qui devait donner son nom au parc. En 1870, on combla le bras de rivière.

Circuit au départ de Bowling Green

Pénétrer dans Battery Park par l'entrée qui donne sur Bowling Green. L'aire du jardin est constellée de **monuments commémoratifs** parmi lesquels ceux de Verrazano et de la poétesse Emma Lazarus (1849-1887), auteur du sonnet The New Colossus, écrit en 1883 pour favoriser la collecte de fonds en vue de l'érection de la statue de la Liberté sur son piédestal. Dès l'entrée se dégage une perspective sur un tapis vert que termine la masse sombre du fort Clinton.

Fort Clinton (Castle Clinton). — Bâti sur un îlot, de 1807 à 1811, le fort Clinton connu alors sous le nom de West Battery (Castle Williams sur Governor Island, étant East Battery, fort de l'Est) a succédé à une série d'ouvrages dont le premier fut réalisé par les Hollandais.

Transformé en 1824 par John McComb pour servir de lieu de plaisir et d'Opéra sous le nom de Castle Garden il fut relié à Manhattan par une passerelle couverte. Dès l'année suivante, les nouveaux aménagements servirent de cadre à la fête de nuit donnée en l'honneur de **La Fayette**, réception dont J. Fenimore Cooper relata les fastes dans ses Lettres sur les mœurs des États-Unis : « près de 500 personnes se trouvaient réunies. Le général parcourut plusieurs fois les galeries du fort, recevant la pression ardente de mains de jolies femmes ».

Autre gala en 1850 où Castle Garden reçut une célèbre cantatrice, le « rossignol suédois » **Jenny Lind**, qui succédait à New York à l'étoile de la danse Fanny Elssler.

Entre 1885 et 1890 l'ancien fort devenu Opéra prit un nouveau visage : il fut affecté au tri des immigrants qui déferlaient alors. Il en défila plus de 7 millions à Castle Garden, attendant avec impatience l'entrée de la Terre Promise. Enfin l'Aquarium de New York occupa ces lieux jusqu'en 1941 ; il se trouve maintenant à Coney Island *(voir p. 134).*

Aujourd'hui, le **Fort Clinton**, qui porte le nom du gouverneur de New York de 1817 à 1821, De Witt Clinton, a retrouvé extérieurement, après restauration, l'aspect sévère qu'il avait au début du siècle dernier avec son plan circulaire, avec ses murs de grès rougeâtre (2,50 m d'épaisseur) percés d'embrasures pour les canons, avec sa porte d'entrée encadrée de pilastres. L'intérieur s'ordonne autour d'une vaste cour, celle-ci même qui, protégée par une tente, servit de salle de bal lors de la réception de La Fayette. Les bâtiments ont été restaurés et transformés en musée. *Visite de 9 h à 16 h 30 tous les jours du 1er juin au 30 octobre, du dimanche au vendredi le reste de l'année. Fermé en janvier.* ☎ 344 7220.

A gauche du fort, la **statue de Verrazano** a été érigée en 1909 ; près d'elle on remarque un élément d'aération du Brooklyn-Battery Tunnel.

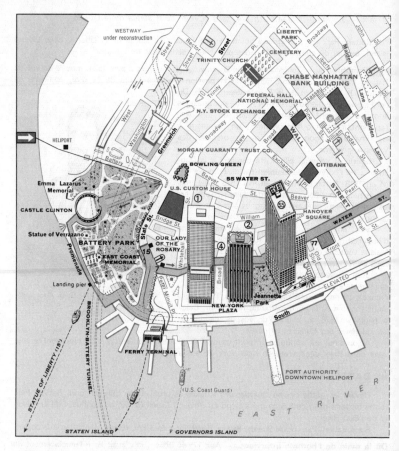

Promenade. — Du fort Clinton à South Ferry Station, elle dessine une courbe harmonieuse face à la baie de New York. Exposée au Sud et ensoleillée, préservée des vents du Nord par la masse des buildings du Quartier des Affaires, cette promenade est très agréable en hiver ; néanmoins, durant les soirées d'été, les New-Yorkais y viennent aussi volontiers respirer la brise marine. C'est de là qu'on embarque pour la statue de la Liberté *(voir p. 99)*. Tout près, l'**East Coast Memorial** commémore les disparus de l'Atlantique Ouest pendant la seconde Guerre mondiale. De chaque côté d'un aigle de bronze aux ailes déployées, œuvre d'Albino Manca, regardant Liberty Island, sont alignés quatre pylônes de granit gravés de noms.

La **vue★★★** semi-circulaire se développe sur la baie animée du mouvement perpétuel des ferrys et des péniches, des paquebots et des pétroliers, des remorques et des vedettes. De Jersey City à droite, jusqu'à Brooklyn, on distingue successivement, au premier plan :

— **Jersey City** et son énorme horloge Colgate, une des plus grandes du monde : malgré la distance (2 km), on lit distinctement l'heure.

— **Ellis Island** *(plan p. 132)* qui, en 1892, succéda à Castle Garden comme lieu de rassemblement des immigrants. En 1924, fut votée la loi d'immigration dite du quota qui limitait les entrées. On dénombra 12 millions de candidats à l'installation sur le territoire des États-Unis jusqu'en 1954, date de la fermeture du Centre. *Visite possible (de mai à novembre de 9 h 30 à 16 h 30 ; accès par ferry, départ de Battery Park à 9 h 30, 11 h 45, 14 h et 16 h 15 ; prix : 1,50 $).*

— **Liberty Island**, l'ancienne Bedloe's Island portant la colossale statue de la Liberté.

— **Governors Island**, appelée au temps de la colonisation hollandaise Nutten's Island en raison du grand nombre de noyers qui y croissaient. La maison du gouverneur et le fort Jay datent de 1800. Un autre fort, Castle Williams, y fut construit au début du 19ᵉ s. Beaux points de vue sur Manhattan et Brooklyn. *Visite sur demande à l'U.S. Coast Guard Support Center, ☎ (212) 264 3780.*

— **Brooklyn** et sa colline au pied de laquelle s'alignent les docks.

Dans les lointains se profilent Bayonne, New Jersey avec ses réservoirs de pétrole et son port militaire, **Staten Island** *(p. 140)* et ses collines, les Narrows (Détroits) au-dessus desquels apparaissent les lignes arachnéennes du pont Verrazano, à demi dissimulées par Governors Island.

On se dirige ensuite vers South Ferry Station d'où partent les ferrys de Staten Island. Regagner Bowling Green par State Street. Au n° 7, on voit l'ancienne maison James Watson : le bâtiment de droite date de 1792 et les gracieuses colonnades, de 1806 ; l'ensemble de style Federal, abrite une église consacrée à sainte Élisabeth Seton (canonisée en 1975). Plus loin au n° 15 est le **Seamen's Church Institute**, maison d'accueil des gens de mer. Également musée maritime, on peut y voir des modèles réduits de bateaux et une des cloches du paquebot « Normandie ». Dans l'auditorium, l'histoire de la navigation est retracée. *Restaurant et cafétéria.*

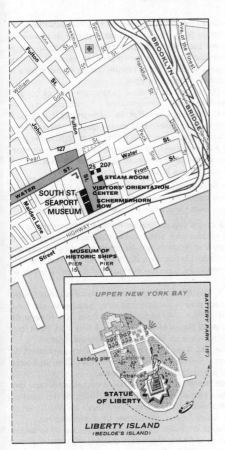

■ STATUE DE LA LIBERTÉ ★★★

A l'entrée du port de New York se dresse la statue de la Liberté éclairant le Monde dont le geste symbolique a réchauffé le cœur de millions d'immigrants. Vigie de New York, « la plus grande dame du Monde » accueille solennellement les voyageurs arrivant par mer... « dans sa robe de chambre aux plis de bronze, un bougeoir à la main » (Paul Morand).

UN PEU D'HISTOIRE

Une entreprise de longue haleine. — C'est en 1865 que naquit en France l'idée d'offrir au peuple américain une statue commémorant l'alliance de la France et des États-Unis pendant la guerre d'Indépendance. Sous la présidence de l'historien Edouard de Laboulaye, quelques personnes se réunirent alors parmi lesquelles un jeune sculpteur alsacien **F.A. Bartholdi** (1834-1904). Envoyé en Amérique pour étudier ce projet de monument, Bartholdi y conçut l'idée de sa colossale statue de la Liberté que devait financer un comité franco-américain, les Français se chargeant de la statue proprement dite, les Américains du piédestal : 250 000 dollars étaient prévus pour la réalisation, uniquement par souscriptions privées.

Bartholdi se mit au travail en 1874. Prenant sa mère pour modèle, il fit une maquette en plâtre, haute de 2,70 m, puis une autre de 11 m. Enfin la dimension définitive fut atteinte avec le montage par Eiffel, d'une charpente sur laquelle furent appliquées plus de 300 feuilles de cuivre représentant un poids de 90 t.

Pendant ce temps, les membres américains du comité s'occupaient du piédestal. Un site fut choisi, Bedloe's Island, ainsi nommée du patronyme de son propriétaire au 17e s., Isaac Bedloe, et qui avait été fortifiée en 1811. Les travaux commencèrent, pour être interrompus en 1884, faute de fonds. C'est grâce à la campagne de presse de **Joseph Pulitzer**, éditeur du New York World, qu'ils purent être menés à terme, à la fin de cette même année.

Le piédestal et la statue achevés, il faut amener cette dernière à pied d'œuvre : démontée, elle fut emballée dans 214 caisses et arriva à New York en mai 1885. L'inauguration eut lieu le 18 octobre 1886 en présence de Bartholdi, du président **Cleveland**, et de Ferdinand de Lesseps qui avait succédé à E. de Laboulaye.

La statue se dévoila soudainement, plus tôt que prévu. Aussitôt les canons tonnèrent, tandis que le sénateur imperturbable, continuait son discours, soutenu par l'attitude du président Cleveland stoïque.

VISITE

Départ des bateaux de la Battery, toutes les heures de 9 h à 16 h. Durée de la traversée : 1/4 h. Tarif : 1,50 $ AR par personne; la visite de la statue et du musée est comprise dans le prix du billet. Pour le retour, départ des bateaux de Liberty Island aux demi-heures.

Renseignements à la Circle Line, téléphone 269-5755.

La statue se dresse à une extrémité de l'île, au-dessus de l'ancien fort, et reçoit environ 1 500 000 visiteurs par an. Elle se présente sous l'aspect d'une femme couronnée, les chaînes de la tyrannie gisant à ses pieds. De sa main gauche elle tient le livre de la Déclaration de l'Indépendance tandis que la main droite brandit la torche symbolique qui s'élève à 92,96 m au-dessus du niveau de la mer. Torche et couronne sont illuminées le soir. C'est surtout au pied du monument, en levant la tête, qu'on se rendra compte de l'énormité de la statue.

(D'après photo National Park Service, Washington, D.C.)

La statue de la Liberté.

En traversant les glacis du fort on arrive au piédestal. Deux expositions sont présentées : la salle consacrée à l'histoire de la statue (Statue Story Room), contient la plaque de bronze sur laquelle est gravé le sonnet qu'écrivait Emma Lazarus en 1863 pour célébrer l'Amérique, refuge des opprimés ; le **musée de l'Immigration** (American Museum of Immigration) où gravures, photos, maquettes, équipement audio-visuel évoquent le rôle joué par chaque groupe ethnique dans le développement culturel, social, économique et politique du pays.

Prendre l'ascenseur (10 cents) qui mène au pied de la statue proprement dite, ce qui permet de gravir déjà, sans fatigue, les 10 premiers étages, correspondant à 167 marches, qui conduisent au niveau supérieur du piédestal. Il est sage en effet de ménager ses forces pour l'ascension pénible de l'escalier de 168 marches équivalent à 12 étages qui, à l'intérieur même du corps et de la tête de la statue, conduit à la couronne qui la coiffe. De la plate-forme aménagée à cet endroit, qui peut recevoir 20 à 30 personnes, on découvre une **vue** ★★★ remarquable sur la baie de New York ; la perspective est particulièrement saisissante en direction des gratte-ciel du Quartier des Affaires, au Nord, et vers le pont de Verrazano, au Sud.

Quelques chiffres. — La statue atteint 46 m de hauteur avec une tête de 5,2 m sur 3 m. Son bras droit est long de 12,8 m pour un diamètre de 3,6 m ; l'index de la main mesure 2,4 m.

Quittant le ferry, prendre State Street avant de tourner à droite dans Water Street.

Water Street ★. — Le bas Manhattan a connu depuis 1968 de nombreux changements dus principalement à la création de nouveaux espaces pour bureaux. Les plus importants se situent dans Water Street où des éléments humains et récréatifs ont été incorporés dans ce paysage architectural. Les buildings modernes qui bordent la rue, sans discontinuité, offrent une grande variété de formes, couleurs et matériaux, modifiant la perspective du front de mer. A visiter en semaine.

Les buildings de **New York Plaza**, n°s 1, 2 et 4, forment un ensemble fascinant, reliés entre eux par des plazas et un grand hall aménagé pour le public : magasins, restaurants, etc. Le 2 New York Plaza, maintenant connu sous le nom d'American Express Plaza, est le siège de l'American Express Company. L'immeuble de 22 étages en brique rouge, 4 New York Plaza, aux étroites fenêtres, abrite la comptabilité électronique de Manufacturers Hanover Trust.

En dépassant Jeannette Park, on arrive à **55 Water Street**. Les deux buildings se dressent de chaque côté d'une plaza surélevée (prendre l'escalier) dominant l'East River. Des sculptures ornent la plaza, de là on distingue Brooklyn Heights sur la rive opposée.

Continuer dans Water Street et passer devant les écrans de télévision encastrés dans des colonnes en ciment. Marquer une halte dans l'amusante plaza 77 Water Street, où des bassins, fontaines, sculptures, tables ont été installés avec goût. A l'angle Nord-Ouest de Wall Street et Water Street, se trouvait Tontine Coffee House (voir p. 95) premier local de la Bourse.

Poursuivre vers Maiden Lane, au passage en levant les yeux vers la gauche on remarque les tours jumelles du World Trade Center et le Chase Manhattan Building. 127 Water Street avec son horloge numérique, ses tables et ses chaises de couleur, apporte une note humoristique à l'ensemble du paysage urbain (visites organisées).

Tourner à droite dans Fulton Street. Jusqu'à la fin du 19e s., le front de mer entre Brooklyn Bridge et la pointe de Manhattan constituait le centre maritime de l'île. South Street avait reçu le pseudonyme de « rue des bateaux ». En 1816 on baptisa Fulton Street en l'honneur de Robert Fulton, l'inventeur du premier bateau à vapeur. Dans ces parages, dès l'époque hollandaise, florissait un marché aux poissons. Jusqu'en 1968, le plus grand marché en produits de la mer, se tenait près du front de mer (Fulton Fish Market).

South Street Seaport Museum (Musée du Port maritime de South Street). — Navires, boutiques, galeries sont ouverts de 11 h à 18 h tous les jours sauf Thanksgiving Day, Noël et Jour de l'an. Accès aux navires : 1,50 $. Visites organisées.

Au Sud du pont de Brooklyn, 14 ha de terrains comportant 5 « blocs » de maisons ont été réservés au développement d'un centre culturel : restauration d'immeubles des 18e et 19e s. sur les rues Fulton, Front, Beekman, et Water et reconstitution d'un port où la flotte de vieux navires est amarrée. Le Port de South Street est le dernier vestige portuaire du 19e s. qui a fait de la ville de New York un centre mondial de navigation.

Shemerhorn Row. — Sur Fulton Street, bel alignement de demeures du 19e s., de style Federal, en briques.

Visitor's Orientation Center . — 16 Fulton Street. Histoire du quartier, description des métiers liés à la vie maritime (fabricants de chandelles, de voilures, charpentiers, etc.), grands itinéraires marchands et types de navire fréquentant le port.

Au 25 Fulton Street, se trouve une librairie « de la mer » (Book and Chart Store) ; tout près, au 207 Water Street se tient un magasin de maquettes de bateau (Model Shop and Gallery).

Steam Room. — 203 Front Street. Cette « Salle de la vapeur » rassemble une collection de modèles réduits de paquebots et de cargos du 20e s. ainsi que des tableaux ou gravures. La Transat est représentée par une photographie aérienne du paquebot « France » entrant dans le port du Havre, une illustration du « Normandie » et des photos sur l'incendie de l'« Antilles ».

Des rénovations concernent le New Fulton Market (3 Fulton et 200 Front Streets) et le Printing Museum (211 Water Street).

Museum of Histoire Ships (Musée de bateaux historiques). — Prix d'admission conseillé : 1.50 $. Sur South Street les navires sont amarrés aux môles 15 et 16, parmi ceux-ci : l'Ambrose, bateau-phare de 1907 et premier bateau de ce type en service dans le chenal (Ambrose Channel) situé au Sud de New York entre Staten Island et Brooklyn ; le Wavertree, trois-mâts gréé en carré de 1885 ; le Lettie G. Howard, goélette de pêche de la fin du 19e s, et le Peking, un quatre-mâts de 1911.

Sur le môle 16, derrière le Gallery snack restaurant, exposition de figures de proue.

Distance : 3,5 km — Durée : 2 h. Pour abréger on peut prendre un des autobus qui sillonnent la 8e Avenue.

Cette promenade n'offre pas de curiosités exceptionnelles mais elle permet de connaître quelques aspects typiques de l'activité new-yorkaise.

Un complexe économique original. — De Broadway à la 9e Avenue, au Sud de la 40e Rue s'étend le quartier voué à la confection connu sous le nom de **Garment Center**. Entrepôts et ateliers

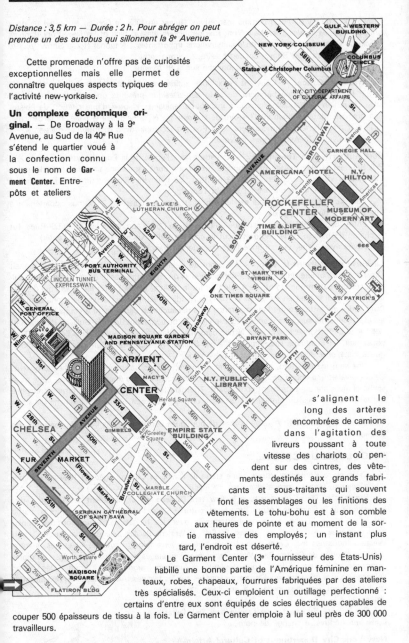

s'alignent le long des artères encombrées de camions dans l'agitation des livreurs poussant à toute vitesse des chariots où pendent sur des cintres, des vêtements destinés aux grands fabricants et sous-traitants qui souvent font les assemblages ou les finitions des vêtements. Le tohu-bohu est à son comble aux heures de pointe et au moment de la sortie massive des employés ; un instant plus tard, l'endroit est déserté.

Le Garment Center (3e fournisseur des États-Unis) habille une bonne partie de l'Amérique féminine en manteaux, robes, chapeaux, fourrures fabriquées par des ateliers très spécialisés. Ceux-ci emploient un outillage perfectionné : certains d'entre eux sont équipés de scies électriques capables de couper 500 épaisseurs de tissu à la fois. Le Garment Center emploie à lui seul près de 300 000 travailleurs.

De Madison Square à Colombus Circle

Partir de Madison Square *(description p. 126)* par la 25e Rue Ouest le long de laquelle se négocient d'occasion machines à coudre, surjeteuses, piqueuses, etc. On passe devant la cathédrale serbe **(Serbian Cathedral of Saint Sava)** édifice bâti en 1855 dans le style « Gothic Revival » *(voir p. 33)*. La 25e Rue débouche dans la 7e Avenue que l'on prend à droite. Les rues transversales, de la 25e à la 28e Rue, sont le domaine du plus important marché de fourrures du monde, le **Fur Market**.

La 28e Rue est le cadre du **Flower Market** (marché aux fleurs en gros), entre la 7e Avenue et Broadway. Tôt le matin, il est très animé.

Madison Square Garden et Pennsylvanie Station. — A cet emplacement s'éleva de 1910 à 1963, l'imposant bâtiment de l'ancienne Pennsylvania Station. « Penn Station », désormais en sous-sol, accueille trois grandes compagnies : Amtrak, Conrail et Long Island Railroad. Leur trafic est de 600 trains par jour ; les voies passent sous l'Hudson et l'East River.

En surface, un nouvel ensemble d'urbanisme comprend une tour de bureaux et une rotonde occupée par le Madison Square Garden dont la salle principale peut recevoir environ 20 000 spectateurs. Le Madison Square Garden accueille tous les ans plus de 5 000 000 de spectateurs et constitue un haut lieu du sport. C'est le quatrième édifice du même nom. Le premier a été bâti en 1879 sur Madison Avenue à la 26e Rue, le précédent remontait à 1925 et se tenait jusqu'en 1967 entre la 49e et la 50e Rue. **John Steinbeck** raconte dans « Un Américain à

New York » qu'il y participa comme manœuvre. Ouvert en 1968, le Garden est le fief de deux grandes équipes locales : les New York Knickerbockers (basket ball) et les New York Rangers (hockey). C'est aussi le centre de manifestations importantes : National Horse Show *(p. 19)*, Westminster Club Dog Show, concerts de rock, cirque, etc.

On empruntera la 33ᵉ Rue qui débouche sur la 8ᵉ Avenue.

General Post Office. — Couvrant deux blocs entiers, entre la 8ᵉ et la 9ᵉ Avenue et les 31ᵉ et 33ᵉ Rues, cet énorme bâtiment de style néo-classique présente une façade colossale de style corinthien sur laquelle court une inscription lapidaire, adaptée d'une citation de l'historien grec Hérodote et illustrant l'histoire de la Poste : « Ni la neige, ni la pluie, ni la canicule, ni la nuit n'empêchent les messagers de la Poste d'accomplir avec célérité leur mission ».

Poursuivre la 8ᵉ Avenue vers le Nord.

Port Authority Bus Terminal★. — Construit sous l'égide de la Port Authority *(voir p. 29)*, P.A.B.T. est la plus grande gare routière du monde dont l'ambiance silencieuse et détendue étonnera le visiteur européen. Terminé en 1851, ce bâtiment d'architecture fonctionnelle est relié par un système de rampes au Lincoln Tunnel.

Port Authority Bus Terminal est le point d'attache quotidien de 7 000 bus appartenant à une trentaine de compagnies.

Entre 1850 et 1925, le quartier situé à l'Ouest de la 8ᵉ Avenue, entre les 30ᵉ et 58ᵉ Rues, fut le champ de bataille de la pègre et reçut le nom de Hell's Kitchen (cuisine de l'enfer).

Après avoir visité, on continue la 8ᵉ Avenue qui franchit la 42ᵉ Rue.

La Vertu poursuivant le Vice. — Au début du siècle, la partie Ouest de la 42ᵉ Rue donnait l'hospitalité à nombre de « saloons » parmi lesquels on se montrait celui du pugiliste **John L. Sullivan**, célèbre autant que craint. Ce « saloon » fut le théâtre, en 1901 d'un fait divers qui défraya la chronique. Il y avait en ce temps-là, dans le Middle West, une vertueuse personne nommée **Carry Nation** qui luttait contre l'intempérance et la débauche en démolissant à coups de hachette les établissements suspects d'encourager le vice. Ce qu'apprenant John L. Sullivan déclara tout net : « Si cette bonne femme met le nez dans mes affaires, je la flanque dans l'égout ». Trop parler nuit… L'anathème lancé contre elle par Sullivan fut rapporté à Carry Nation et l'ombrageuse demoiselle se mit en route pour New York.

Une semaine plus tard, elle débarquait à la gare, et sans balancer, fonçait chez le boxeur. Celui-ci avalait une chope de bière quand il vit cette face animée d'une sainte colère, cette main sèche brandissant un instrument contondant. Tournant les talons il opéra une retraite précipitée qui le mena dans les profondeurs de sa cave où il se barricada. Jamais Sullivan ne devait se relever de cette chute.

Suivre la populaire 8ᵉ Avenue bordée de boutiques bon marché, de livres d'occasion et de disquaires.

■ COLUMBUS CIRCLE

Cette place s'ordonne autour d'une **statue de Christophe Colomb** érigée en 1894 au sommet d'une colonne rostrale (proue et ancres marines).

Sur le côté Ouest on remarque le **New York Coliseum**, où se déroulent des Congrès, des Expositions et le Salon de l'Auto. Broadway, entre la 53ᵉ et la 58ᵉ Rue, est d'ailleurs en partie spécialisée dans le commerce de l'automobile avec les magasins d'exposition des principales marques. Au Nord, se dresse le **Gulf + Western Building**, siège social de Gulf and Western Industries Inc. Cette tour rectangulaire en verre teinté, haute de 44 étages, semble défendre l'entrée de Central Park West. Les 4 premiers étages de l'édifice sont érigés en granit blanc et noir, les autres sont revêtus d'aluminum argenté ou bruni. Des vitres solaires en verre gris sont régulièrement espacées sur les façades. Au 43ᵉ étage un restaurant et un bar offrent une très belle vue sur l'Est et l'Ouest de la ville.

Sur le côté Sud se trouve l'**ancien New York Cultural Center** qui, rénové, a changé de nom.

New York City Department of Cultural Affairs★. — Construite sur les plans de l'architecte Edward Durrell Stone (né en 1902) et terminée en 1965, pour abriter la Gallery of Modern Art puis le **New York Cultural Center**, cette tour de 9 étages a coûté 7 millions de dollars. Son architecture marque une retour aux traditions classiques : l'inspiration vénitienne s'y fait sentir non seulement dans le revêtement de marbres blancs à encadrements polychromes mais aussi dans les arcatures formant galerie à la base et loggia au sommet de l'édifice.

Intérieur. — *Visite du jeudi au dimanche de 11 h à 18 h ; fermé à Noël et au Jour de l'an ; entrée : 2 $; prendre l'ascenseur jusqu'au 4ᵉ étage et descendre ensuite à pied.*

Le musée présente des œuvres d'art, le plus souvent prêtées pour la circonstance. Les expositions changent périodiquement et se veulent internationales, ne couvrant aucun genre ou aucune époque particulière. Des films, pièces de théâtre, lectures de poèmes, concerts complètent le programme culturel. Un restaurant aux prix modérés et avec vue sur Central Park, est à la disposition du public.

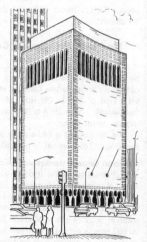

(D'après photo Fred W. McDarrah)

L'ancien « New York Cultural Center ».

CENTRAL PARK ★

Parcours : 2 km — Durée 2 h 1/2.

Réserve d'air et de lumière au cœur de Manhattan, Central Park, le Bois de Boulogne new-yorkais, couvre une surface d'environ 340 ha. Son plan dessine un rectangle de 4 km de long sur 800 m de large que souligne un cadre de buildings dont les imposantes silhouettes contrastent avec la relative maigreur de la végétation.

UN PEU D'HISTOIRE ET DE GÉOGRAPHIE

Une heureuse acquisition. — C'est **William Cullen Bryant**, publiciste et poète qui, par une campagne de presse menée en 1850 dans le New York Post, fut le premier à lancer l'idée de créer un grand parc devenu nécessaire à une ville en pleine croissance. Avec l'aide de deux autres écrivains connus, Washington Irving et George Bancroft, il persuada la municipalité d'acquérir, bien au-delà de la 42e Rue où s'arrêtait alors la zone urbaine, « une lande dénudée, laide et dégoûtante ». En fait dans ce marais, des « squatters » occupaient des baraquements et élevaient des cochons et des chèvres.

Ayant acheté les terrains pour une somme de plus de 5 000 000 dollars, la ville organisa un concours doté d'un prix de 2 000 dollars, concours que remportèrent **Frédérick Law Olmster** (journaliste, grand voyageur, paysagiste) et **Calvert Vaux** (architecte). Les travaux purent alors commencer en 1857, avec l'aide de 3 000 chômeurs, pour la plupart des émigrants irlandais, et de 400 chevaux. Malgré les vagabonds qui accueillaient les travailleurs à coups de pierres, le projet prit forme régulièrement. Des millions de m³ de terre furent remués et après des années de drainage extensif, de plantation, de construction de routes et ponts, de création de paysages, le parc prit son aspect actuel. Dès le début, Central Park fut très populaire auprès des New-Yorkais.

Au temps des équipages. — Aussitôt après son ouverture au public, Central Park devint le rendez-vous des attelages les plus brillants de New York. A la belle saison, quand le soleil commençait de décliner, les voitures faisaient queue à l'entrée du parc où se tenait la foule des badauds. Victorias, broughams, phaétons, bogeys se pressaient avec leur charge de femmes du monde en grande toilette, jaugeant d'un œil sans indulgence les équipages rivaux.

La mode était alors aux trotteurs, lesquels, levant haut leurs antérieurs, gagnaient Harlem où étaient tracées les pistes d'entraînement avant de venir parader dans les allées de Central Park. Vers 1875, les propriétaires de chevaux de prix commencèrent à mener eux-mêmes leur attelage à quatre et, à l'instigation de Léonard Jerome (grand-père maternel de Winston Churchill) et d'August Belmont (financier et sportif), fondèrent le très sélect Coaching Club en 1876.

En 1890, vint la vogue du vélocipède,, condamné d'abord comme immoral en raison de la liberté d'allure et de costume de ses adeptes. Mais les femmes s'étaient engouées du nouvel engin et on les vit pédaler par essaims dans les allées sinueuses de Central Park.

Un triste intermède. — En 1930, Central Park servit de refuge aux victimes de la Grande Dépression *(p. 27)*; l'ancien réservoir à sec du Belvédère, actuel Green Lawn, devint un bidonville appelé par dérision « Hooverville » (Hoover étant président des États-Unis de 1929 à 1933).

Aspect général du parc. — Central Park figure dans la catégorie des parcs paysagers, chers au 19e s., dans lesquels se reflète le souci des dessinateurs de jardins de conserver à la nature sa primauté tout en l'agrémentant d'allées faciles à parcourir, de fabriques *(1)* et de lacs.

Certes, la végétation de Central Park manque-t-elle un peu de vigueur en raison de l'épaisseur réduite de terre arable recouvrant le roc. Mais dans la partie Nord, son aspect vallonné, l'escarpement de ses crêtes rocheuses, ses prairies où, jusqu'en 1934, broutaient les troupeaux de moutons, ses arbres et arbustes d'essences variées lui donnent un air de campagne en dépit du bitume dont sont recouverts ses sentiers. Lacs et étangs couvrent 74 ha. Une ambiance plus solennelle règne sur la Mall et au Conservatory Garden.

Plusieurs routes traversent Central Park ; elles franchissent les allées par des passages inférieurs ou supérieurs afin de ne pas gêner les promeneurs.

Distractions *(2).* — Central Park possède deux zoos, des patinoires, des courts de tennis et des terrains de sport, un théâtre de plein air (festival Shakespeare au Delacorte Theater et représentations chorégraphiques en été), un auditorium, un kiosque à musique, etc. Le 17 août 1965, l'orchestre Philharmonique de New York a joué la 9e symphonie de Beethoven sur la prairie aux Moutons où se pressaient 75 000 auditeurs.

D'autre part on peut faire du bateau sur le lac, monter à cheval dans les 8 km d'allées cavalières qui environnent le Grand Réservoir et faire de la bicyclette *(location possible au Loeb Boat House; tarif 1.80 $ l'heure, 6 $ la journée; caution : 5 $)* sur des pistes réservées à cet usage. On peut se restaurer à la Tavern-on-the-Green (ancienne bergerie), à la cafétéria du zoo et au snack de Loeb Boat House.

Routes réservées aux cyclistes : toute l'année, samedi et dimanche du matin au soir; de mai à septembre les autres jours de la semaine de 10 h à 15 h et de 19 h à 22 h.

---

(1) Fabriques : constructions servant à l'ornement du paysage dans un jardin pittoresque.

(2) Pour connaître la liste des manifestations, festivités et autres distractions prévues dans les parcs de New York, se renseigner par téléphone au 472-1003.

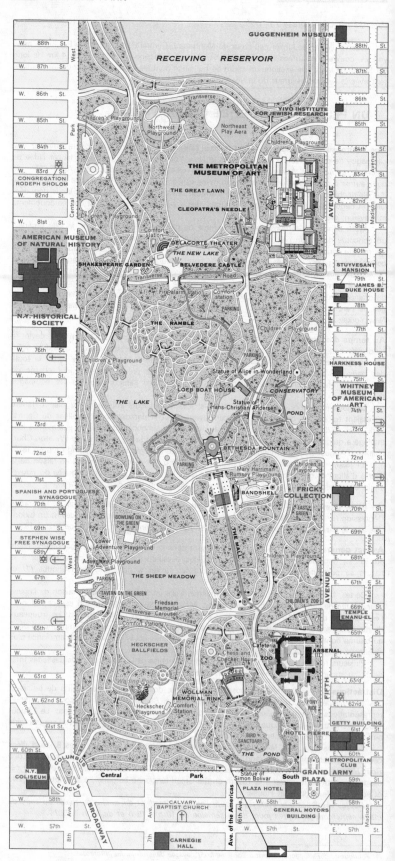

A la tombée de la nuit, ne pas s'aventurer à Central Park.

Les enfants, quant à eux disposent d'un zoo spécialement aménagé, de poneys *(15 cents par promenade de 2 mn)*, d'un théâtre de marionnettes, de jeux divers... Il y a même des conteurs qui, l'hiver, se tiennent au zoo des enfants et, l'été, devant la statue de Hans Christian Andersen ou celle d'Alice au Pays des Merveilles que les enfants peuvent escalader.

Signalons que des promenades en voiture à cheval peuvent être entreprises au départ de Central Park South, près du Plaza Hotel; tarif 10 $ l'heure, 4 $ par demi-heure supplémentaire.

Malgré les fréquentes rondes de polices, à cheval ou motorisées, on évitera de se promener à Central Park dans les endroits trop solitaires ou après le coucher du soleil.

VISITE

Le parc très animé le dimanche, est ouvert tous les jours depuis 1/2 h avant le lever du soleil jusqu'à minuit. La section du parc située au Sud du Grand Réservoir est la plus intéressante.

De central Park South au Metropolitan Museum

Nous pénétrons dans Central Park à hauteur de l'Avenue of the Americas par l'entrée (Artist's Gate) sur laquelle veille la statue de Simon Bolivar. Prendre aussitôt à droite le sentier qui descend vers le **Pond** (l'Étang) dont les sinuosités apparaissent en contrebas. Contourner par la droite le Pond où s'ébattent d'innombrables oiseaux qui y disposent d'une aire protégée, puis gagner le Wollman Memorial Rink, patinoir ou podium de danse suivant les cas. De là on se dirige vers le zoo.

Central Park Zoo ★. — *Visite tous les jours de 11 h à 17 h. Entrée : 10 cents; gratuite pour les enfants.*

Rendez-vous des enfants, le zoo est un endroit agréable, abrité du vent. Petit par la surface, il possède une ménagerie bien montée. Le bassin des phoques semble l'endroit le plus fréquenté, mais les singes, les éléphants et les fauves ont aussi leurs amateurs.

Dans l'enceinte du zoo, ce massif et sévère bâtiment de pierre grise est l'**ancien Arsenal** de l'État de New York, bâti en 1840 dans le style « Gothic Revival » *(voir p. 33)* et qui abrite aujourd'hui les bureaux de la New York City Parks Administration. A gauche de l'Arsenal on remarque, au-dessus d'une rangée d'arcades, une horloge agrémentée d'animaux en bronze faisant de la musique.

Du zoo l'itinéraire nous mène ensuite au Mall.

Le Mall. — Le « Mall » est une allée rectiligne plantée de beaux ormes et orné de bustes d'hommes célèbres. Il conduit à l'auditorium (bandshell) où se produisent orchestres et artistes de variétés *(en été, représentations presque tous les soirs à 20 h 30)*. De là des escaliers descendent à la fontaine de Bethesda et au lac.

Le lac. — *Location de barques au Loeb Boat House. Tarif horaire : 2,78 $ pour quatre personnes; caution : 10 $.*

Ses rives escarpées et découpées lui donnent un petit genre montagnard.

A l'ouest de la Fontaine Bethesda, un gracieux pont de fer le franchit dont la silhouette a été reproduite dans mainte estampe ou photographie.

Du lac, pousser jusqu'au Conservatory Pond, petite pièce d'eau, dans un site agréable et tranquille, sur laquelle les enfants lancent leurs bateaux. Au Nord du lac, la **Ramble** (Promenade) est une colline dont la végétation touffue dissimule de nombreux sentiers sinueux. Au point culminant est érigé un Belvédère.

(D'après photo Andreas Feininger, New York)
Central Park. — Le lac.

Belvédère (Castel). — Pastichant un castel médiéval à merlons et créneaux — mais aménagé en station météorologique automatique — le Belvédère domine la section Nord de Central Park. On découvre au premier plan, en contrebas, le New Lake (nouveau lac) et le Théâtre Delacorte à côté duquel est aménagé le **jardin Shakespeare**, petit jardin botanique conçu pour y faire croître les fleurs et les plantes citées par Shakespeare dans ses œuvres. Au-delà s'étendent les vastes étendues du Great Lawn, qui sert de terrain de jeux, et le **Grand Réservoir** (Receiving Reservoir), creusé en 1862 pour servir à l'alimentation en eau de la ville. Du Belvédère on poursuit en direction du Metropolitan Museum dont on aperçoit la masse sombre au-delà des frondaisons.

A l'ouest du Metropolitan Museum, pointe **« l'aiguille de Cléopâtre »** (Cleopatra's Needle), obélisque égyptien en granit rose, vieux de 3 000 ans, provenant d'Héliopolis : offert à la ville de New York en 1880 par le Khédive Ismaël Pacha, il mesure 23,5 m de hauteur.

Le **Metropolitan Museum ★★★** *(description p. 58 à 67)* marque le terme de la promenade.

Parcours : 0,5 km — Durée : 2 h.

Au carrefour de Broadway et de Columbus Avenue, le Lincoln Center for the Performing Arts, ensemble architectural réalisé de 1959 à 1966, rassemble, dans un espace restreint (5 ha environ), six édifices consacrés au théâtre, à la musique et à la danse.

Au Sud, la Fordham University *(voir p. 13)* a établi un nouveau campus.

UN PEU D'HISTOIRE

C'est en 1955 que naquit l'idée de construire un grand centre culturel où pourrait être représentés simultanément ballets, pièces de théâtre, opérettes, concerts . Un comité fut formé en 1956, présidé par John D. Rockefeller III, et, l'année suivante, la Ville achetait le terrain nécessaire dans un quartier pauvre (entre les 62e et 66e Rues, Columbus Avenue, Broadway et Amsterdam Avenue) : 188 maisons furent alors démolies et il fallut reloger 1 600 personnes.

En mai 1958 le comité choisit les architectes et leur chef **Wallace K. Harrison**, celui-là même qui avait participé à la conception du Rockefeller Center, de l'O.N.U., et de l'aéroport J.-F. Kennedy. Comme il est d'usage, Harrisson commença à constituer une commission d'experts qui visita 60 salles de concerts ou théâtres, dans 20 pays différents, afin d'analyser leurs avantages et leurs inconvénients.

Pour offrir des sièges à la mesure des spectateurs, on alla même jusqu'à étudier le tour de hanches de l'Américain moyen et on constata qu'il avait nettement progressé depuis 50 ans, ce qui fit dire à Harrisson : « Dommage que le volume de la voix des chanteurs n'ait pas augmenté parallèlement ».

Le financement total, estimé à 165 millions de dollars, fut assuré principalement par des contributions privées, les pouvoirs publics ne figurant que pour un quart des dépenses engagées. Les dons allaient de 5 dollars (118 briques) à 5 millions de dollars (un foyer) ; pour 1 000 dollars on pouvait avoir son nom inscrit sur un siège du Philharmonic Hall, et, pour 100 000 dollars, le nom du donateur était gravé sur une plaque spéciale.

■ LES BATIMENTS ★★★

Le Avery Fisher Hall (anciennement Philharmonic Hall), le New York State Theater, la Metropolitan Opera House, la New York Public Library, le Vivian Beaumont Theater, la Juilliard School composent un ensemble culturel qui peut accueillir 13 747 spectateurs à la fois. D'aspect très classique par leur plan rectangulaire, leur péristyle, leur toit en terrasse, tous éléments inspirés de l'antique, ils sont revêtus du même travertin crème importé d'Italie. Ils sont pourvus du maximum de confort et des meilleures conditions de représentation.

Des visites guidées (départ du Metropolitan Opera House ont lieu toutes les 1/2 h de 10 h à 17 h. Prix : 2,95 $ par personne. Pour tout renseignement téléphoner au 877-1800. Durée de la visite : 1 h environ.

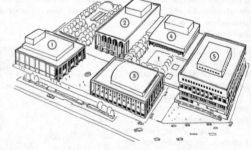

Vue à vol d'oiseau du Lincoln Center.

① New York State Theater
② Metropolitan Opera House
③ Avery Fisher Hall
④ Vivian Beaumont Theater and Branch of the New York Public Library
⑤ Juilliard School

Ne pas manquer en outre de visiter la branche de la New York Public Library.

La « Plaza ». — Délimitée par les trois principaux bâtiments du Centre, cette agréable esplanade dallée est ornée en son milieu d'une jolie fontaine de marbre noir, à margelle basse.

Un café-restaurant à terrasse *(en été seulement)* borde l'un des côtés.

Des spectacles (gratuits) ont lieu en été à midi et en soirée.

Avery Fisher Hall. — Œuvre de l'architecte Max Abramovitz, il a été le premier terminé, en 1962. Conçu un peu comme un temple grec, il présente un péristyle de 44 colonnes dont la hauteur équivaut à celle d'une maison de 7 étages.

Le hall et les dégagements intérieurs sont ornés d'œuvres d'art : buste du compositeur autrichien Gustave Mahler (1860-1911) par Rodin, buste de Beethoven par Bourdelle. Dans le foyer, au premier étage, sont suspendues deux gigantesques et scintillantes figures en fils de laiton, Orphée et Apollon, par Lippold.

La salle proprement dite, reconstruire en 1976 par les architectes P. Johnson, J. Burgee et l'expert en acoustique C.M. Harris, comprend un « orchestre » et trois balcons ou « tiers » contenant 2 742 places assises. La scène agrandie et aménagée pour une meilleure résonance, est encadrée d'une avant-scène dorée. La blancheur-ivoire des murs et du plafond, le chêne des parquets, le velours des tentures sont dans la tradition classique. Une profusion de lustres donne une ambiance féérique.

Le Avery Fisher Hall est le siège de l'illustre New York Philharmonic Orchestra, qui se produisait auparavant surtout à Carnegie Hall *(p. 125)*; son chef a été, de 1958 à 1968, **Léonard Bernstein** (compositeur de West Side Story) qui a succédé à Toscanini et Stokowski, entre autres. Le Français Pierre Boulez (1971) a été remplacé en 1978 par Zubin Mehta.

New York State Theater. — Achevé en 1964, il a eu pour architecte Philip Johnson. C'est l'édifice qui fait face au Philharmonic Hall, de l'autre côté de Lincoln Center Plaza. Derrière sa façade de verre s'étend un vaste foyer à trois niveaux de galeries dont les parapets (exécutés par Meshekoff) forment un réseau de mailles dorées du plus heureux effet. Le plafond est revêtu de feuilles d'or.

La salle, qui peut recevoir 2 700 spectateurs, comprend 5 balcons circulaires. Elle est ornée de sculptures de Lipchitz, Nadelman, Johns, Higgins et Bontecou.

Le New York State Theater est spécialisé dans les ballets (New York City Ballet), les opéras (New York City Opera). Il dépend de la cité de New York et est dirigé par le City Center of Music and Drama, sous l'égide duquel les compagnies de Ballet et d'Opéra fonctionnent.

Coût du Philharmonic Hall : 17 000 000 $; New York State Theater : 19 000 000 $; Vivian Beaumont Theater : 9 000 000 $; Metropolitan Opera House : 46 000 000 $.

Metropolitan Opera House. — Inaugurée en septembre 1966 avec « Antoine et Cléopâtre » de Samuel Barber, elle peut recevoir environ 3 800 spectateurs assis et a remplacé le célèbre Metropolitan Opera situé à l'angle de Broadway et de la 39e Rue. Son architecture est due à Wallace K. Harrison.

La façade, ornée d'une colonnade de marbre blanc dont la hauteur est celle d'un immeuble de 10 étages, fait office de fond de perspective à Lincoln Center Plaza.

Intérieurement, la scène comporte des plates-formes roulantes pour changer avec facilité d'énormes décors. 7 salles de répétition et des magasins pouvant abriter 15 décors complets sont distribués tout autour. De nombreuses œuvres d'art parmi lesquelles deux peintures murales de Chagall et des statues de Mary Callery Maillol et Lehmbruck ornent la salle et les foyers.

L'ensemble a coûté 46 millions de dollars. La saison dure de mi-octobre à mi-avril.

Guggenheim Bandshell. — Situé à gauche de la Metropolitan Opera House, à Damrosch Park, ce théâtre de plein air, à abat-voix en forme de coquille, est utilisé pour des concerts auxquels 3 500 personnes peuvent assister.

Au-delà d'une esplanade qu'orne une pièce d'eau rectangulaire comportant deux figures en bronze par Henry Moore, apparaît le Vivian Beaumont Theater. Remarquer aussi « Le Guichet » sculpture en acier d'Alexandre Calder.

Vivian Beaumont Theater et Mitzi E. Newhouse Theater. — Édifié d'après les plans que le célèbre Eero Saarinen avait conçus peu avant sa mort, le Vivian Beaumont Theater a été inauguré en 1965. De forme originale avec son toit en terrasse fortement saillant, il abrite 1 140 places.

Le Mitzi E. Newhouse Theater, est un amphithéâtre de 270 places.

New-York Public Library à Lincoln Center. — Cette institution, unique en son genre, est aussi bien une bibliothèque spécialisée qu'un centre culturel accueillant et ultra-moderne. On peut y passer plusieurs heures à profiter des installations perfectionnées, mises gratuitement à la disposition du public : films, musique enregistrée, expositions diverses...

Conçue à l'origine dans un but modeste, par Skidmore, Owings et Merill, la bibliothèque, qui dépend de la New York Public Library *(voir p. 50)* est spécialisée dans les arts du spectacle. Elle renferme non seulement un département de recherches sur le théâtre, la musique, la danse, le cinéma mais aussi une section de prêts.

En pénétrant par l'entrée à gauche du Vivian Beaumont Theater on trouve une exposition illustrant l'histoire du théâtre new-yorkais et un petit cinéma expérimental.

Au niveau mezzanine, l'aire réservée aux enfants comprend une bibliothèque, entourant le Heckscher Oval, scène conçue pour les marionnettes, les films enfantins et les « dicts » des conteurs.

En tournant à gauche dans la Main Gallery, d'autres salles offrent de courtes séances de cinéma et des écouteurs spéciaux pour l'audition de disques stéréophoniques. A l'étage au-dessus se trouve le département des recherches.

Au niveau inférieur (Amsterdam Avenue Level) sont aménagés un auditorium de 200 places, une galerie d'art, de petites salles de projection et d'expositions.

Juilliard School. — De l'autre côté de la 66e Rue, la Juilliard Scool (dessinée par P. Belluschi, Catalano et Westermann) est reliée aux autres bâtiments du Lincoln Center par une passerelle. On y a établi le siège d'un Conservatoire destiné à former musiciens, danseurs, chanteurs et acteurs.

La Juilliard Scool comprend 4 salles offrant des récitals, concerts, pièces de théâtre et danses.

Pour toutes informations sur Lincoln Center, téléphonez au 765-5100
Pour les renseignements et location de billets, appelez :

Avery Fisher Hall	874-2424	*New York Public Library*	799-2200
New York State Theater	877-4727	*The Juilliard School*	799-5000
Metropolitan Opera House	799-3100	*Alice Tully Hall*	362-1911

Hauts-lieux de la vulgarisation scientifique, le Muséum d'Histoire naturelle et le Hayden Planetarium, à l'Ouest de Central Park, comptent parmi les institutions new-yorkaises les plus vénérées, particulièrement par les enfants des écoles...

■ MUSEUM D'HISTOIRE NATURELLE★★★

Le bâtiment. — D'aspect colossal, il a été commencé en 1874, la pose de la première pierre ayant été effectuée par le général Grant, alors président des États-Unis. Son architecture, sur plan quadrilatère, est bizarre, en raison des campagnes de construction menées sous la direction d'architectes différents.

Du côté de Central Park, où se trouve l'entrée principale, règne une majestueuse façade longue de 213 m, dont la colonnade ionique porte les statues des explorateurs et naturalistes Boone, Audubon (*détails p. 109*), Lewis et Clarke. Deux autres faces cherchent à suggérer un château médiéval, tandis que la dernière, sur le côté Hayden Planetarium, est de style moderne.

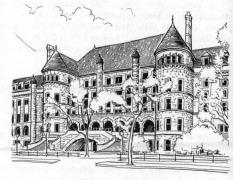

(*D'après photo Museum of Natural History*)

Le Muséum d'Histoire naturelle.

Les collections. — Elles occupent 38 salles réparties sur quatre étages et concernent les multiples aspects du monde naturel. Pour le profane l'intérêt principal du Muséum réside dans ses grands dioramas où sont campés de façon très vivante les animaux naturalistes : sol et végétation sont reproduits avec une fidélité extrême tandis que les fonds de paysages ont été peints d'après les esquisses réalisées sur le terrain, les éclairages contribuant à donner l'illusion de la réalité. En outre, dans certains départements, une sonorisation bien étudiée restitue les chants des oiseaux et les cris de la faune locale.

Visite. — *En semaine de 10 h à 16 h 45 (21 h les mercredis); les dimanches et jours fériés, de 11 h à 17 h. Fermé le Thanksgiving Day et le jour de Noël. Certaines salles sont en rénovation (fermeture provisoire). Entrée : 1,50 $.*

Rez-de-chaussée (First Floor). — Entrée côté Sud, sur la 77e Rue. Le rez-de-chaussée est presque entièrement consacré au continent américain. Dans le hall d'entrée, on verra un canoë de haute mer utilisé dans les îles de la Reine Charlotte, en Colombie britannique (Canada). On s'arrêtera dans les salles consacrées aux Indiens (superbes totems) et aux Esquimaux représentés vaquant à leurs occupations quotidiennes. Voir aussi la salle des Forêts et celle des Mammifères du Nord où parmi diverses variétés d'ours figurent les grizzlys.

Dans une galerie à gauche de l'entrée se trouve le hall consacré aux mollusques; plus à gauche est aménagé le département de biologie humaine : de nombreux documents expliquent le processus de la procréation chez l'être humain. Au fond de ce département, la section des minéraux célèbre par sa salle des pierres et des gemmes, constitue un ensemble richissime : 85 000 pièces dont le Star of India (Étoile de l'Inde).

Premier étage (Second floor). — La salle la plus spectaculaire s'ouvre au-delà du hall d'entrée qui donne sur Central Park West. Elle est consacrée aux grands mammifères d'Afrique; on y voit, au centre, un impressionnant troupeau d'éléphants représentés en état d'alerte, et, sur les côtés, des girafes, des zèbres, des antilopes, des gorilles, des lions, des hippopotames ou des crocodiles présentés dans leur cadre naturel. Dans les mezzanines de cette salle, à hauteur du second étage (Third Floor), d'autres dioramas montrent toutes sortes de singes, des rhinocéros, des léopards, des hyènes, etc. Consacrée aussi à l'Afrique, une salle présente l'évolution de la civilisation sur ce continent.

Une autre attraction du premier étage est constituée par la salle des oiseaux des Mers du Sud Océanique dont l'essaim bigarré vole sous la voûte peinte en bleu-ciel. Une salle voisine fait revivre l'existence des peuplades du Montana avant la colonisation.

Enfin, les touristes qui s'intéressent à la géologie et à la géographie économique visiteront le hall où sont évoquées, avec beaucoup de clarté, la recherche et l'exploitation du pétrole.

2e étage (Third Floor). — Un fascinant hall de reptiles et batraciens, avec le plus grand lézard du monde actuel, le varan de Komodo. Une autre section intéressante pour un non-spécialiste est celle des oiseaux de l'Amérique du Nord qui sont présentés dans leur milieu naturel reconstitué. Dans une salle sont rassemblés les primates que certains hommes de science considèrent comme les ancêtres de l'homme : gorilles, chimpanzés, orangs-outans empaillés s'attachent à rendre vraisemblable cette affirmation.

Symétrique à la salle des Primates, la salle des Indiens des forêts orientales de l'Amérique du Nord a fait l'objet d'une présentation spectaculaire : huttes reconstituées.

3e étage (Fourth Floor). — Le hall des animaux préhistoriques, dinosaures, mammouths... constitue l'attrait principal de l'étage.

Répartis dans deux vastes salles, les dinosaures, terribles lézards géants vivaient à la fin de l'ère secondaire, il y a environ 150 millions d'années : le Muséum possède le squelette du grand brontosaure qui pesait, vivant, près de 35 t. Découverts en Mongolie, dans le sable, les œufs de dinosaures abritent encore un embryon.

Datant seulement de l'ère quaternaire, les mammouths ressemblaient à des éléphants à poil long et défense recourbées. Au nombre des pachydermes, mentionnons le squelette du fameux éléphant Jumbo qui fit les beaux jours du cirque Barnum.

De l'autre côté, une salle joliment décorée contient une collection de livres rares et de manuscrits.

HAYDEN PLANETARIUM ★★

Conçu en 1935, le Hayden Planetarium forme le département d'astronomie du Muséum d'Histoire naturelle. Ayant extérieurement l'aspect d'un observatoire, il offre des spectacles expliquant le mouvement du soleil et des astres.

Le spectacle *(durée : 1 h). — Il a lieu en été à 13 h et 15 h les jours de semaine, à 13 h, 15 h et 16 h les samedi et dimanche ; en hiver à 14 h et 15 h 30 les jours de semaine, à 13 h, 14 h, 15 h et 16 h les samedi et dimanche. Toute l'année, soirée le mercredi à 19 h 30. Entrée : 2,75 $; enfants : 1,35 $ (incluant l'admission au musée d'histoire naturelle).*

The Guggenheim Space Theater. — Cette salle de l'Espace présente sur un écran circulaire une spectacle audio-visuel sur les thèmes suivants : la Terre, la Lune, le Système solaire, les Fusées.

Au centre du plafond un globe lumineux figure le soleil autour duquel se meuvent les planètes, lesquelles tournent en même temps sur leur axe. Ces planètes sont la Terre, Mercure, Vénus, Mars, Jupiter et Saturne ; Mars, Jupiter et la Terre sont escortées de leurs satellites. Il n'a pas été possible cependant de représenter Uranus, Neptune et Pluton, trop éloignées et qu'on ne peut voir à l'œil nu.

Salle du Planetarium. — Monter ensuite au théâtre des Étoiles. Le spectacle qui y est donné change trois fois par an, il est centré sur les thèmes « L'univers invisible », « Vaisseau terrestre de l'espace », « Le ciel à Noël », « Espace interplanétaire »...

Le rôle de l'écran est assuré par une voûte hémisphérique dont le diamètre atteint 22 m. Les spectateurs sont placés en rond autour de l'appareil de projections. Celui-ci, d'un type très perfectionné, présente un corps principal, long de 4 m environ, se terminant par deux globes dont l'un projette les images des étoiles fixes de l'hémisphère Nord et l'autre celles de l'hémisphère Sud ; des projecteurs individuels pour le soleil, la lune et les planètes sont incorporés dans les cylindres qui supportent les globes.

Au 2e étage, la salle du Soleil (Hall of the Sun) montre comment cet astre influence notre planète, son rôle dans l'univers (courte projection d'un film).

Galeries périphériques. — Deux galeries, au niveau du planetarium et de la salle de l'Espace, évoquent l'histoire et les progrès de l'astronomie.

Des vitrines d'instruments scientifiques anciens, des maquettes animées expliquant les lois astronomiques, des reconstitutions de fusées ou de satellites, une collection de météorites dont le plus gros pèse 34 t., des panneaux photographiques reproduisant la surface de la lune retiendront tour à tour l'attention.

■ NEW YORK HISTORICAL SOCIETY ★★

Au n° 170 Central Park Ouest, entre la 76e et la 77e Rue, le New York Historical Society Building, construit en 1908, abrite le musée et la bibliothèque de la plus importante société locale new-yorkaise, fondée en 1804.

Visite. — *Du mardi au vendredi de 11 h à 17 h ; le samedi de 10 h à 17 h ; le dimanche de 13 h à 17 h. Bibliothèque : du lundi au samedi de 10 h à 17 h.*

Rez-de-chaussée (First Floor). — De riches ustensiles en argent, exécutés par des orfèvres new-yorkais, et des œuvres de John Rogers, sculpteur de scènes de genre, renommé de la fin du 19e et début du 20e s., ornent les salles du côté Nord. D'autres salles sont réservées à des expositions temporaires sur l'histoire de la ville.

Premier étage (Second Floor). — Dans le couloir central (sortie de l'ascenseur), on détaillera une amusante série de jouets du 19e s. évoquant, en miniature, l'histoire des modes de transport new-yorkais ; dans le Dexter Hall, étude des coches et autres moyens de transports des siècles passés (voir aussi au rez-de-chaussée). L'étage abrite également des intérieurs de l'époque coloniale américaine et des objets décoratifs des 18e et 19e s. D'un grand intérêt est la sélection d'aquarelles *(exposées par roulement)* dues au naturaliste d'origine française Jean-Jacques Audubon (1785-1851), élève de David, qui explora le bassin du Mississipi et réalisa de spendides albums sur les oiseaux d'Amériques.

2e étage (Third Floor). — Il est dévolu au folklore et aux arts appliqués (jolie collection de figures de mode et d'affiches publicitaires).

3e étage (Fourth Floor). — Mobilier et peintures. Reconstitution de deux pièces meublées de l'époque des premiers arrivants hollandais. Peintures diverses : portraits, scènes de genre, paysages américains des 17e, 18e et 19e s. (Hudson River School).

Sous-sol (Basement). — « Trois siècles de transports à New York » est le thème de cette exposition permanente (déjà amorcée au 1er étage) ainsi que gravures et photographies.

Pour tout ce qui fait l'objet d'un texte ou d'une illustration dans ce guide (monuments, sites, curiosités, rubriques d'histoire et de géographie, etc.), consultez l'**index alphabétique** à la fin du volume.

Parcours : 2 km — Durée : 2 h 1/2.

La promenade qui nous mènera de l'Église à l'Université, deux des piliers de la nation amé- ricaine, est brève. Mais elle permettra de faire connaissance avec ce quartier de collines appelé Morningside Heights et connu jadis sous le nom de **Harlem Heights**. C'est là que se déroula, en 1776, la bataille des Harlem Heights, la première dans laquelle les forces américaines, sous le commandement de Washington, résistèrent victorieusement aux Anglais.

■ **CATHÉDRALE ST-JEAN L'ÉVANGÉLISTE★ (St. John the Divine)**

La cathédrale épiscopalienne de New York dresse sa masse imposante sur Amsterdam Avenue, à hauteur de la 112e Rue. C'est la plus grande cathédrale néo-gothique du monde, 10 000 fidèles peuvent y prendre place.

Une entreprise ardue. — L'idée de construire une cathédrale qui serait le plus vaste édifice reli- gieux des États-Unis revient à **Horatio Potter**, évêque épiscopalien de New York de 1861 à 1887. Tou- tefois c'est seulement en 1892 que son neveu et successeur Henry Codman Potter achetait le terrain ; la première pierre était posée le 27 décembre, jour de la St-Jean.

Maquette de la cathédrale telle qu'elle sera après son achèvement.

Les premiers architectes, Heins et La Farge, s'inspirèrent du style roman européen qu'on re- trouve dans la présence d'un nar- thex et dans le rond-point du chœur. Cependant, à partir de 1911, on adopta le gothique. La croisée du transept et le chœur furent achevés en 1916.

En 1924 une campagne permit de réunir 15 millions de dollars parmi lesquels 500 000 furent remis par John D. Rockefeller Junior qui, pourtant, appartenait à l'église baptiste. Un an plus tard, la première pierre de la nef était posée. Celle-ci fut achevée en 1939.

Il reste encore le tiers des travaux à faire.

Extérieur. — Très large (93,5 m), la façade est flanquée de deux tours qui, une fois achevées, atteindront 81 m de haut (tours de N.D. de Paris : 69 m) et allégeront son aspect assez lourd pour l'instant. Les cinq portails, correspondant aux cinq nefs intérieures, n'ont pas encore la totalité de leur décor sculpté ; quatre d'entre eux cependant ont reçu leurs vantaux en teck de Birmanie. Le portail central est muni de portes de bronze fondues à Paris par Barbedienne, pesant chacune 12 t, dont les panneaux sont ciselés de scènes évoquant l'Ancien et le Nouveau Testament ; son trumeau porte une statue de saint Jean l'Évangéliste et son tympan est orné d'une rosace (Majestas) au centre de laquelle trône le Christ en Majesté.

La grande rose, au-dessus du portail central, mesure 12 m de diamètre ; elle sertit des vitraux composés de 10 000 morceaux de verre.

Intérieur. — Le narthex qui abrite deux des plus beaux vitraux de la cathédrale, représentant, à gauche, la Création, à droite des scènes symboliques de la doctrine chrétienne. Remarquer aussi d'intéressants icônes grecs, en particulier une Vierge à l'Enfant du 15e s.

Les cinq nefs atteignent une largeur de 45 m pour une longueur de 76 m, la nef centrale étant aussi large que la 112e Rue ; les voûtes culminent à 38 m (voûtes de N.-D. de Paris : 35 m). Le pavement, dit « pavement des pèlerins », est décoré de médaillons représentant les grands pèlerinages de la chrétienté et des épisodes de la Vie du Christ.

A la croisée du transept, la chaire, en marbre de Knoxville (Tennessee), est sculptée de scènes de la Vie du Christ, accompagnant les effigies d'Isaïe et de saint-Jean-Baptiste. On remarquera l'énormité du transept, démesuré par rapport à la nef centrale, et dont la croisée est surmontée d'une impressionnante coupole. Admirer d'ici la grande rose de façade.

Le chœur, de style roman, se termine par un majestueux rond-point formé par huit colon- nes de granit, hautes de 17 m et pesant chacune 130 t. Jeter un coup d'œil sur les stalles de chêne sculpté et sur les deux trônes d'évêque, l'un et l'autre entourés d'une clôture de marbre blanc, dont les niches abritent les statues des personnages marquants de la chrétienté durant 19 siècles (de saint Paul à Washington et Lincoln) ; la pierre du 20e s., ne sera pas sculptée avant nombre d'années.

Derrière le maître-autel, se trouve le tombeau de l'évêque Horatio Potter.

Au Nord du chœur, le baptistère est considéré comme le plus beau du Nouveau Monde. Il est surmonté par un dôme qui termine un lanternon. Dans les niches logent huit personnages insignes de l'histoire new-yorkaise, Peter Stuyvesant *(voir p. 85)* entre autres. Les fonts sont copiés sur ceux du baptistère St-Jean à Sienne, œuvre de Jacopo della Quercia (15e s.)

Œuvres d'art. — Parmi les tapisseries, il faut citer les Scènes du Nouveau Testament (17e s.) d'après Raphaël. Dans le déambulatoire, voir des tableaux de l'école italienne du 16e s., une Annonciation en terre cuite vernissée (école des della Robbia, 15e s.), un tissu du 16e s., histo- rié d'une Adoration des Mages. La chapelle axiale contient d'intéressantes icônes.

Salle d'exposition et jardins. — Du bras droit du transept, où se retrouve une maquette de la cathédrale terminée, un passage mène à une salle d'art contemporain. Dans les jardins se dispersent des bâtiments de style gothique réservés aux bureaux administratifs du diocèse, à la résidence de l'évêque, à une psalette (école de choristes) et au siège du synode (assemblée ecclésiastique diocésaine). Le Jardin Biblique contient arbres et flore cités dans le Saint Livre.

En sortant de la cathédrale, prendre à droite la 113e Rue qui longe l'hôpital St-Luc (600 lits) géré par l'Église épiscopalienne puis débouche dans Morningside Drive.

Morningside Drive suit le rebord des collines dominant Harlem, dont les pentes sont aménagées en jardins connus sous le nom de Morningside Park. Il y avait là, vers 1920, ce qu'on nommait « le ghetto doré », une aire résidentielle habitée par des Israélites aisés. Entre la 114e et la 115e Rue cependant s'élève **Notre-Dame de Lourdes**, un sanctuaire catholique édifié en 1915, où les homélies étaient prononcées en français; c'est un édifice à portique et coupole dont le chœur est formé par une reconstitution de la grotte de Lourdes.

Continuer à suivre Morningside Drive jusqu'à la 116e Rue; à l'angle Nord-Ouest du carrefour se trouve le domicile officiel du président de Columbia University : Eisenhower y résida. La 116e Rue mène à Columbia University.

■ COLUMBIA UNIVERSITY ★

Visite : 1 h.

Columbia University compte parmi les plus anciennes et les plus riches Universités des États-Unis. Occupant une surface délimitée par la 114e Rue, la 121e Rue, Broadway et Amsterdam Avenue, elle n'est « ni sportive comme Yale, ni aristocratique comme Princeton, ni Vieille Amérique comme Harvard; elle est avant tout pratique et forge des hommes d'action » (Paul Morand).

UN PEU D'HISTOIRE

De King's College à Columbia University. — Fondé en juillet 1754 par George II d'Angleterre, le King's College s'établit près de Trinity Church. C'était le sixième collège créé dans les colonies et ses débuts furent difficiles : **Samuel Johnson**, ecclésiastique et philosophe (1696-1772), en était l'unique professeur et l'avis paru dans la Gazette pour annoncer l'ouverture des cours ne toucha que huit élèves.

Au début de la guerre d'Indépendance, lors de la bataille des Harlem Heights, les Anglais furent repoussés par les troupes Washington au cours d'un combat livré à l'emplacement du « campus » actuel, le 16 septembre 1776 : les pertes furent énormes (!) de part et d'autre, 14 royalistes et 16 révolutionnaires étant restés gisant sur le terrain qui était alors un champ de sarrasin.

En 1784, la guerre terminée, King's College fut ouvert à nouveau sous le nom de Columbia College. En 1897, elle s'installa à son actuel emplacement, après une quarantaine d'années passées à l'angle de Madison Avenue et de la 49e Rue.

Une constellation de célébrités. — Parmi les diplômés de King's College figurent nombre d'hommes d'État. Citons **Alexander Hamilton** qui fut aide de camp de Washington et l'un des deux rédacteurs de la Constitution de 1787, **John Jay**, cosignataire de la Déclaration d'Indépendance en 1776, **Robert R. Livingston**, négociateur de l'achat de la Louisiane à la France, **Gouverneur Morris**, ambassadeur des États-Unis à Paris, sous la Révolution française. Un autre grand administrateur sorti de Columbia, **De Witt Clinton**, fit ouvrir en 1825 le canal Erié.

Plus près de nous, **Franklin D. Roosevelt** suivit les cours de la Faculté de Droit qu'il quitta avant terme pour la politique, malgré les avertissements du président de Columbia à l'époque, N. M. Butler : « Vous ne pourrez jamais prétendre être un intellectuel tant que vous ne serez pas revenu à Columbia passer vos examens ». C'est aussi un professeur de l'Université, **Harold C. Urey**, qui découvrit l'eau lourde, ce qui lui valut un prix Nobel en 1934. Précisons enfin que le général Eisenhower présida Columbia University de 1948 à 1952.

Quelques particularités. — La Columbia University enseigne des disciplines très diverses. Un reflet particulier s'attache à la Faculté de Droit **(Law School)**, à l'École de Médecine **(Medical School)**, à l'Institut Pédagogique **(Teachers College)**, à l'Institut de langue et civilisation russes, à l'Ecole de Journalisme, aux collèges d'Art et Technique pour garçons (Columbia College) et pour filles (Barnard College), à l'École d'Etudes Générales (General Studies).

Cette dernière est ouverte à tout individu de plus de 21 ans reçu à l'examen d'entrée, même s'il n'a pas terminé ses études secondaires. Les jeunes de moins de 21 ans qui ont un emploi et ne peuvent étudier à plein temps sont également admis. La moyenne d'âge est de 29 ans mais un bon contingent de personnes plus âgées, assiste aux cours qui ont lieu le soir ou le samedi matin. Y sont professées plus de 1 000 matières et 38 langues étrangères.

L'Université qui compte 16 900 élèves, 4 000 professeurs et chercheurs, est mixte, privée et payante. Ses moyens ne sont point négligeables (450 millions de dollars) : elle possède à Manhattan le terrain sur lequel est bâti Rockefeller Center *(p. 38)* dont elle reçoit 10 millions de dollars chaque année.

Aux équipements sportifs du campus s'ajoute le terrain de sport de **Baker Field**, situé à l'extrémité Nord de Manhattan *(plan p. 120)*, où ont lieu les compétitions.

VISITE

On peut se promener librement dans l'enceinte des bâtiments de l'Université (représentés en jaune foncé sur le plan). Cependant des visites guidées gratuites sont organisées qui permettent de voir quelques-uns des aménagements intérieurs : en été, départs à 10 h et 14 h, en hiver à 15 h ; s'adresser à 201 Dodge Hall, angle de la 116e Rue et Broadway.

Campus. — Ses pelouses verdoyantes, entrecroisées d'allées, composent une harmonieuse perspective entre la **Butler Library** au Sud, et, au Nord, la **Low Memorial Library**.

Low Memorial Library. — Servant à l'origine de bibliothèque et aujourd'hui occupé par des bureaux administratifs, cet édifice monumental avec sa

(D'après photo Constance M. Jacobs, New York)

Low Memorial Library.

colonnade et sa coupole haute de 42 m, pastiche l'art romain : c'est une œuvre de McKim (1897). Au centre des degrés de l'escalier monumental, est placée la statue assise, en bronze (1903), de l'Alma Mater (Mère nourricière), symbole des Universités. Sous la coupole se tiennent conseils et expositions ; dans un salon a été reconstituée une pièce de King's College.

Chapelle St-Paul. — Dévolue au culte protestant et à des récitals d'orgue, elle est, comme la Low Library, de style néo-classique, à rotonde et coupole. L'**Earl Hall**, qui lui est symétrique par rapport à Low Memorial Library, joue un rôle religieux analogue. Le clergé desservant comprend un chapelain aidé de trois aumôniers, un pour chacune des confessions principales : protestante, catholique, israélite.

Law Building. — Devant ce bâtiment achevé en 1961 et affecté à la faculté de Droit, a été érigé, en 1977, une importante sculpture de Lipchitz, Bellérophon domptant Pégase.

Annexe de ce groupe, l'Ecole des Affaires Internationales **(School of International Affairs)** occupe depuis 1971, tout le bloc à l'angle de la 118e Rue et d'Amsterdam Avenue. Elle comprend également des instituts régionaux (Regional Institutes) dont le célèbre Russian Institute.

Sherman Fairchild Center fo the Life Sciences. — Cet élégant Centre de Sciences humaines, aux lignes verticales, élevé en 1977, s'oppose au Centre des Ingénieurs **(Engineering Center)** Seely W. Mudd, de style traditionnel, situé en arrière, à l'angle de la 120e Rue et d'Amsterdam Avenue.

Pupin Building. — Depuis sa construction en 1927, le bâtiment est spécialisé en recherche atomique. En 1931 l'hydrogène lourd y fut découvert. Quatorze prix Nobel ont été décernés en récompense de travaux faits dans ces lieux.

Butler Library. — Ce bâtiment (1934) abrite la bibliothèque principale qui porte le nom de N. M. Butler, recteur de l'Université de 1902 à 1945, et la plus ancienne école de bibliothécaire de la région. Notons en passant que les bibliothèques de l'Université possèdent près de 4,5 millions de volumes.

Ferris Booth Hall. — L'édifice est en quelque sorte le Club des Étudiants où ceux-ci se réunissent et où ils rencontrent leurs professeurs pour des discussions amicales autour d'une tasse de thé. Des salles de lecture et de conférences, un bowling, des salles de tir, de ping-pong, sont à la disposition des membres de Columbia University.

Barnard College. — Fondé en 1889 par le recteur Frederick A. Barnard, pionnier de la croisade en faveur des études supérieures pour les jeunes filles, il est réservé aux étudiantes et possède son propre Campus, sa piscine et son studio de danse. Ses bâtiments affichent des styles d'architecture de la fin du siècle passé à nos jours.

Parcours : 1 km — Durée : 1 h (sans la visite du musée).

Cette promenade allie aux charmes de la nature que prodigue Fort Tryon Park les joies artistiques dues à la contemplation des trésors du musée des Cloîtres.

Accès. — *Par bus : prendre sur Madison Avenue le N° 4 « Fort Tryon Park - Cloisters ». Par « subway » : descendre à la 190ᵉ Rue (ligne A, sortir par l'ascenseur).*

Fort Tryon Park★★. —Aménagé sur les collines dominant l'Hudson, ce parc verdoyant et tranquille (sauf le dimanche) donne l'impression d'être situé à cent lieues de New York et l'on s'y prend à oublier la présence de la grande cité. Relativement peu étendu (25 ha environ) il est coupé de vallonnements pittoresques tandis que des terrasses habilement ménagées offrent de nombreuses perspectives sur la vallée de l'Hudson. A la fin du 19ᵉ s. il y avait encore là des pacages et des fermes, qui avaient remplacé les repaires d'Indiens du temps de la colonisation.

Nous partons de l'entrée Sud du parc, formant rond-point. Le chemin de pénétration conduisant aux Cloîtres suit le faîte de la colline qui dévale jusqu'aux rives de l'Hudson.

A gauche et un peu en contrebas apparaît un petit jardin botanique avec des fleurs et des plantes rares.

A peu près à mi-chemin des Cloîtres, **Fort Tryon** tient son nom du dernier gouverneur anglais de New York. Il couronne une éminence à 76 m au-dessus de l'Hudson, point le plus élevé de Manhattan. Fort Tryon était le poste avancé Nord du Fort Washington qui fut le dernier point

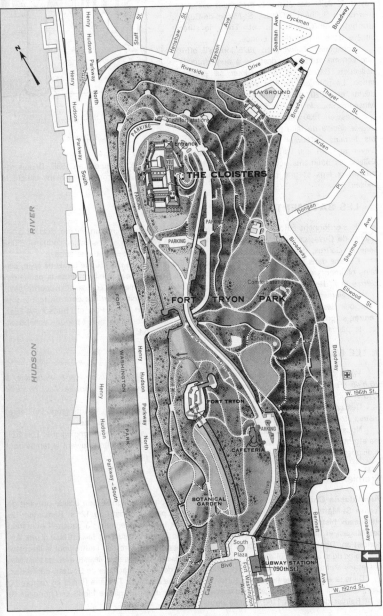

de résistance contre l'invasion anglaise de Manhattan. C'est là que Margaret Corbin remplaça son mari tué au combat et, dans la lutte , fut grièvement blessée. Avec la chute du Fort Washington, le 16 novembre 1776, les Anglais occupèrent New York qui resta entre leurs mains pendant sept ans. Il n'y a pas si longtemps on y trouvait encore des boulets de canon, des boutons d'uniforme et des boucles de ceinturon. Maintenant ce n'est plus qu'un belvédère d'où se dégage une vue splendide sur l'Hudson et le pont George Washington d'un côté, sur l'East River de l'autre.

Entre Fort Tryon et les Cloîtres, suivre le sentier de corniche qui offre de superbes vues plongeantes sur l'Hudson et, au-delà, sur les hauteurs boisées de Palisades Park.

Isolé au sein de Fort Tryon Park, le musée des Cloîtres, ou plus simplement « les Cloîtres », apparaît comme un monastère fortifié, morceau de Vieille Europe égaré dans le Nouveau Monde, pour le plaisir de l'amateur d'art.

C'est à **John D. Rockefeller Junior** que revient en grande partie le mérite de cette réalisation étonnante qu'est le célèbre musée des Cloîtres.

A la base, on trouve une collection de sculptures médiévales que le sculpteur **George Grey Barnard** avait achetées au cours de ses voyages en Europe au début du siècle et qu'il avait présentées au public, en 1914, dans un bâtiment en briques édifié sur Fort Washington Avenue : on voyait là, déjà, des éléments provenant des cloîtres de St-Guilhem-le-Désert, St-Michel-de-Cuxa, Bonnefont-en-Comminges et Trie, localités situées dans le midi de la France.

Rockefeller intervint en 1925 lorsqu'il offrit une somme importante destinée à augmenter la collection Barnard et à améliorer sa présentation. Le bâtiment de Fort Washington Avenue devint en 1926, une annexe du Metropolitan Museum, sous le nom de Barnard Cloisters.

(D'après photo Metropolitan Museum)

Les Cloîtres.

C'est en 1930 enfin que John D. Rockefeller Junior décida de faire présent à la ville des vastes terrains entourant Fort Tryon et d'y faire élever au Nord, par l'architecte bostonien **Charles Collens**, les bâtiments actuels dessinés en 1935 mais terminés seulement en 1938. Depuis, de nombreux legs et une politique d'acquisitions bien menée ont considérablement enrichi le musée.

■ LES BATIMENTS★

Ils s'ordonnent autour d'une tour carrée inspirée du clocher roman encore existant à St-Michel de Cuxa, celui-ci n'ayant pu être transporté à New York. L'ensemble, composé d'une série de cloîtres, de chapelles et de salles diverses, offre l'apparence d'une abbaye.

Comme dans beaucoup d'édifices religieux d'Europe, il n'y a pas d'unité totale de style, certains bâtiments étant gothiques et d'autres romans, mais grâce à l'uniformité de la patine des pierres et à des proportions heureusement réparties, l'harmonie de l'édifice n'en souffre pas.

Un élément typique consiste dans la présence d'une enceinte fortifiée dont on fera le tour pour jouir des perspectives variées sur le monument, sur Fort Tryon Park et l'Hudson. A l'Est, l'entrée se présente sous la forme d'une poterne, tandis que la sortie se fait par une voie bosselée de pavés qui proviennent d'anciennes rues de New York.

■ LE MUSÉE★★★

Visite de 10 h à 16 h 45; les dimanches et fêtes, de 13 h (12 h de mai à septembre) à 16 h 45. Fermé les lundis, le Thanksgiving Day, les 25 décembre et 1er janvier. Tarif conseillé 1,75 $.

Des concerts de musique religieuse *(dimanche après-midi)* et des chants grégoriens enregistrés *(tous les jours)* créent une ambiance à la fois recueillie et apaisante.

Nous donnons ici la description des collections en suivant l'ordre chronologique. Les étoiles attribuées aux diverses salles permettront au visiteur de faire un choix suivant le temps dont il dispose. Une visite complète demanderait environ deux jours.

Premier étage (Main Floor)

Fuentidueña Chapel★. — Elle est consacrée à l'art roman espagnol. Son abside provient de l'église St-Martin de Fuentidueña près de Ségovie (Espagne) et date du 12e s. Remarquer les chapiteaux historiés (à droite le prophète Daniel dans la fosse aux lions ; à gauche l'Adoration des Mages) et une statue de saint Martin, évêque de Tours (à gauche), faisant face à une Annonciation. Dans le mur, deux niches servaient, l'une pour les burettes, l'autre pour le lavement des mains du prêtre. Au cul-de-four, une fresque représente la Vierge en Majesté avec les trois Mages et les archanges Michel et Gabriel : elle provient de l'église catalane de St-Jean de Tredos.

Dans la nef, a été remonté la porte (12e s.) d'une église de Toscane (Italie) en marbre de Carrare. Fonts baptismaux également toscans, sculptés dans un marbre blond en l'honneur de saint Rainier de Pise, en 1160, l'année de sa mort.

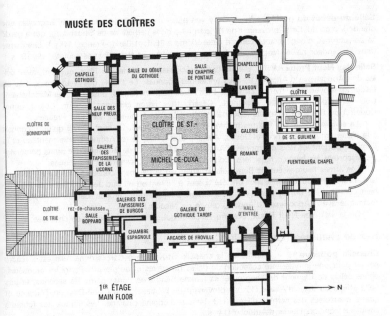

MUSÉE DES CLOÎTRES

CHAPELLE GOTHIQUE   SALLE DU DÉBUT DU GOTHIQUE   SALLE DU CHAPITRE DE PONTAUT   CHAPELLE DE LANGON

SALLE DES NEUF PREUX

CLOÎTRE DE BONNEFONT

CLOÎTRE DE ST-MICHEL-DE-CUXA

GALERIE DES TAPISSERIES DE LA LICORNE

CLOÎTRE DE ST. GUILHEM

GALERIE ROMANE

FUENTIDUEÑA CHAPEL

CLOÎTRE DE TRIE   rez-de-chaussée   GALERIES DES TAPISSERIES DE BURGOS   SALLE BOPPARD   CHAMBRE ESPAGNOLE   GALERIE DU GOTHIQUE TARDIF   HALL D'ENTRÉE

ARCADES DE FROVILLE

1ER ÉTAGE
MAIN FLOOR

→ N

Galerie romane. — L'entrée poitevine est voûtée en plein cintre selon les caractéristiques de l'art roman. A gauche, chapiteaux sculptés d'oiseaux gracieux picorant des feuilles d'acanthe ; à droite animaux imaginaires surmontés d'un délicat motif végétal.

Les pièces de choix sont deux portails d'origine française. L'un à droite, donnant sur le cloître de St-Guilhem, provient de l'église de Reugny, près de Montluçon et date de la fin du 12e s. ; l'autre, à l'extrémité de la galerie, est gothique du 13e s. et ornait le transept de l'église de l'ancien monastère du Moutiers-St-Jean en Bourgogne : remarquer les deux statues représentant, à gauche, Clovis, premier roi chrétien et, à droite, son fils Clotaire, qui protégèrent l'abbaye à ses débuts.

Remarquer aussi un torse de Christ en bois sculpté (Lavaudieu, Auvergne 12e s.) dont la tête se trouve au musée du Louvre à Paris.

Cloître de St-Guilhem ★★★. — Il a été reconstitué avec des colonnes et des chapiteaux du cloître de l'abbaye bénédictine St-Guilhem-le-Désert en Languedoc. Celle-ci avait été fondée en 804 par Guilhem, comte de Toulouse, et fut une étape sur la route du pèlerinage à St-Jacques-de-Compostelle. Désaffectée à la Révolution, ses bâtiments monastiques furent dépecés et les colonnes du cloître reléguées dans un jardin où elles servaient de tonnelle quand Barnard les acheta en 1906.

On admirera la vigueur et la liberté de facture des chapiteaux (début 13e s.) au décor végétal très fouillé et qui, pour nombre d'entre eux, témoignent d'une inspiration romaine ; plusieurs colonnes sont, elles aussi, sculptées de motifs géométriques et de végétaux.

Au centre du cloître, la fontaine est faite d'un chapiteau roman de l'église St-Sauveur à Figeac, dans le Quercy. Les consoles portant les voûtes proviennent de l'abbaye de la Sauve-Majeure, près de Bordeaux.

Chapelle de Langon ★. — Les éléments anciens de cette chapelle se trouvaient dans le chœur de l'église romane Notre-Dame du Bourg à Langon, près de Bordeaux, désaffectée à la Révolution. Utilisée alors comme salle de réunion pour le Club de Jacobins, elle fut transformée ensuite, d'abord en salle de bal, puis en cinéma.

Venant d'Auvergne, une belle Vierge en Majesté et un ange de la cathédrale St-Lazare d'Autun (école bourguignonne) sont du 12e s.

Salle du chapitre de Pontaut ★★. — Notre-Dame de Pontaut était une abbaye d'abord bénédictine, puis cistercienne, sise près de St-Sever, dans les Landes. Sa salle capitulaire constitue un exemple de style transition roman-gothique, sobrement harmonieux. Au travers des baies, largement ouvertes sur le cloître, les frères convers (religieux chargés des travaux domestiques) suivaient le déroulement du chapitre, tandis que les moines s'asseyaient à l'intérieur, le long du mur, sur un banc de pierre qui a été conservé.

Les chapiteaux sont remarquables par la simplicité et la fermeté des motifs géométriques ou végétaux qui les ornent.

Cloître de St-Michel-de-Cuxa ★★★. — Ce cloître roman, le plus grand du musée, ne représente cependant que la moitié du cloître original. Celui-ci dépendait du monastère bénédictin de St-Michel-de-Cuxa dans les Pyrénées qui fut, au Moyen Age, l'un des foyers de culture et d'art du Roussillon. Pillé sous la Révolution française, St-Michel-de-Cuxa vit, dans le courant du 19e s., les galeries de son cloître éparpillées. C'est en 1913 que Barnard parvint à retrouver et réussit à acheter un peu plus de la moitié des chapiteaux primitifs, 12 fûts de colonnes, 25 bases, 7 arcs. Les éléments manquants ont été refaits en utilisant le même marbre rose des Pyrénées.

On détaillera les chapiteaux vigoureusement sculptés de motifs végétaux, de personnages grotesques et d'animaux (lions, singes, aigles, etc.) inspirés de l'Orient ; noter l'absence presque totale de scènes religieuses.

Salle du début du gothique★. — On y voit plusieurs statues de valeur parmi lesquelles une grande Vierge du 13e s. provenant de l'ancien jubé de la cathédrale de Strasbourg, qui a gardé sa polychromie d'origine, tout comme cette Vierge à l'Enfant (Ile-de-France, 14e s.), charmante dans sa candeur naïve. Noter aussi deux anges gracieux et trois albâtres sculptés du 15e s.

Salle des Neuf Preux★★. — Elle abrite de précieuses tapisseries du 14e s. qui sont, avec celles de l'Apocalypse d'Angers, les plus anciennes connues. Le thème des Neuf Preux, très en faveur au Moyen Age, mettait en scène trois héros hébreux (David, Josué, Judas Macchabée), trois héros païens (Hector, Alexandre, César), trois héros chrétiens (Arthur, Charlemagne, Godefroi de Bouillon) auxquels répondaient des héroïnes féminines, les Neuf Preuses.

La série exposée aux Cloîtres montre cinq Preux sur neuf. Ce sont, David qu'on reconnaît à la harpe timbrant son écu, et Josué, Alexandre et César, le roi Arthur dont le manteau et la bannière portent les trois couronnes d'Angleterre, d'Écosse et de Bretagne. De petits personnages escortent les héros : musiciens, courtisans et guerriers, cardinaux et évêques.

Les armes fleurdelisées de Berry, discernables sur le fragment consacré aux héros hébreux, laissent penser que les tapisseries ont été tissées à l'intention du duc Jean de Berry, le mécène bien connu, frère du roi Charles V. L'ensemble possède une certaine identité de style et de technique avec l'Apocalypse d'Angers, œuvre de Nicolas Bataille.

De la salle des Neuf Preux, prendre l'escalier qui descend vers le rez-de-chaussée.

Rez-de-chaussée (Ground Floor)

Chapelle gothique★. — Inspirée de la chapelle St-Nazaire à Carcassonne, elle est le cadre parfait pour une intéressante collection de dalles funéraires et de gisants. Parmi les premières, citons celles de Clément de Longroy et sa femme Béatrix de Pons ; parmi les seconds, la très belle effigie de Jean d'Alluye (13e s.) provenant de l'abbaye de la Clarté-Dieu en Touraine et quatre mausolées des comtes d'Urgel (13e-14e s.), d'origine catalane. Les vitraux des fenêtres absidiales sont originaires d'Autriche (14e s.).

Cloître de Bonnefont★★. — Sur deux de ses côtés, ce cloître est bordé de colonnes géminées dont les doubles chapiteaux de marbre gris-blanc appartenaient au cloître (13e-14e s.) de l'ancienne abbaye cistercienne de Bonnefont-en-Comminges, dans les Pyrénées. Les deux autres côtés forment terrasses sur Fort Tryon Park et la vallée de l'Hudson. Un jardin de simples (plantes médicinales) a été reconstitué sur l'esplanade.

Cloître de Trie★★. — De tous les cloîtres du musée c'est celui qui évoque le mieux l'intimité et le recueillement monacal, en raison de ses dimensions réduites. Ses chapiteaux, de la fin du 15e s. sont ornés de blasons ou historiés de scènes religieuses : on s'arrêtera surtout devant ceux de la galerie du Sud qui relatent des épisodes de la Vie du Christ. Au centre de la cour, la fontaine est surmontée d'une croix portant, d'un côté, le Christ entre la Vierge et saint Jean, de l'autre sainte Anne, la Vierge et deux saints.

Galerie des vitraux★. — Située sous la galerie des tapisseries de la Licorne et la salle des Neuf Preux, elle doit son nom à la présence de vitraux en médaillons (15e-16e s.) représentant, entre autres, des scènes de l'Ancien et du Nouveau Testament. Un beau choix de statues des 15e-16e s. a été réuni dans cette galerie. Cependant la préférence du visiteur ira à la très curieuse clôture d'escalier (extrémité de la galerie) en bois sculpté (début 16e s.) qui faisait jadis l'ornement d'une maison d'Abbeville où François Ier aurait habité.

Trésor★★★. — Au-dessous de la chambre espagnole et de la galerie voisine, se trouvent deux petites salles évoquant les « trésors » de cathédrales, où sont rassemblés quelques-uns des joyaux du musée.

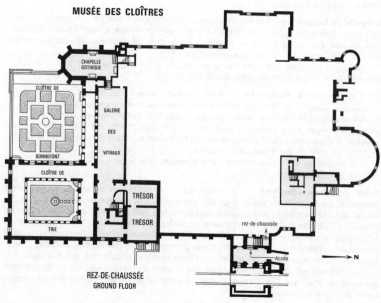

MUSÉE DES CLOÎTRES

CHAPELLE GOTHIQUE

CLOÎTRE DE BONNEFONT

GALERIE DES VITRAUX

CLOÎTRE DE TRIE

TRÉSOR

TRÉSOR

rez-de-chaussée

Accès

N

REZ-DE-CHAUSSÉE
GROUND FLOOR

Première salle. — On y verra l'important ensemble de panneaux de stalles (début 16e s.) provenant probablement de l'abbaye de Jumièges en Normandie et décorés de scènes de la Vie de la Vierge. Citons aussi une Nativité, peinture de l'école de Van der Weiden (Flandre, 15e s.).

Deuxième salle. — L'objet le plus extraordinaire au centre de la pièce, est le célèbre Calice d'Antioche, en argent ciselé et doré : datant du 3e ou du 6e s., il est orné de grappes de raisin, de colombes et de petites figures du Christ et des Apôtres ; c'est sans doute le plus ancien que l'on connaisse. Un autre calice digne d'admiration est celui que son auteur a signé « Bertinus me fecit » et daté 1222. On se penchera aussi sur un grain de chapelet en orme dont l'intérieur, évidé, abrite une minuscule représentation de la Passion (Allemagne, 15e s.). Parmi les objets émaillés, relevons une colombe eucharistique (Limoges, 13e s.) et les Belles Heures du duc de Berry, manuscrit à miniatures du 15e s.

(D'après photo
Metropolitan
Museum)

L'ange de Reims.

Après avoir visité le trésor, on remonte à l'étage supérieur.

Premier étage (Main Floor)

Salle Boppard. — Cette salle tient son nom de la cité rhénane de Boppard en Allemagne d'où proviennent six vitraux (fin du 15e s.), jadis dans l'église des Carmélites de cette ville. On y voit aussi un beau retable en albâtre sculpté (art espagnol du 15e s.).

Galerie des tapisseries de la Licorne★★★. — Par leur finesse d'exécution, leur réalisme dans les expressions et les attitudes, leur précision dans les détails, leur harmonie dans les coloris, les tapisseries de la Licorne prennent place parmi les plus exceptionnelles de cette époque couvrant la fin du 15e s. et le début du 16e s. qui fût l'âge d'or de la tapisserie. On les classe dans les tapisseries « mille fleurs », ainsi nommées parce que les sujets se détachent sur des fonds semés de fleurettes.

La suite comprend sept pièces qui se trouvaient au château de Verteuil en Charente, propriété des La Rochefoucauld, lorsqu'elles furent achetées en 1920 par John D. Rockefeller Junior. Cinq d'entre elles, tendues au centre de la galerie, furent tissées en commémoration du mariage de Louis XII et d'Anne de Bretagne en 1499 ; les deux autres paraissent plus tardives et auraient été exécutées à l'occasion du mariage de François Ier et de Claude de France, fille d'Anne de Bretagne. L'ensemble relate une Chasse à la Licorne, la Licorne étant un animal fabuleux, à longue corne, dont le Moyen Age avait fait le symbole de la pureté.

Admirer la flore et la faune. Remarquer aussi sur les tentures les lettres AE, initiale et terminale d'Anne, lettres liées par la cordelière symbolique formant « lacs » (lacets) d'amour. Dans la 6e tapisserie, on apporte la Licorne au couple Louis XII-Anne de Bretagne.

Galerie des tapisseries de Burgos★★. — Deux grandes tapisseries y sont tendues. La première (en restauration) se trouvait à la cathédrale de Burgos et faisait partie d'une série de huit tissées à Bruxelles vers 1945 pour l'empereur Maximilien ; le thème en est la Nativité avec accompagnement de scènes et de figures symboliques.

La seconde évoque la Glorification du roi de France Charles VIII, à la suite de son avènement en 1483. Charles apparaît cinq fois, désigné par sa couronne ; on reconnaît aussi sa sœur, Anne de Beaujeu, et sa fiancée Marguerite d'Autriche. D'autres scènes, d'une iconographie compliquée, permettent de reconnaître Esther et Assuérus, l'empereur Auguste, les trois héros chrétiens Charlemagne, Godefroi de Bouillon, et Arthur, Adam et Eve, etc.

Chambre espagnole★★. — Cette chambre, qui doit son nom à son plafond provenant d'un palais espagnol, a été garnie d'objets domestiques médiévaux destinés à recréer l'atmosphère de l'époque : table et bancs, cathèdre, lustre et même une cage à oiseaux (France, 15e s.), la seule de cette époque qui soit conservée.

Au-dessus du coffre est placé le fameux **triptyque de Mérode★★★**, chefs d'œuvre de réalisme minutieux, acheté en 1964 aux princes de Mérode (Belgique). Le panneau principal évoque l'Annonciation avec un luxe de détails familiers, pleins de charme. Les volets montrent les donateurs à gauche, saint Joseph dans son atelier de charpentier à droite : dans cette dernière scène on remarquera avec amusement la souricière et on appréciera l'extrême minutie avec laquelle est rendue la place de ville à l'arrière-plan.

Galerie du gothique tardif★. — Cette vaste salle à laquelle on a voulu donner l'apparence d'un réfectoire est éclairée par quatre fenêtres du 15e s. provenant du couvent dominicain de Sens. Elle renferme d'insignes exemples de retables (panneaux d'autel) espagnols des 14e-15e s. en bois peint, sculpté et doré. Admirer les Trois Rois Mages (Allemagne) une Vierge à genoux d'une pure pureté de lignes (Italie).

Quitter le musée par les **arcades de Froville**, baies gothiques provenant d'un couvent bénédictin de Lorraine.

Les cloîtres sont généralement situés au Sud de la nef et à l'Ouest du transept de l'église.

St. Guilhem-le-Désert : abbaye bénédictine fondée en 804.

St. Michel-de-Cuxa : monastère bénédictin fondé en 878.

Bonnefont-en-Comminges : abbaye cistercienne fondée en 1136.

Trie : couvent détruit en 1571, pendant les guerres de religion.

Froville : prieuré bénédictin fondé en 1091.

Parcours : 1,5 km — Durée 1 h (sans la visite des musées).

Du musée de la Ville de New York au musée Juif, la 5ᵉ Avenue fait charnière entre les rues populaires de Harlem et les somptueuses demeures du quartier des milliardaires.

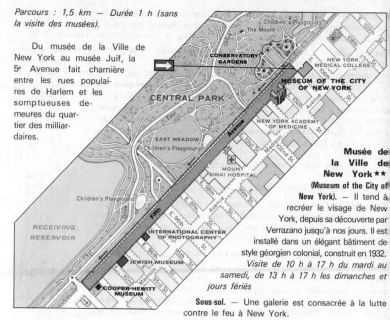

Musée de la Ville de New York ★★ (Museum of the City of New York). — Il tend à recréer le visage de New York, depuis sa découverte par Verrazano jusqu'à nos jours. Il est installé dans un élégant bâtiment de style géorgien colonial, construit en 1932.
Visite de 10 h à 17 h du mardi au samedi, de 13 h à 17 h les dimanches et jours fériés.

Sous-sol. — Une galerie est consacrée à la lutte contre le feu à New York.

Rez-de-chaussée. — Plusieurs plans et maquettes illustrent le développement de New York depuis le 17ᵉ s.

Une section particulière est consacrée à New York au temps des Hollandais. On y remarquera un plan-relief de la cité en 1660 et la reconstitution du fort de la Nouvelle-Amsterdam au centre d'une rotonde dont les parois peintes forment panorama.

La salle du fond à droite, nous raconte l'histoire de New York par le son et l'image. On y trouve des fragments du premier bateau, le Tigre, construit à New York, un omnibus et l'unique loge restante du Metropolitan Opera.

Premier étage. — A cet étage sont exposées une belle collection d'argenterie new-yorkaise ancienne et une série d'estampes et de peintures. Une section relate l'histoire du Stock Exchange *(voir p. 95)* au moyen de maquettes très évocatrices. L'autre, consacrée au port, expose les modèles réduits de navires depuis le 17ᵉ s.

Le décor intérieur des maisons d'autrefois revit dans les dioramas reconstituant une pièce de séjour à la hollandaise, un intérieur colonial anglais du 18ᵉ s. (chambre et salon), des salons en 1830, 1850, 1900.

Des costumes anciens portés par les premiers New-Yorkais sont également exposés.

Second étage. — Ces galeries concernent les jouets et maisons de poupée, les services de communication (radio), l'ameublement du 19ᵉ s. et une série de portraits. Des salles sont destinées à des expositions temporaires.

Quatrième étage. — On restera ébahi devant la chambre à coucher et le cabinet de toilette (1880) de John D. Rockefeller, provenant de sa demeure qui s'élevait au nᵒ 4 Ouest 54ᵉ Rue. Les boiseries du cabinet de toilette, incrustées de nacre, et le mobilier d'ébène à marqueterie de bois de rose retiendront l'attention.

Conservatory Gardens. — Formant enclave dans Central Park, ces jardins à la française, don de la famille Vanderbilt à la fin du siècle dernier, figurent parmi les endroits les plus agréables de New York pour leur tranquilité et l'harmonie de leur tracé. Une belle grille de fer forgé donne accès au parterre principal.

Face à la 106ᵉ Rue, se trouve le site de McGown's Pass, où les Américains ont temporairement stoppé l'avance des Anglais vers le Nord de Manhattan, le 15 septembre 1776.

Cooper-Hewitt Museum ★ (The Smithsonian Institution's National Museum of Design). — *Ouvert de 10 h (12 h le dimanche) à 17 h (21 h le mardi). Fermé le lundi. Entrée : 1,50 $; gratuit en nocturne le mardi.*

Ce musée des Arts décoratifs est aménagé dans la belle Carnegie Mansion, au 2 Est 91ᵉ Rue. Doté d'une bibliothèque et d'archives complétant l'information visuelle, il mérite le terme de « musée du travail ».

Ses collections concernent aussi bien les boiseries du 18ᵉ s. que les papiers peints panoramiques d'origine française, les céramiques (riches séries de porcelaines de Saxe), les verres et les grès, les tissus et les dentelles, les boutons et les cartons à chapeau. Les pièces les plus anciennes et sans doute les plus précieuses viennent de Chine (3ᵉ s. av. J.-C.) : un bonnet et une paire de mitaines en soie.

Parmi les objets mobiliers intéressants, signalons un ensemble de cages à oiseaux des 18ᵉ et 19ᵉ s. et de splendides pendules. La salle consacrée aux arts du métal, est dominée par un exceptionnel balcon en fer forgé (Angleterre, 18ᵉ s.). Parmi les dessins originaux d'architecture et de décoration du 15ᵉ au 20ᵉ s., noter les œuvres d'Américains tels que Frederich Church, Winslow Homer.

■ HARLEM★

Harlem forme, au sein de Manhattan, un monde à part. Là s'entasse à peu près la moitié des 2 millions de noirs que compte New York, le reste étant réparti dans West Side et à Brooklyn qui compte près de 400 000 noirs.

C'est le gouverneur hollandais Peter Stuyvesant (détails p. 85) qui fonda le village de Nieuw Harlem, dont l'église était située entre les actuelles 124e et 125e Rues, à l'Ouest de la 1re Avenue. Harlem avait alors un aspect campagnard caractérisé par un habitat de fermes coquettes et cossues, dispersées dans la verdure. Puis l'endroit devint résidentiel lorsque, dans la seconde moitié du 19e s., se construisirent d'élégants « cottages » alignés au long de larges artères bordées d'arbres; depuis 1830 la localité était reliée au centre de New York par bateau et par le Harlem Railroad dont la gare terminus se trouvait sur la 4e Avenue, entre la 26e et la 27e Rue. Des courses attelées faisaient fureur sur Harlem Lane, remplacées vers 1900 par la vogue des vélocipèdes.

Pendant et après la Première Guerre mondiale, les Noirs, attirés dans le Nord par des salaires plus élevés et une plus grande tolérance sociale, commencèrent à s'installer au Nord de Central Park où des spéculateurs avaient surexploité le « boom » de 1890 sur la construction.

Depuis bon nombre d'années, Harlem n'est plus ce lieu de gaieté et de plaisir que célébrèrent les voyageurs des années 20, tel Paul Morand ou Carl Van Vechten. Les fêtards ont cessé d'y terminer la nuit dans le bruit et l'alcool en fréquentant les « boîtes » du genre du célèbre « Cotton Club » où ils pouvaient écouter les grandes vedettes du jazz de l'époque, tels Duke Ellington ou Cab Calloway.

Aujourd'hui le Harlem noir s'étend approximativement de la 110e Rue à la 162e Rue jusqu'à Harlem River et de l'East River à Morningside Avenue. Ce quartier comprend quelques secteurs historiques comme le district St-Nicolas, surnommé Striver's Row (titre d'une pièce d'Abram Hill, fondateur de l'American Negro Theater), remarquable par l'alignement de ses belles maisons construites en 1891 sur les 138e et 139e Rues Ouest, entre les 7e et 8e Avenues. Cependant, sur les franges Est, au long de Park Avenue, c'est le « Spanish Harlem », habité en grande partie par les Portoricains. Près de la 116e Rue, de Lexington Avenue à l'East River et dans le voisinage d'Amsterdam Avenue, l'ancien « Italian Haarlem » est aussi occupé par des Portoricains.

Les artères les plus animées sont la 125e Rue, entre la 5e Avenue et Broadway et le long de la 116e Rue entre Park et Lexington Avenues (quartier à parcourir de jour). Plus au nord, Edgecombe Avenue, Hamilton Terrace et leurs parages sont habités par la bourgeoisie noire aisée.

Se renseigner avant de faire la visite de Harlem où les blancs peuvent ne pas être toujours les bienvenus. Cependant, à l'Ouest, du côté d'Edgecombe Avenue, l'accès à Morris-Jumel Mansion est toujours possible.

Visites guidées, s'adresser à Penny Sightseeing Company, 303 Ouest 42e Rue, ☎ 247-2860.

Park Avenue Market★. — Les centaines d'éventaires de cet immense marché, également appelé « la Marqueta », s'étendent de la 111e à la 116e Rue, à l'ombre des voies de chemins de fer de Grand Central, dans un quartier surpeuplé, bruyant et gai, à prédominance espagnole. Là, s'étale dans un désordre coloré une infinité de produits, des ustensiles de cuisine aux vêtements, de l'encens aux bijoux fantaisie, en passant par toute la gamme de légumes frais et de fruits exotiques, avocats, papayes, mangues, de viandes empilées et de poissons. L'ambiance rappelle les marchés d'autrefois. En été, sur les trottoirs, de petits orchestres de genre dispensent rumbas, mambos, merengues et guarachos. S'y rendre de préférence le matin.

Schomburg Center. — 103 Ouest 135e Rue. Ouvert du lundi au mercredi de 12 h à 20 h, du jeudi au samedi de 10 h à 18 h.

Consacrée à la civilisation noire, cette bibliothèque est unique au monde, aussi bien par sa quantité d'ouvrages que par la variété des sujets traités. De remarquables objets, œuvres d'artistes noirs, sont exposés : sculptures (bois, ivoire, métal), peintures et armes africaines. C'est le Portoricain, Arthur A. Schomburg (1874-1938) qui est à l'origine de cette collection.

Abyssinian Baptist Church. — 132e Ouest 138e Rue. Fondée en 1808, c'est la plus vieille église noire de la ville. L'édifice actuel, construit en 1923 par l'architecte noir Charles W. Botton, en pierre bleue de New York, révèle une façade Tudor et gothique. L'intérieur se présente sous la forme d'un vaste amphithéâtre, l'autel repose sur une estrade en marbre blanc. Dans une salle attenante (Rev. Adam C. Powell Memorial Room) est retracée la vie d'Adam Clayton Powell (1908-1972), ancien membre du Congrès et pasteur de l'église.

Hamilton Grange. — 287 Convent Avenue et 141e Rue. Fermée pour restauration.

OEuvre de l'architecte John McComb (voir p. 88) et bâtie en 1801-1802, cette maison de deux étages fut la résidence de campagne d'Alexander Hamilton et illustre le style fédéral. Déplacée de quelques centaines de mètres en 1889, elle a retrouvé son visage d'antan.

Morris-Jumel Mansion★. — Visite de 10 h à 16 h. Fermée le lundi. Entrée : 50 cents.

Situé dans le quartier noir résidentiel (160e Rue et Edgecombe Avenue), ce charmant manoir, jadis campagnard, est un des derniers vestiges de l'époque coloniale new-yorkaise. Il a été édifié en 1765 pour le colonel Morris, un « loyaliste », qui regagna l'Angleterre au début de la guerre d'Indépendance : Mount Morris était alors le nom du domaine.

En 1810, un riche négociant en vins d'origine française, **Étienne Jumel** (1754-1832), acquit le domaine pour sa femme et le restaura. Lors de la seconde abdication de Napoléon, les Jumel, qui venaient de débarquer à Rochefort à l'occasion d'un voyage en France, proposèrent à l'Empereur de le faire passer en Amérique sur leur bateau, l'Élise. Désireux de ne pas abandonner ses fidèles et encore confiant dans la magnanimité britannique, Napoléon repoussa cette offre, mais reconnaissant, fit présent aux Jumel de sa voiture et de sa malle de voyage.

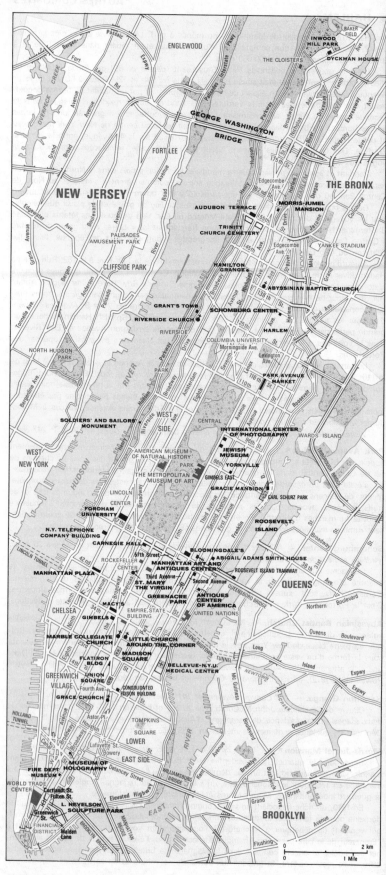

Entourée d'un jardin d'où se décou-vrent des vues plongeantes sur Harlem River, Moris-Jumel Mansion, découpe un îlot paisible dans Manhattan. C'est un édifice de style géorgien colonial, en briques, sur lesquels la colonnade et le fronton du portique d'entrée font une tache claire. L'harmo-nie des proportions a cependant été altérée au 19e s. par l'adjonction d'une aile.

(D'après photo Washington Headquarters Association)

Morris-Jumel Mansion.

A l'intérieur on a restitué, avec un goût très sûr, l'ameublement tel qu'il était au début du 19e s. Les pièces du premier étage sont les plus intéressan-tes avec la chambre Empire d'Aaron Burr *(voir aussi p. 96),* second mari de la riche et excentrique Mme Jumel, l'ancien cabinet de toilette aménagé en nursery, une cham-bre où sont exposés un lit et deux petits fauteuils ayant appartenu à Napoléon.

Morris-Jumel Mansion fut la résidence de George Washington durant la bataille des Harlem Heights. Des pièces rappellent cette époque : le bureau, le salon où il recevait ses conseillers militaires et la salle à manger dont il partageait la table avec son état-major.

ROOSEVELT ISLAND

Appelée autrefois **Welfare Island** (Ile de Bienfaisance) à cause de ses hôpitaux pour les pauvres, cette île étroite d'une superficie de 58 ha, s'allongeant sur 3 km dans l'East River, à 275 m de la côte de Manhattan, est reliée par un tramway aérien offrant de belles **vues** sur la rivière pendant les trois minutes de traversée. *La gare de l'« aerial tramway » est situé sur la 2e Avenue de la 60e Rue Est. Départ toutes les 15 mn, de 6 h à 14 h ; prix : 50 cents. A l'arrivée, un minibus gratuit dessert l'île. L'accès aux voitures est possible côté Queens par le Roosevelt Island Bridge, pont partant de la 36e Avenue et aboutissant au Motorgate Garage où laisser la voiture.*

La nouvelle communauté abrite 2 148 familles de toutes conditions sociales, des petits commerces, des écoles, des hôpitaux, des centres récréatifs. Parmi les curiosités de l'île, deux ont été restaurées : la chapelle du Bon Pasteur (**Chapel of the Good Shepherd**), élevée en 1889 et dont la cloche de bronze orne la plaza ; la **Blackwell Farm House**, datant de la guerre d'Indépen-dance, la plus ancienne ferme de New York.

Une promenade au bord de l'eau, de chaque côté de cette nouvelle cité pour piétons offre de jolis points de vue sur le trafic de la rivière et le profil de Manhattan.

MONUMENTS, ÉGLISES

Riverside Church et Grant's Tomb★★. — Au point le plus pittoresque de Riverside Park, agréable promenade regardant l'Hudson, voisinent Riverside Church et la tombe du président Ulysses Grant.

Riverside Church★ est à la fois un lieu de culte interconfessionnel d'inspiration protestante et un centre de culture populaire. De style « Gothic Revival » *(détails p. 33),* l'édifice, terminé dans les années 30, s'inspire de la cathédrale de Chartres ; John D. Rockefeller Junior contribua financièrement à la construction de la tour, haute de 120 m environ (« Clocher Neuf » de Char-tres : 115 m) et dont le carillon est riche de 74 cloches. *Visite de la tour de 9 h 30 (13 h le dimanche) à 16 h 30. Tarif : 25 cents.* Belle **vue** sur Manhattan.

Le portail principal, côté Riverside Drive, entre les 120e et 122e Rues, mérite qu'on s'y arrête : admirer des statues-colonnes représentant les prophètes de l'Ancien Testament et son tympan évoquant le Christ en Majesté entre les symboles des Évangélistes.

Franchir ce portail et pénétrer dans le narthex où ont été remontés quatre vitraux de la Vie du Christ exécutés au 16e s. pour la cathédrale de Bruges. Du narthex on accède à la nef, haute de 33 m, et qui peut accueillir 2 500 fidèles ; ses baies supérieures sont des copies de cel-les de la cathédrale de Chartres.

Le dallage du chœur dessine un labyrinthe rappelant la coutume observée par les fidèles du Moyen Age qui en suivaient à genoux les sinuosités par esprit de pénitence ; quant à la clôture de ce chœur elle est ornée de 80 figures d'hommes et de femmes qui illustrèrent, au cours de leur existence, les principes de la morale chrétienne : Luther, Milton, Lincoln, Pas-teur, etc. Dans l'église est exposée une Vierge à l'Enfant, par Sir Jacob Epstein, sculptée d'après une Indienne et son fils et, du même auteur, un Christ en majesté en métal rehaussé d'or.

Revenir au narthex où un passage mène à la chapelle du Christ, de style roman du 11e s. pour emprunter l'escalier qui descend au cloître. Dans une salle contiguë à celui-ci sont tendues deux belles tapisseries provenant de la cathédrale de Reims : l'une est tirée de la suite dite Histoire de Clovis » (Arras, 15e s.). l'autre décrit une fête (France, 16e s.).

Grant's Tomb★, nom familier pour le **General Grant National Memorial**, abrite la dépouille du général Grant (1822-1885) qui s'illustra dans les rangs des Nordistes durant la guerre de Séces-sion et fut président des États-Unis de 1868 à 1876. Précédé par une esplanade, le monument s'élève sur le côté Ouest de Riverside Drive, sur la colline dominant l'Hudson. Il a été com-mencé en 1891 et inauguré le 27 avril 1897, jour anniversaire de la naissance du général : 90 000 personnes contribuèrent à la souscription.

Extérieurement, l'édifice, en granit gris, se présente comme un pastiche de mausolée romain, haut de 48,76 m, que surmonte un dôme conique. Au fronton sont placées deux figures allégoriques de la Paix entre lesquelles est gravée la célèbre formule du général : « Let us have peace » (que la paix soit avec vous). Par un majestueux escalier flanqué de deux aigles, on accède au portique d'entrée.

L'intérieur *(visite de 8 h 30 à 16 h 30; fermé les lundis et mardis d'octobre à mars)*, aux parois revêtues de marbre blanc, est éclairé par les vitraux d'albâtre dispensant un demi-jour ambré qui contribue à accentuer l'ambiance solennelle du lieu. Au centre, une crypte circulaire, à l'image de celle qui abrite le tombeau de Napoléon aux Invalides, contient les sarcophages de porphyre dans lesquels gisent **Ulysses Grant** et sa femme. Dans deux salles attenantes sont exposés divers souvenirs de la guerre de Sécession et, dans des niches, les bustes de ses compagnons d'armes : Sherman, Sheridan, Thomas, Ord et McPherson.

(D'après photo éditions Sun, Paris)

Le mausolée du général Grant.

Soldiers' and Sailors' Monument. — *Riverside Drive et 89ᵉ Rue Ouest.* Dominant l'Hudson ce monument en marbre blanc au péristyle de douze colonnes corinthiennes, a été érigé en 1902 à la mémoire des victimes de la guerre de Sécession.

Grace Church. — *800 Broadway et 10ᵉ Rue Est.* Cette église épiscopalienne fut construite entre 1843 et 1846 dans le style « Gothic Revival » *(détails p. 33)* par James Renwick Jr. qui conçut par la suite les plans de la cathédrale St-Patrick. Dépendant à l'origine de Trinity Church *(voir p. 92),* c'est l'une des plus importantes paroisses de New York. En 1863, **Barnum** réussit à convaincre le recteur d'y célébrer le mariage de deux nains de son cirque, Charles S. Stratton plus connu sous le nom de Tom Thumb et Lavinia Warren. On notera l'acuité du profil de la flèche qui termine le clocher, flèche qui a reçu le surnom de « cure-dents de Renwick ». A gauche de l'église, devant le presbytère, il y a un jardin tracé en 1881.

Little Church around the Corner (Church of the Transfiguration). — Sur la 29ᵉ Rue, à peu de distance à l'Est de la 5ᵉ Avenue, la charmante « petite église au coin de la rue », précédée par un paisible jardin, paraît encore plus petite, comparée aux gratte-ciel voisins et surtout l'Empire State Building. Tout le quartier évoque les personnages créés par **Edith Wharton** (1862-1937) dans ses romans en particulier, l'Age de l'innocence.

Bâtie en grès rouge dans le milieu du 19ᵉ s., cette église épiscopalienne acquit son surnom en 1870. C'est cette année-là que le pasteur d'une église voisine refusa de célébrer le service funèbre d'un acteur, les comédiens étant alors tenus pour des suppôts de Satan et mis à l'index par certains clercs. Les amis du défunt décidèrent de tenter leur chance à la « petite église du coin de la rue » dont le pasteur passait pour être accommodant. Il le fut en effet et, depuis ce temps, les gens du spectacle, reconnaissants, accordent leur préférence à la paroisse qu'ils avaient en quelque sorte rebaptisée et qui, aujourd'hui, est devenue une des plus fréquentées pour les mariages.

L'église est construite dans ce style gothique anglo-saxon qu'on nomme campagnard (Cottage Gothic). Ses vitraux commémorent certains grands acteurs new-yorkais : on remarquera celui, dessiné en 1898 par La Farge, qui est consacré à Edwin Booth (p. 79) représenté dans Hamlet. Une chapelle a été aménagée en souvenir de l'acteur espagnol José-Maria Munoz; son vitrail est enrichi de diamants.

Au-dessus du maître-autel, retable de la Transfiguration, dessiné par F. Clark Withers.

Marble Collegiate Church. — Située 272, 5ᵉ Avenue, au coin de la 29ᵉ Rue, église importante de style Romanesque Revival (1854).

St. Mary the Virgin. — *139 Ouest 46ᵉ Rue.* Cette église épiscopale à la façade néo-gothique mérite une halte. A l'intérieur, remarquer dans le bas-côté gauche, une Vierge à l'Enfant, bas-relief en porcelaine d'un atelier florentin; dans la Lady Chapel, des peintures murales évoquant l'Annonciation et l'Épiphanie ainsi qu'une statuette du Christ en garçonnet; dans le baptistère, coiffant les fonts, un extraordinaire couvercle conique en bois sculpté avec ses 73 figurines; dans la Chapel of Our Lady of Mercy, le riche autel en marbre noir et une sculpture du 15ᵉ s. représentant la mort de St-Antoine.

■ HOPITAUX, BUILDINGS

Bellevue - N. Y. U. Medical Center★. — En bordure de l'East River, de la 23ᵉ à la 34ᵉ Rue s'étend un complexe hospitalier moderne formé de la Veterans Administration Hospital, du New York University Medical Center et du Bellevue Hospital.

Le **Medical Center,** dépendant de l'Université de New York, comprend six bâtiments, achevés en 1963, qui abritent l'Hôpital de l'Université, la Faculté de Médecine, un Institut de Réadaptation des handicapés physiques, un Institut de Physiologie, Chirurgie et Pathologie expérimentales, la Maison des Anciens Élèves (Alumni Hall) et une Résidence (Hall of Residence) où peuvent loger 300 inscrits à la Faculté.

A gauche est placé l'Hôpital qui se trouvait auparavant au n° 300 de la 20e Rue Est; son origine remonte à 1882. Il a joué un rôle prépondérant : première salle réservée aux bébés, premier service thérapeutique à utiliser les rayons X, premiers travaux sur la transfusion sanguine. Le bâtiment actuel, haut de 18 étages, contient 626 lits, 14 blocs opératoires; ses services de dermatologie et de cancérologie sont réputés.

La Faculté de Médecine, qui fut installée en 1841 et comptait alors 239 élèves pour 6 professeurs, reçoit maintenant 550 étudiants et 1 500 professeurs ou employés.

Elle a ses lettres de noblesse : c'est ainsi qu'en 1854, grâce à un de ses professeurs, le docteur Paine, fut voté le « Bone Bill » qui rendait légale la dissection des cadavres non réclamés; tout récemment, c'est en son sein que Jonas Salk et Robert Sabin découvraient les premiers vaccins contre la poliomyélite.

On peut pénétrer dans la Faculté de Médecine et dans Alumni Hall où est exposée une maquette de l'ensemble hospitalier.

Bellevue Hospital est né à la suite d'une épidémie de fièvre jaune qui emporta plus de 700 New-Yorkais durant l'été 1795. La municipalité acheta alors la propriété connue sous le nom de Bellevue, à 3 miles au Nord de la ville, sur les bord de l'East River, et y installa un pavillon de contagieux. Cependant l'hôpital même ne fut achevé qu'en 1826.

Les annales du Bellevue sont liées à l'histoire de la médecine américaine : en 1808 première ligature de l'artère fémorale par le docteur Hosack *(voir p. 38 et 143)*, premier service ambulancier en 1863, première école d'infirmières en 1873, premières étudiantes en médecine en 1888. Le processus de l'opération chirurgicale à cœur ouvert fut développé à Bellevue.

Le Bellevue a connu une récente transformation, les vieux bâtiments ont été abandonnés pour être remplacés par un complexe hospitalier moderne (25 étages, 4 400 chambres au total, plus de 1 000 lits à la disposition des malades) d'une conception nouvelle.

Manhattan Plaza. — Entre les 42e et 43e Rues Ouest, les 9e et 10e Avenues, cet ensemble à deux tours de 45 étages en brique rouge, encadrant un centre récréatif pour les résidents, comporte 1 688 appartements réservés pour la plupart aux gens de théâtre.

New York Telephone Company Building ★. — Situé 10e Avenue, entre les 53e et 54e Rues, cet élégant immeuble blanc a été terminé dans les années 1960. Il présente la particularité de ne comporter aucune baie, l'éclairage intérieur étant assuré par la lumière artificielle.

Fordham University à Lincoln Center. — *60e Rue et Columbus Avenue.* Fondée en 1841, Fordham University s'étale sur deux campus. Le premier est situé dans le Bronx à Rose Hall, le second plus récent (1968) voisine avec le Lincoln Arts Center sur un terrain de 2,8 ha. Droit, administration, éducation sont enseignés à un effectif de plus de 3 000 étudiants.

MUSÉES

Museum of Holography. — *11 Mercer Street. Visite du mercredi au dimanche de 12 h à 18 h (19 h le jeudi). Entrée : 1,50 $.*

Situé dans le district de Soho *(p. 86)*, ce musée présente des images en relief, appelées « holograms » qui sont obtenues grâce à un procédé de photographie au laser. L'illusion est telle que bien des spectateurs sont tentés d'avancer la main pour saisir les objets présentés. Dennis Gabor, prix Nobel en 1971, pour ses travaux sur l'holographie, est né à Budapest, en 1900.

Centre International de la photographie. — *1150 5e Avenue et 94e Rue. Ouvert du mardi au dimanche de 11 h à 17 h. Entrée : 1 $. Librairie.*

Installé dans un joli édifice du début du siècle, il expose des œuvres majeures de photographes et journalistes, il offre des spectacles audio-visuels et des programmes éducatifs.

Musée Juif ★ (Jewish Museum). — *1109 5e Avenue. Ouvert de 12 h à 17 h du lundi au jeudi, de 11 h à 18 h le dimanche. Fermé les vendredi, samedi et jours de fêtes juives. Entrée : 1,75 $. Nombreuses expositions d'art avec films et conférences.*

La collection permanente d'objets cultuels comprend une mosaïque persane du 16e s. provenant d'une synagogue, une coupe Kiddush en or du 17e s. et une arche du 12e s. abritant la « Torah », livre sacré qui est fait d'un rouleau de parchemin sur lequel figure la loi de Moïse. Textiles, pièces d'archéologie venant de Terre Sainte, monnaies hébraïques, art du 20e s., témoignent de la richesse de la tradition juive.

Audubon Terrace ★. — *Visite tous les jours, sauf lundi et jours fériés, de 13 h à 17 h.*

Sur Broadway, entre la 155e et la 156e Rue, plusieurs musées ou organismes culturels se groupent autour d'une cour à l'emplacement de la maison de campagne du naturaliste Audubon *(voir p. 109)* que celui-ci avait baptisée Minniesland. Les bâtiments actuels, bâtis au début du 20e s. dans le style de la Renaissance italienne, font contraste avec le quartier populaire qui les entoure.

Le **Museum of the Americain Indian ★★** *(visite de 13 h à 17 h; fermé les lundis, jours fériés et en août; entrée : 1$)* comprend trois étages entièrement consacrés aux Indiens d'Amérique.

Le rez-de-chaussée (First Floor) est réservé aux Indiens des forêts du Nord-Est, de la région des plaines, des grands lacs, et aux tribus du Sud-Est : ustensiles domestiques en bois, vannerie, vêtements, armes et objets rituels.

Le 1er étage (Second Floor) concerne les peuplades de la côte Nord-Ouest, Sud-Ouest et les Esquimaux. Une galerie voisine expose des objets de fouilles archéologiques de l'Amérique du Nord.

Au 2e étage (Third Floor), présentation de l'art précolombien et des civilisations Sud-américaines. Dans la section des Jivaros, réducteurs d'hommes et de têtes, sont exposés deux hommes réduits à la dimension de poupées, un explorateur et un Noir.

Complétée par une bibliothèque et un musée, l'**Hispanic Society of America** *(visite du mardi au samedi de 10 h à 16 h 30, le dimanche de 13 h à 16 h ; fermé le lundi),* offre un panorama de la civilisation hispanique depuis l'époque pré-romaine. On se bornera à parcourir la cour intérieure (portraits par Goya, Pietà sculptée du 16e s., gisants Renaissance, mobilier) et la galerie supérieure (faïences, peintures par le Greco, Vélasquez, Goya).

L'**American Numismatic Society ★** *(visite de 9 h à 16 h 30, le dimanche de 13 h à 16 h ; fermé le lundi ; sonner)* renferme deux salles aménagées de façon moderne : l'une d'elles, à droite de l'entrée, présente des médailles choisies spécialement pour leur intérêt historique ou artistique ; l'autre, à gauche, retrace l'histoire de la monnaie.

Le **National Institute** (1898) et l'**American Academy of Arts Letters** (1904) ont été fondés sur le modèle de l'Institut de France et de l'Académie Française. Ces sociétés ont fusionné en 1976, sous le nom de **American Academy and Institute of Arts Letters**. Les 250 membres ont été choisis parmi les artistes, écrivains et compositeurs les plus distingués.

Fire Department Museum. — *104 Duane Street. Visite de 9 h à 16 h. Fermé les samedis, dimanches et fêtes.*

La caserne des pompiers abrite un petit musée consacré à la lutte contre le feu à New York. Les trois niveaux exposent une grande richesse d'objets et d'engins : lances, casques, matériel roulant, trophées, etc. Le chien « Chief » fut même diplômé pour avoir sauvé... un chat lors d'un incendie.

Abigail Adams Smith House. — *421 Est 61e Rue. Visite du lundi au vendredi de 10 h à 16 h. Fermé les jours fériés. Entrée : 1 $.*

Elle fut construite en 1799, à l'origine comme remise sur la propriété du colonel Smith et de sa femme Abigail Adams, fille du Président John Adams. Alors que le manoir voisin brûla en 1826, la remise fut épargnée par les flammes. Transformée en hôtel par la suite et en maison particulière en 1833, la demeure fut restaurée en 1924. Aujourd'hui, la maison de style fédéral est entretenue comme musée par les Dames Coloniales d'Amérique qui y ont établi leur quartier général.

West Side *désigne la partie de Manhattan située à l'Ouest de la 5e Avenue.*
East Side *"* *la partie de Manhattan située à l'Est de la 5e Avenue.*
Downtown *"* *le Sud de Manhattan, (Bas de la ville).*
Midtown *"* *le centre de Manhattan, (Centre de la ville).*
Uptown *"* *le Nord de Manhattan, (Haut de la ville).*

■ GRANDS MAGASINS

Ils s'échelonnent surtout sur la 5e Avenue *(voir p. 47 à 55)* et la 34e Rue entre Lexington et le carrefour formé par l'Avenue of the Americas and Broadway (Herald Square) ainsi que sur Lexington Avenue.

Macy's. — *Ouvert également le dimanche de 12 h à 17 h.* A l'angle de la 34e Rue et de Broadway c'est le plus grand magasin du monde avec ses 184 000 m² de surface utilisable, ses 10 000 employés et ses 168 rayons. Macy's présente 400 000 articles comprenant l'habillement et l'ameublement. Le magasin propose également toutes sortes de services : optique, réparation en horlogerie et bijouterie, décoration d'appartement, nettoyage de tapis, pose de tentures et de tapisseries.

Pour aider les visiteurs étrangers, il y a des interprètes polyglottes.

La célèbre parade Macy's du Thanksgiving Day *(p. 19)* avec ses énormes baudruches qui défilent sur Broadway à la grande joie des petits et des grands : Donald le canard (18 m) et Popeye le marin (20 m) y voisinent avec un immense Père Noël.

Gimbels. — *Broadway et 33e Rue. Ouvert également le dimanche de 12 h à 17 h.* Fondé en 1910 ce magasin a 9 étages. Particulièrement bien fourni en linge de maison, équipement ménager et ameublement, Gimbels entretient quelques rayons spécialisés : confection, timbres-poste étrangers, pièces de monnaie. Il existe un bureau de poste et une succursale de l'American Express. Des spectacles et des informations d'actualité sont fréquemment donnés au public.

En 1972, Gimbels a ouvert un autre magasin, « Gimbels East », sur Lexington Avenue (angle 86e Rue). On y trouvera principalement articles de haute couture et cadeaux ainsi qu'une épicerie fine et une « école de cuisine ».

Bloomingdale's. — Sur le Lexington Avenue entre la 59e et la 60e Rue, Bloomingdale's offre une gamme très étendue de rayons et des articles de choix. Fondé en 1872, le magasin avait élu domicile au 938 3e Avenue dans l'East Side, quartier inhabituel alors. La construction du métro aérien de la 3e Rue ayant contribué largement à sa réussite, Bloomingdale's dut trouver un emplacement plus étendu trois blocs plus loin.

Aujourd'hui, ce « centenaire » s'organise sur plusieurs niveaux et répond parfaitement aux besoins du flâneur ou de l'acheteur. Habillement pour tous, restaurants gastronomique ou diététique et au 6e étage, « Le Train Bleu », reconstitution d'un wagon-restaurant du train Paris Monte-Carlo *(réservation ☎ 223-5100)* où l'on peut acheter tout ce qui est sur la table (vaisselle, nappes, garnitures) et où certaines fenêtres offrent une vue sur le pont Queensboro. Au rez-de-chaussée, la boutique Cul-de-Sac offre d'intéressants articles venant des quatre coins du monde. En entrant par la 3e Avenue, on verra une série d'horloges indiquant l'heure à New York, Paris, Rome, Londres, Tokyo et Rio de Janeiro.

▪ PROMENADES

George Washington Bridge ★★. — Le pont George Washington fut longtemps le plus long du monde : il relie la 179e Rue Ouest (Manhattan) à Fort Lee (New Jersey).

Conçu par **O. H. Ammann**, ingénieur américain d'origine suisse — qui est aussi l'auteur du pont Verrazano-Narrows — et par l'architecte Cass Gilbert, il a été ouvert à la circulation le 25 octobre 1931 et a coûté 59 millions de dollars. En 1959 l'accroissement constant du trafic obligea à ajouter un second tablier formant étage inférieur, inauguré en 1962 ; dans le même temps étaient aménagées les voies d'accès par le truchement d'« échangeurs » complexes.

Ouvrage gigantesque mais aux lignes pures, le pont George Washington, enjambe l'Hudson de son unique travée ayant une portée de 1 066 m de long.

Le sommet des pylônes porteurs s'élève à 184 m et les cables de soutien mesurent 90 cm de diamètre. Huit files de voitures peuvent circuler sur le tablier supérieur situé à 61 m au-dessus du niveau moyen du fleuve ; le tablier inférieur peut recevoir six files de voitures.

Le pont George Washington est à péage *(1,50 $, valable pour l'aller-retour)* : les recettes ont atteint près de 78 millions de dollars en 1977.

On aura la meilleure vue du pont George Washington en accomplissant la promenade autour de Manhattan en bateau *(voir p. 20)* ou en parcourant l'Henry Hudson Parkway qui longe le fleuve. Remarquer le petit phare rouge, chéri des enfants new-yorkais, à hauteur de la 178e Rue, au pied d'une des piles du pont et entouré d'un petit jardin.

Yorkville - Gracie Mansion ★. — De la 2e à la 3e Avenue, la 86e Rue est l'artère principale de Yorkville, quartier allemand de New York dont le nom vient d'un bourg implanté en cet endroit à la fin du 18e s. L'apparition de tours-logements et de grands magasins a quelque peu changé la physionomie du quartier. C'est à la fin du siècle suivant, après l'érection de l'elevated (métro aérien) en 1870, qu'une partie de la communauté allemande, qui vivait jusqu'alors à proximité de Tompkins Square, vient s'installer à Yorkville. Aujourd'hui encore, les brasseries, les charcuteries (Delikatessen), les cinémas donnant des films allemands distinguent ce secteur tout empreint de la netteté et de la correction germaniques.

A quelques pas, les restaurants viennois, hongrois ou tchèques rappellent l'atmosphère de l'Europe centrale au son de leur musique folklorique.

Gracie Mansion. — *On ne visite pas.* Situé au bords de l'East River, la première maison appartenant en 1770 à Jacob Walton, fut détruite par l'artillerie, en 1776. En 1798, Archibald Gracie fit reconstruire la propriété et lui donna son nom. Les Gracie y accueillirent de nombreuses personnalités telles que le président John Quincy Adams, Louis-Philippe d'Orléans, futur roi des Français, les écrivains Washington Irving et James Fenimore Cooper.

Située au sein d'un beau parc (**Carl Schurz Park**), Gracie Mansion est une agréable demeure de campagne à galeries extérieures de circulation qui, après avoir abrité le musée de la Ville de New York *(p. 118)* est maintenant la résidence du Maire. C'est en faisant le tour de Manhattan en bateau *(voir p. 20)* qu'on a la meilleure vue de cette curiosité.

Fulton Street. — Fulton Street qui réunissait l'Hudson à l'East River est maintenant limitée à l'Ouest par le World Trade Center. Au long de ses trottoirs étroits s'alignent des débits de boissons et restaurants. Fulton Street fut la première rue de Manhattan, avec Cortlandt Street, Wall Street et Beekman Street, à être éclairée par des becs de gaz (1830). Schermerhorn Row *(voir p. 100)* au pied de Fulton Street près du front de mer, conserve un certain nombre de maisons remontant à la première moitié du 19e s.

Près de l'East River, **Fulton Fish Market** fut, jusqu'à sa désaffectation en 1968, le plus important marché de poissons en gros sur la Côte Atlantique et, avant 1950, les bateaux de pêche y abordaient encore nombreux. Dès l'époque hollandaise il y avait dans le voisinage un marché de détail qui se spécialisa dans la vente des produits de la mer ; le bâtiment actuel date de 1880.

Cortland Street - Maiden Lane. — Cortland Street, située à proximité des docks de l'Hudson, fut, au 19e s., le domaine des cabarets et des hôtels plus ou moins borgnes. Aujourd'hui la rue est dévolue au commerce et devient très animée à la sortie des employés de bureau. Maiden Lane qui prolonge Cortland Street à l'Est a gardé quelques-uns des nombreux bijoutiers ou joailliers qui firent naguère sa fortune.

Au sud du World Trade Center, de nombreux restaurants ont ouvert sur Greenwich Street.

57e Rue. — La 57e Rue est une des rares voies transversales à ne pas être coupée par un parc ou un building ; cette artère élégante et animée a conservé quelques-uns des hôtels particuliers aristocratiques qui l'ornaient au début du siècle. Entre les 5e et 6e Avenues, on compte au moins trente galeries d'art.

Au coin de la 7e Avenue se trouve **Carnegie Hall** dont tous les amateurs de musique classique connaissent le nom. Bâti sous les auspices d'Andrew Carnegie, le roi de l'acier, Carnegie Hall a été inauguré en 1891 par un concert que dirigeait Tchaïkovsky ; la salle, qui contient 2 784 places, est renommée pour la perfection de son acoustique.

A l'est de la 5e Avenue, la 57e Rue abrite des maisons de décoration, des galeries d'art et les plus beaux magasins de New York pour l'ameublement, services de table et accessoires d'ornement.

Sur les **2e et 3e Avenues**, entre les 50e et 57e Rues sont installés de nombreux antiquaires et quelques marchands d'estampes. Au 1050 2e Avenue 56e Rue, se tient le **Manhattan Art and Antique Center** où une soixantaine de boutiques présentent des objets d'art (porcelaines, bijoux, meubles).

L'**Antiques Center of America** au 415 Est 53e Rue, groupe une centaine de boutiques d'antiquités et une foire à la brocante a lieu en permanence au rez-de-chaussée.

■ PARCS

Inwood Hill Park ★. — A l'extrémité Nord de Manhattan, Inwood Hill Park est séparé de Fort Tryon Park par un étranglement au creux duquel se nichent quelques immeubles résidentiels. Boisé et vallonné, avec des escarpements rocheux, il n'a guère changé depuis le temps où il se nommait Shora-Kapkok et où les Indiens se réfugiaient dans les cavernes qu'on y découvre çà et là. Pendant la guerre d'Indépendance, les troupes anglaises étaient cantonnées en ces lieux qui portaient le nom de Cox Hill. En semaine ses futaies sont fort solitaires et l'on évitera de s'y promener seul, mais le dimanche elles servent volontiers de cadre aux pique-niques des New-Yorkais.

Non loin du parc, au Nord-Est, le long de l'Harlem River, s'étend **Baker Field**, terrain de sports et de jeux de Columbia University *(voir p. 111)*.

A l'Est du parc, entre la 204e et la 207e Rue Ouest, **Dyckman House** *(ouverte tous les jours, de 10 h à 17 h sauf lundi)* est une ancienne ferme du 18e s. restaurée et pourvue d'un mobilier d'époque destiné à recréer l'ambiance du passé ; un petit jardin l'agrémente.

Greenacre Park. — *51e Rue entre les 2e et 3e Avenues.* Ceux qui recherchent une oasis de fraîcheur viennent goûter le calme de ce parc « de poche », loin de l'étouffement et des bruits de la rue.

Union Square. — Jadis théâtre d'importantes manifestations politiques, forum où s'assemblaient les citoyens, Union Square n'est plus qu'un carrefour animé et commerçant au point de jonction de Broadway, de Park Avenue South, de la 14e Rue et de la 17e Rue.

En 1836, Union Square, dont le centre était occupé par un jardin clos de grilles qu'on fermait au crépuscule, marquait, avec la 14e Rue, la limite Nord de la ville ; mais vingt ans plus tard, c'était un endroit aristocratique qui rivalisait de distinction avec Astor Place.

Le square était alors peuplé de nounous à rubans et de préceptrices françaises surveillant les enfants des grandes familles new-yorkaises. Puis au fur et à mesure de la croissance de la Cité vers le Nord, la haute société cédait la place à des salles de spectacles et à des établissements commerciaux, comme la joaillerie Tiffany, la librairie Brentano's, les restaurants Delmonico et Lüchow's. Enfin, de 1880 à 1930 environ, Union Square connaissait les grands rassemblements populaires, tel celui qui marqua, le 22 août 1927, l'exécution des anarchistes Sacco et Vanzetti à Boston. Dans la bagarre, plusieurs participants furent blessés.

Aujourd'hui le jardin du square présente deux intéressantes statues, l'une équestre représentant Washington, par Henri Kirke Brown, l'autre, en pied, de La Fayette, œuvre de Bartholdi, l'auteur de la statue de la Liberté. Sur Union Square, des concerts ont lieu en été, « Sweet Sounds in Union Square » *(de 12 h 30 à 13 h 30 les mercredis de mai à octobre)*.

Faire quelques pas dans la 14e Rue en direction de l'East River pour aller voir le **Consolidated Edison Building**, 4 Irving Place, siège de l'entreprise privée de services publics la plus importante du monde, qui alimente en vapeur, électricité et gaz la majeure partie de New York.

En face, au 110 Est 14e Rue se tient le plus vieux restaurant (1882) de New York, restauré en 1979, où l'on peut goûter à la cuisine allemande au son des valses viennoises : c'est le fameux **Lüchow's**.

Revenir à Park Avenue South, domaine de la librairie d'occasion et du livre rare.

Madison Square. — Comme Union Square, Madison Square fut d'abord une promenade quasi champêtre où, vers 1845, furent disputées les premières parties d'un jeu nouveau, le base-ball *(détails p. 130)*, sous les auspices de Knickerbocker Club. De 1853 à 1856 s'installa en ce lieu l'Hippodrome, sorte de cirque qui pouvait accueillir plus de 10 000 spectateurs. Plus tard, dans la seconde moitié du 19e s., ce fut un quartier résidentiel cossu, puis un centre commercial de luxe. Le Hoffman House Bar, orné de peintures, notamment par Bouguereau, y attirait une foule de gandins. De 1877 à 1884, un élément de la statue de la Liberté, le bras brandissant le flambeau, fut exposé sur la place.

Madison Square a donné son nom à l'illustre Madison Square Garden qui se trouve maintenant sur la 8e Avenue *(voir p. 101)*. C'était à la fin du 19e s. une salle de spectacles de 8 000 places construite à l'angle Nord-Est du square par Stanford White.

Aujourd'hui Madison Square forme un îlot de verdure dans Manhattan, animé mais quelque peu déchu de son ancienne splendeur.

A son extrémité Sud un curieux bâtiment de style Renaissance forme proue : c'est une des premiers grands gratte-ciel new-yorkais, le fameux **Flatiron ★** qui a gardé pour nom officiel son surnom de flat-iron (fer à repasser), haut de 87,16 m et dont les 20 étages ont été élevés en 1902 par l'architecte D.H. Burnham.

A l'angle Nord-Est de la 25e Rue, l'élégante façade corinthienne (1899) en marbre blanc de la Cour d'Appel suprême de l'Etat de New York est couronnée par les statues de figures allégoriques des grands législateurs du passé : celle de l'extrême droite, qui présentait Mahomet, a été retirée à la demande des musulmans de New York, le Prophète ne devant pas faire l'objet d'une représentation humaine. On pénétrera à l'intérieur de l'édifice pour considérer le vestibule dont les colonnes de marbre jaune supportent des plafonds dorés.

Toujours sur Madison Square mais plus au Nord se trouve le New York Life Insurance Building, bâtiment de style Louis XII pourvu d'impressionnantes gargouilles.

Louis Nevelson Sculpture Park. — Délimité par Maiden Lane, Liberty et William Strrets, l'ancien Legion Memorial Square porte le nom de l'auteur des sculptures abstraites en acier peint en noir et projetées dans l'espace.

Amateurs de peinture moderne, visitez le musée d'Art moderne (p. 42), le Whitney Museum (p. 55) et le Guggenheim Museum (p. 68).

AUTRES BOROUGHS

LE BRONX

    Seul « borough » de New York qui fasse partie du continent, le Bronx compte 1 385 351 habitants. Le nombre important de résidents originaires d'Europe centrale ou orientale a tendance à diminuer tandis que le nombre de Noirs et de Portoricains augmente. Sa partie Sud est à prédominance ouvrière, tandis que les quartiers Nord sont plutôt résidentiels. A l'Est s'étend le plus grand parc de New York, **Pelham Bay Park** (CXY), avec une plage de sable fin très fréquentée, Orchard Beach.

    Le Bronx soit son nom à un certain Johannes Bronck, un émigré danois, le premier colon qui se soit installé, dès 1639, au-delà de Harlem River. Mais son développement n'intervint qu'au cours de la seconde moitié du 19e s. autour du village de Morrisania (AZ) : celui-ci est devenu un quartier dont le centre se trouve aux abords de la 3e Avenue et de la 161e Rue. Le village fut ainsi nommé à cause de deux membres de la même famille : Lewis Morris, un des signataires de la Déclaration d'Indépendance et Gouverneur Morris, qui participa à l'élaboration de la Constitution.

    Le « borough » est relié à Manhattan par 12 ponts, dont 2 ferroviaires, et 6 tunnels de métro.

    Le Bronx a fait partie du Comté Westchester avant d'être incorporé à la Cité de New York, en 1898.

■ PRINCIPALES CURIOSITÉS

Bronx Zoo ★ ★ ★. — *Visite tous les jours de 10 h à 17 h (16 h 30 en hiver et 17 h 30 les dimanches et jours fériés). Entrée : gratuite les mardis, mercredis et jeudis; 1,50 $ les autres jours (enfants, 75 cents).*

    Accès par le « subway »; descendre à la East Tremont Ave (lignes 2 et 5) pour gagner Boston Road Entrance, l'entrée principale du Zoo, au Sud. Les automobilistes laisseront leur voiture au parking (1 $) dont l'entrée se trouve sur Southern Boulevard.

    Ce jardin zoologique, le plus grand du monde, a été établi dans Bronx, Park, lui-même aménagé à la fin du 19e s. à l'emplacement des « West Farms », propriété bordant Bronx River que jalonnaient alors de nombreux moulins, Sur 100 ha vivent 3 500 animaux appartenant à plus de 700 espèces : le visiteur les voit s'ébattre, pour la plupart, au-delà d'un simple fossé.

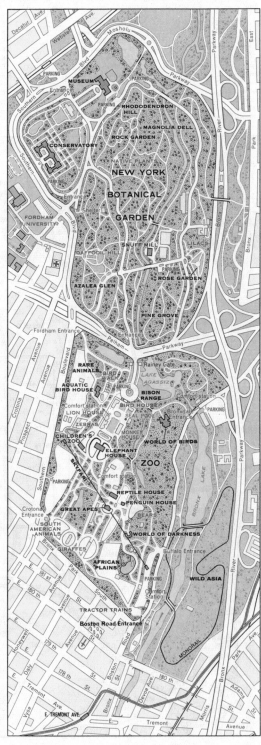

Visite. — Nous conseillons d'emprunter le petit train routier *(1 $; enfants : 60 cents)* qui permet de visiter le Zoo. Le téléphérique ou skyfari *(50 cents)* offre de belles vues sur le zoo. On pourra aussi rayonner en s'aidant du plan *(p. 127).*

Un train monorail, le Bengali Express *(en service à la belle saison; prix : 1 $, enfants : 50 cents)* traverse un terrain de 14 ha, accidenté et boisé, l'Asie sauvage (Wild Asia). Plus de 200 animaux rares et dangereux peuvent être observés dans un paysage proche de leur habitat.

Les pôles d'attraction sont le parc aux bisons d'Amérique et d'Europe (Bison Range), ces animaux étant devenus rares, la plaine africaine avec ses fauves d'Afrique « en liberté », la maison des reptiles; le pavillon des éléphants où se trouvent aussi rhinocéros et hippopotames; la maison des pingouins; le pavillon des oiseaux aquatiques (Aquatic Bird House);

THE BRONX

0 _____ 2 km
0 _____ 1 Mile

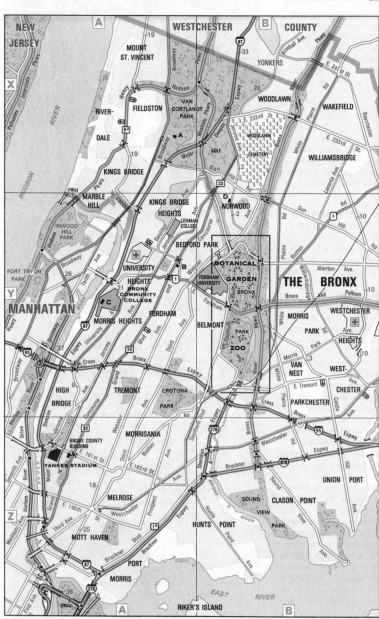

les installations pour les animaux nocturnes (World of Darkness, *10 cents*); le monde des oiseaux (World of Birds) où des centaines d'oiseaux exotiques vivent dans leur milieu naturel reconstitué; l'endroit réservé à trois espèces en voie de disparition : l'étrange cerf du Père David (du nom de celui qui l'a découvert) aux bois de cerf, sabots de vache, cou de chameau et queue d'âne et le cheval sauvage de Mongolie.

Les enfants, dans le Children's Zoo, pourront voir et même toucher des animaux plus sociables : lapins, chèvres, ânes et qui plus est d'inoffensifs serpents.

Le bassin des phoques (Sea Pool) et la maison des singes (Monkey House) attirent aussi beaucoup d'enfants; dans le pavillon des grands singes (Great Apes) on pourra apercevoir « l'animal le plus féroce du monde »...

Jardin botanique★★ (New York Botanical Garden).

Major Deegan Expwy	AZBX	
Melrose Ave.	AZ	18
Morris Park Ave.	BY	
Mosholu Pkwy	BX	
New England Thruway	CXY	
Prospect Ave.	BX	
Riverdale Ave.	AX	19
Sheridan Expwy	BZ	
Shore Rd	CY	
Sound View Ave.	BZ	
Southern Blvd	BYZ	
Third Ave.	AYZ	
Throgs Neck Expwy	CZ	
University Ave.	AY	
Van Cortlandt		
Park East	BX	20
Webster Ave.	ABYZ	
Westchester Ave.	AZCY	
W. Fordham Rd	AY	21
W. 230 th St.	AY	
White Plains Rd	BXY	
Williamsbridge Rd	BY	
Willis Ave.	AZ	25

MANHATTAN

Broadway	AY	
Dyckman St.	AY	26
First Ave.	AZ	
Harlem River Drive	AZ	
Harlem River Driveway	AY	
Henry Hudson Pkwy	AY	
Madison Ave.	AZ	
Seventh Ave.	AZ	
Tenth Ave.	AY	

WESTCHESTER

Bronx River Pkwy	BX	
Hutchinson River Pkwy	CX	
Kimball Ave.	BX	
N.Y. State (Dewey) Thruway	BX	33
Pelham Rd	CX	

BRIDGES

Bronx-Whitestone Bridge	CZ	
Throgs Neck Bridge	CZ	
Triborough Bridge	AZ	36
Washington Bridge	AY	37

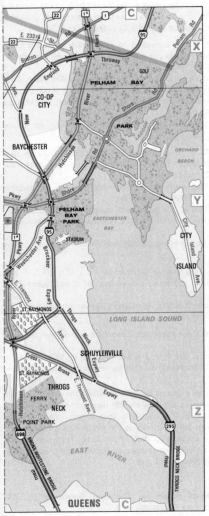

Visite de 8 h à 19 h de mai à septembre, de 10 h à 17 h le reste de l'année. Accès par le « subway ». Descendre à Bedford Park Blvd ou à la station 149 Street et 3 Avenue (lignes 2 ou 5) et continuer par le bus.

Un restaurant est installé dans un ancien moulin à tabac à priser (Snuff Mill) du 18e s. et situé dans un cadre agreste, sur les bords de Bronx River.

Le jardin botanique du Bronx couvre une surface à peu près égale (une centaine d'hectares) à celle du jardin zoologique voisin. Réalisé à partir de 1891, il offre plusieurs milliers de variétés de plantes et de fleurs à voir de préférence au moment de la floraison, mais en toutes saisons c'est une promenade agréable et instructive.

Parmi ses points d'attraction les plus courus, citons la colline des rhododendrons, le vallon des magnolias, le jardin de rocaille (Rock Garden), la combe des azalées, la pinède (Pine Grove), la roseraie avec 700 buissons représentant 400 espèces, etc.

Des parterres ou des massifs d'iris, de dahlias, de lis, de nénuphars, de lotus encadrent une immense serre qui porte le nom de celui qui permit de la restaurer en 1978 (**Enid A. Haupt Conservatory**), réservée aux plantes tropicales *(ouverte de 10 h à 16 h, fermée les lundis non fériés; entrée : 1,50 $, enfants : 0,75 $)*. Le musée *(ouvert de 10 h à 17 h)* abrite une bibliothèque, un herbier rassemblant trois millions d'espèces et une salle d'expositions relatives à l'écologie, la botanique, l'horticulture.

Yankee Stadium★ (AZ). — *Accès par le « subway » : descendre à 161 Street (lignes 4, D, CC).* Il est situé sur la 161e Rue et River Avenue. D'une capacité de 54 000 places, il est spécialement conçu et aménagé pour recevoir une multitude de spectateurs friands de manifestations sportives et d'attractions de qualité. Le Yankee Stadium, avec des escalators, une excellente visibilité, une cafétéria pour 500 personnes, un tableau de contrôle électronique, constitue le nœud vivant d'un vaste ensemble ultra-moderne, qui donne au quartier une dimension et une physionomie nouvelles.

On essaiera de se procurer des places pour un match important : même si l'on comprend mal les règles du football américain ou du base-ball, l'ambiance vaut le déplacement.

Yankees, Babe Ruth et consorts. — Le premier Yankee Stadium a été édifié en 1923 pour la fameuse équipe de base-ball, les Yankees. Y triomphait à cette époque le grand **Babe Ruth**, « batteur » incomparable qui, durant la saison de 1927, réussit 60 home-runs, record jamais égalé. Ruth était si populaire qu'à sa mort, en 1948, 100 000 personnes défilèrent devant son cercueil exposé dans la rotonde du Yankee Stadium. A l'intérieur du stade une plaque de bronze rappelle son souvenir ainsi que celui d'autres illustres joueurs ou dirigeants : Lou Gehrig, Mickey Mantel et Edward Grant Barrow. Signalons aussi que Joe Di Maggio, un temps mari de Marilyn Monroe, fut une des illustrations de l'équipe.

Au Yankee Stadium se produisent les Yankees durant les 81 matches de la saison officielle. Une fois l'an s'y déroule le Mayor's Trophy Game qui oppose les Yankees aux Mets *(p. 137)* en présence du maire de New York.

Le base-ball se joue par deux équipes de neuf joueurs répartis sur un terrain en losange dont chaque angle constitue une base.

La balle est lancée à un joueur, le « batteur », qui doit la renvoyer avec sa batte le plus loin possible, de préférence hors de portée des joueurs adverses. Ceci fait il se met aussitôt à courir à la 1re base puis, s'il le peut, aux suivantes avant que la balle ne soit récupérée par l'adversaire et renvoyée à la base qu'il essaie d'atteindre. Lorsqu'un joueur a fait le tour des 4 bases, son équipe marque 1 point. Le tour complet du losange effectué en une seule fois s'appelle un home-run.

Football et Giants. — En automne, le base-ball et les Yankees cèdent la place au football (sorte de rugby) et aux Giants « l'équipe sportive qui rapporte le plus d'argent ». Les Giants jouent soit sur le Yankee Stadium, soit sur le New Jersey Stadium à Hackensack, leur nouvelle demeure.

■ AUTRES CURIOSITÉS

Valentine-Varian House (BY D). — *3266 Brainbridge et 208e Rue Est. Ouverte le samedi de 10 h à 16 h et le dimanche de 13 h à 17 h. Entrée : 1 $. Accès par « subway » : descendre à la station Mosholu Parkway (ligne 4) ou 205 Street (ligne D).*

A l'origine, cette maison de pierres était située de l'autre côté de la rue. Le terrain, acquis en 1758 par Isaac Valentine, a été le théâtre de nombreuses escarmouches pendant la Révolution américaine. Il fut racheté en 1791 par Isaac Varian, un riche fermier qui devait devenir le 63e maire de New York. La demeure, sur son emplacement actuel depuis 1965, abrite le musée de l'histoire du Bronx (Museum of Bronx History) avec une importante collection de gravures, photographies, lithographies. C'est aussi le siège de la Bronx County Historical Society.

Poe Cottage (AY B). — *Visite de 10 h à 16 h le samedi et de 13 h à 17 h les autres jours. Fermé les lundis et mardis. Entrée : 50 cents. Accès par « subway » : descendre à la station Kingsbridge Road (lignes CC, D).*

Dans cette petite maison de bois construite en 1812, l'écrivain Edgar Allan Poe vécut, deux années (1846 à 1848) assombries par la mort de sa femme en 1847, atteinte de tuberculose. Il écrivit dans ce cottage loin des bruits de la ville le poème d'Annabel Lee. Il mourut à Baltimore en 1849, ravagé par l'alcoolisme ; il avait 40 ans.

A l'intérieur ont été rassemblés des souvenirs, manuscrits... de l'auteur de ces Contes extraordinaires qui fascinèrent Baudelaire.

Van Cortlandt House Museum★ (AX A). — *Broadway et 246e Rue Ouest. Visite de 10 h (14 h le dimanche) à 17 h. Entrée : 75 cents. Fermé le lundi et en février. Accès par « subway » : descendre à la station Van Cortlandt Park (ligne 1).*

A la corne Sud-Est du Van Cortlandt Park, cette demeure coloniale du 18e s. est parfaitement entretenue par les Dames Coloniales de l'Etat de New York.

Le mobilier intérieur a été reconstitué avec le plus grand soin ; dans les neuf pièces ouvertes au public, remarquer la « salle hollandaise », la cuisine et dans la nursery, une vieille maison de poupées.

Washington aurait couché et tenu conseil ici avant de faire une entrée triomphale à New York, en novembre 1783.

Bronx Museum of the Arts (AZ). — *Visite du lundi au vendredi de 9 h à 17 h (de 12 h 30 à 16 h 30 le dimanche). Accès par « subway » : descendre à la station 161 Street (lignes 4, D, CC).*

Situé dans la rotonde du Bronx County Building, le musée présente annuellement une dizaine d'expositions de genres artistiques différents.

Bronx Community College (AY). — *Accès par «subway», descendre à la station Burnside Avenue (ligne 4).*

Née autour de Washington Square *(voir p. 81)*, N.Y.U. y avait essaimé de 1891 à 1974. Le campus, d'un calme provincial, comprend 18 bâtiments perchés sur les hauteurs proches de la rivière de Harlem.

Hall of Fame (C). — *Ouvert de 9 h à 17 h.* Cette « Galerie de la Renommée » forme une sorte de colonnade évoquant un mausolée. Le monument a été érigé en 1901 dans le style Beaux-Arts, à la mémoire des hommes illustres des Etats-Unis. Les candidats sont sélectionnés pour leurs mérites les plus divers, 25 ans après leur mort, par un comité de 100 représentants éminents de tous les Etats de l'Union. Parmi ceux qui ont été ainsi honorés, citons James Fenimore Cooper, Edgar Allan Poe, Walt Whitman parmi les écrivains, Jean-Jacques Audubon pour les artistes, Ulysses Grant, Abraham Lincoln chez les hommes politiques.

Autres maisons historiques : maison natale de Théodore Roosevelt (p. 79); Old Merchant's House (p. 84); Dyckman House (p. 126).

BROOKLYN

Occupant l'extrémité Sud-Ouest de Long Island *(voir p. 145)*, Brooklyn (comté de Kings) s'étend sur 196 km² de l'East River à Coney Island et des « Narrows » à Jamaica Bay. Plus peuplé que Manhattan, avec 2 400 000 h., le « borough » est presque aussi ancien que son voisin et rival envers lequel les vieux Brooklynois, fiers de leur accent, de leurs traditions, de leur culture propre, affectent une certaine indifférence.

Un riche et long passé. — Fondé en 1636 par des colons hollandais, Brooklyn reçut le nom de Breukelen (Terre coupée), petite ville des environs d'Utrecht. Son emplacement se trouvait sur Wallabout Bay, à proximité des anciens chantiers navals de l'U.S. Navy.

Puis la ville s'étendit le long de la côte en direction de l'Ouest, en bordure des collines dites « Brooklyn Heights » alors couronnées de frondaisons. Au 18e s. un bac qu'empruntaient les fermiers de Long Island pour vendre leurs produits, la reliait à Manhattan. A la fin de ce même siècle c'était une cité résidentielle et aérée où nombre de riches New-Yorkais avaient leur maison de campagne. Un émigré français, Moreau de St-Méry, raconte que même alors de nombreux financiers se rendaient chaque jour à Wall Street. A cette époque la plupart des constructions étaient encore en bois.

En 1834, Brooklyn obtint le statut de cité indépendante ; elle comptait alors 30 000 âmes. Rattaché à New York, non sans lutte, en 1898. Brooklyn a annexé successivement plusieurs villages dont les noms servent encore à désigner ses différents quartiers.

Depuis 1883, date de l'achèvement du célèbre pont de Brooklyn, le « borough » est relié directement à Manhattan. Le pont de Williamsburgh en 1903, celui de Manhattan en 1909, sont venus s'y ajouter. Le premier « subway » desservant Brooklyn a été réalisé en 1905. Plus récemment le Brooklyn Battery Tunnel, terminé en 1950, et le pont Verrazano-Narrows *(voir p. 133)*, ont complété le système de communications de Brooklyn avec les îles voisines.

Un monde à part. — Bien que Brooklyn ne soit plus isolé et que d'innombrables Brooklynois aillent travailler tous les jours à Manhattan, le « borough » garde une personnalité que Bessie Smith a illustrée dans son livre « A Tree grows in Brooklyn ».

Nombreux sont d'ailleurs les écrivains qui ont séjourné à Brooklyn, en particulier dans le quartier de Brooklyn Heights, depuis Walt Whitman qui, en 1846, collaborait au Brooklyn Daily Eagle, jusqu'à Truman Capote en passant par Melville, Arthur Miller, Dos Passos, Thomas Wolfe, Norman Mailer...

La première impression que donne Brooklyn est l'immensité : près de 200 km² quadrillés d'un labyrinthe de rues et d'avenues s'allongeant à l'infini, bordées de maisons sans caractère construites pour la plupart à crédit, ce qui avait valu à Brooklyn le surnom de « ville en papier » ; il n'y a pratiquement pas de gratte-ciel si l'on excepte ceux du Municipal Center.

Sous cette apparente uniformité se cache la diversité des quartiers et des habitants : Brooklyn Heights, résidentiel et « Vieille Amérique », Williamsburgh, industriel et peuplé de juifs et Portoricains, Flatbush, avec ses élégantes demeures privées, Bedford-Stuyvesant dont les belles maisons abritent beaucoup de Noirs.

Le « borough » compte de nombreux groupes ethniques, des Noirs, des Italiens (le grand ténor Mario Lanza était un Italien de Brooklyn), les Israélites, des Grecs, des Polonais (les Dolly Sister's étaient filles d'un Polonais de Brooklyn), des Scandinaves et bon nombre d'Antillais.

■ PRINCIPALES CURIOSITÉS

Brooklyn Heights ★ ★. — Zone fortifiée pendant la Révolution américaine, Brooklyn Heights a été le quartier général de Washington pendant la bataille de Long Island. Ce quartier de Brooklyn édifié dans le milieu du 19e s. fait penser à une petite ville de province au calme reposant : de nombreux artistes et écrivains comme Thomas Wolfe, y ont élu domicile. Ses rues étroites aux hôtels particuliers cossus, en « brownstones » *(voir p. 33)*, sont souvent bordées d'arbres, grand luxe à New York ; plusieurs d'entre elles portent des noms de fruits ; d'autres des noms de vieilles familles brooklynoises.

Visite *(durée 1 h 1/2 – plan ci-contre).*

Partir de la station du « subway » Clark Street (lignes 2, 3) et suivre la rue du même nom en direction de l'East River. On passe devant l'hôtel St-George et on atteint la

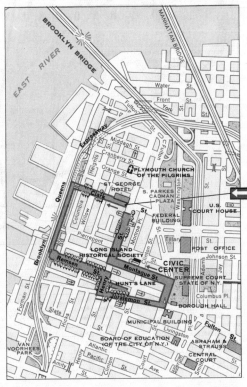

BROOKLYN

BROOKLYN
(KINGS)

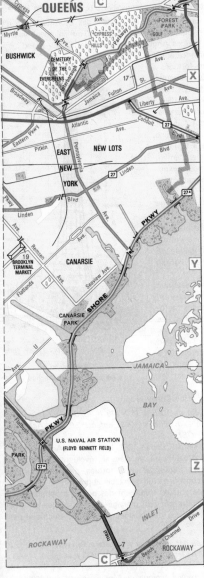

terrasse qui domine l'expressway et le port de Brooklyn : **vue★★★** magnifique sur Manhattan; le spectacle est impressionnant au crépuscule lorsque, au-delà de la rivière, s'allument les innombrables lumières des bureaux. En arrière de la terrasse s'alignent de charmantes villas avec leurs jardins miniatures. C'est le site approximatif du Fort Stirling, premier fort révolutionnaire construit sur Long Island et portant le nom du général américain, Lord Stirling.

Suivre la terrasse jusqu'à son extrémité et, là, prendre à gauche la Remsen Street qui débouche dans Henry Street où l'on tourne à droite. Tout de suite à gauche dans Henry Street débouche **Hunt's Lane**, ruelle pittoresque sur laquelle donne d'anciennes remises et écuries, transformées en habitations. Plus au Sud et vers l'Ouest, à l'angle Hicks Street et Joralemon Street, se tenait la résidence de campagne de Philip Livingston, l'un des signataires de la Déclaration d'Indépendance. On rapporte que le général Washington aurait réuni en ces lieux, le 29 août 1776, son état-major pour établir un plan d'évacuation de l'armée.

Par Joralemon Street, on gagne ensuite le Civic Center qui fait contraste avec le quartier résidentiel précédent, par la masse de ses buildings tels que le Borough Hall (ancien hôtel de ville) et la Poste Principale, de style « Romanesque Revival » *(p. 33)*. En descendant Fulton Street, on pourra faire quelques emplettes dans deux grands magasins : Abraham & Strauss et Martin's.

De là, on revient à Henry Street et à Clark Station par Montague Street, la rue commerçante de Brooklyn Heights, avec ses boutiques à deux étages.

Long Island Historical Society. — *Voir plan p. 131. Visite du mardi au samedi de 9 h à 17 h. Fermé en août.*

Au 128 Pierrepont Street (à l'angle de Clinton Street), the Long Island Historical Society se fait l'interprète de l'histoire de Brooklyn et de Long Island au moyen de livres, gravures, documents, films, etc. Également concerts et visites commentées.

Verrazano-Narrows Bridge★★★ **(AZ).** — Dessinant sa silhouette arachnéenne au-dessus des détroits, les célèbres « Narrows » qui donnent accès à la baie de New York, ce pont suspendu, le plus long du monde, relie Brooklyn à Staten Island. Il porte le nom de Giovanni da Verrazano, Italien d'origine et Français d'adoption, qui découvrit le site de New York *(p. 97)*: à l'entrée, un monument commémoratif a été érigé avec des pierres du château de Verrazano, en Toscane, et des galets de Dieppe.

Le pont Verrazano, réalisation de la Triborough Bridge and Tunnel Authority, fut inauguré le 21 novembre 1964.

Le pont, sous lequel peuvent passer les plus grands transatlantiques, comporte deux étages à six voies de circulation chacun mais il n'y a pas de passage pour piétons. Il est à péage *(1 $ par véhicule)* mais son utilisation économise distance et temps.

Shore Parkway ★★ (ACZ). — De Bay Ridge jusqu'au Queens et à l'aéroport Kennedy, cette route panoramique suit de près le rivage atlantique procurant des vues successives sur le pont Verrazano et Staten Island, l'aéroport militaire de l'U S Navy (US Naval Air Station), Rockaways et Jamaica Bay. Par une belle journée ensoleillée, l'éclat de lumière et le scintillement des flots s'allient à l'immensité des horizons et à la vivacité de l'air pour faire de cette promenade un dépaysement total par rapport à Manhattan pourtant si proche.

Coney Island ★★ (BZ). — *Accès par « subway » : descendre à Conay Island-Stillwell Avenue, ou West 8 Street, ou Ocean Parkway (lignes B, N, F, QB, M, D).*

Au Sud-Ouest de Brooklyn, cette presqu'île baignée par l'océan Atlantique, est une station balnéaire populaire et fréquentée qu'agrémentent de nombreuses attractions. Par les beaux dimanches d'été l'ambiance y est étonnante, quoique à déconseiller aux amateurs de calme.

Des lapins aux melons et des melons aux casquettes. — Du temps des Hollandais, il n'y avait qu'une île sablonneuse et peuplée uniquement de lapins, ce qui lui avait valu le le surnom de Konijn Eiland (île des lapins) que les Anglais traduisirent par Coney Island.

Dès 1830, les vastes plages de l'île commencèrent à être fréquentées, principalement par les gens fortunés : Coney Island s'enorgueillissait alors d'hôtels élégants, d'hippodromes, de casinos, salons de thé... Puis, vers 1880, la station se transforma en un lieu de divertissements à bon marché et la fréquentation changea. Les premières « montagnes russes », ayant fait leur apparition en 1884, furent complétées une dizaine d'années plus tard par une « grande roue » (« Ferris Wheel », du nom de son inventeur, l'ingénieur américain George W. G. Ferris qui la construisit pour l'exposition universelle de Chicago en 1893), et un manège de chevaux de bois.

En 1900, par un beau dimanche d'été, la plage comptait 100 000 personnes.

La station. — Coney Island est pouvue d'une plage de sable fin qui s'étire sur près de 7 km et d'une promenade de planches (Riegelmann Boardwalk) longue de 4 km , d'où l'on découvre une vue étendue sur l'océan qu'anime le passage des bateaux.

(D'après photo Nester's Map and Guide Corp., New York)

Coney Island.
L'ancienne tour à parachutes.

Mais la grande curiosité de Coney Island reste son parc d'attractions dans lequel « scenic railways », grand huit, grande roue rivalisent avec les trains fantômes, les spoutniks et les fusées interplanétaires, les manèges et les stands de tir. La vedette fut longtemps la **tour à parachutes,** haute de 75 m, érigée à l'occasion de la foire de New York de 1939-1940 : elle permettait à l'amateur de sensations fortes de descendre dans un fauteuil suspendu à un parachute que guidaient les câbles.

Chaque année, 50 millions de personnes visite Coney Island.

Le New York Aquarium ★★ (BZ). — *Visite en été de 10 h à 18 h (19 h les dimanches et jours fériés); samedis le reste de l'année de 10 h à 17 h. Entrée : 2 $; enfants : 0,75 $. Accès par « subway » : West 8 Street (lignes D, F, M, QB).*

A l'angle de la 8e Rue de Boardwalk, est installé, depuis 1957, le New York Aquarium jadis logé à la Battery *(voir p. 97)*. Dans les bassins extérieurs, en plein air, évoluent des phoques, éléphants de mer, morses, dauphins *(plusieurs shows par jour)*, tortues, pingouins dont les repas *(s'échelonnant de 10 h 30 à 16 h 30)* constituent un spectacle apprécié.

Dans les aquariums intérieurs, décorés de coraux, s'ébattent des poissons appartenant à plus de 200 espèces. Les requins y font apparemment bon ménage avec les maquereaux, les baleines blanches se laissent alimenter à la main par des plongeurs, l'anguille électrique peut émettre une décharge de 600 volts.

Brooklyn Museum ★★. — *Plan p. 135. Accès par « subway » : Eastern Parkway (lignes 2, 3, 4). Visite du mercredi au samedi de 10 h à 17 h; les dimanches de 11 h (13 h les jours fériés) à 17 h.*

Énorme bâtiment à péristyle et fronton, œuvre typique de McKim, Mead and White, le Brooklyn Museum recèle dans ses cinq étages des richesses encore trop ignorées.

Dans le Sculpture Garden (près du parc de stationnement, derrière le bâtiment) : linteaux, chapiteaux, frises et autres ornements sauvés de buildings en démolition. Le sol du jardin se compose de pavés et de briques venant des cinq boroughs de New York.

Rez-de-chaussée (First Floor) : arts primitifs. — Salles consacrées à l'Afrique (ravissantes statuettes en bois, masques et totems, bâtons de sorciers...), à l'Océanie, aux Indiens d'Amérique (parures précolombiennes en or), au Pérou (poteries en forme d'animaux).

1er étage (Second Floor) : Orient et Extrême-Orient. — Bel ensemble d'objets en bronze et en jade, porcelaines de Chine. Peintures et estampes japonaises et coréennes. Miniatures et sculptures. Tapis, céramiques, tissus du Moyen-Orient.

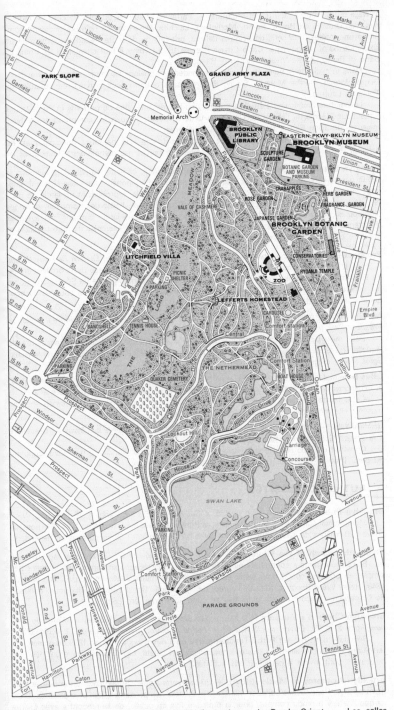

2e étage (Third Floor) : antiquités de la Méditerranée et du Proche-Orient. — Les salles égyptiennes sont particulièrement fournies et permettent d'étudier l'évolution de la civilisation du Nil : on admirera plus spécialement un très beau buste du roi Ptolémée, un sarcophage en granit rose datant de la 4e dynastie (2500 av. J.C.), un curieux sarcophage d'ibis sacré en bois doré et argenté, de gracieux bibelots en albâtre ou en pierre dure.

Quelques antiques grecs et romains (mosaïques, bijoux) et douze bas-reliefs assyriens provenant du palais d'Assurbanipal à Nimrud retiendront aussi l'attention.

3e étage (Fourth Floor) : mobilier, arts décoratifs et costumes. — Le principal attrait de cet étage vient d'une série de reconstitutions très bien faites d'intérieurs américains, depuis les époques hollandaise (17e s.) et anglaise (18e s.) jusqu'au milieu du 19e s. « parlors », « sitting-rooms », « dining-rooms » provenant aussi bien de maisons modestes que d'hôtels particuliers cossus. Des présentations de meubles, verreries, orfèvreries (terrine d'époque Empire par le grand orfèvre Auguste), étains, céramiques, émaux, complètent l'aménagement du département. Également exposition de costumes d'époque.

4ᵉ étage (Fifth Floor) : peinture et sculpture. — Parmi les sculptures on relèvera chez les modernes, des œuvres de Barye, Rodin, Modigliani, Lipchitz, Nevelson. La peinture ancienne comprend une intéressante série de peintres italiens, primitifs ou de la Renaissance : remarquer un splendide Saint Jacques par Carlo Crivelli (Venise 15ᵉ s.) ; mais il faut citer aussi les noms de Sano di Pietro, Alvise Vivarini, Maso di Banco.

Dans le cycle de la peinture européenne moderne, signalons les impressionnistes français : Degas, Monet, Berthe Morisot, Sisley, Pissarro, sans omettre deux œuvres remarquables de Toulouse-Lautrec.

La peinture américaine s'étudie à travers une intéressante série de portraits et de paysages romantiques (école de l'Hudson). Une importante collection d'aquarelles comprend des œuvres majeures de John Singer Sargent et Winslow Horner.

Dans le **Sculpture Garden**, jardin de sculptures (derrière le bâtiment principal près du parking), sont rassemblés des éléments d'architecture sauvés des démolitions d'immeubles.

Brooklyn Botanic Garden ★★ . — A l'Est de Prospect Park, ce jardin couvre vingt hectares et séduit par sa variété. Sa section la plus connue est le jardin japonais (Japanese Garden) aménagé autour d'une charmante pièce d'eau et le Ryoanji Temple, reproduisant un jardin de pierres, de Kyoto. On peut signaler aussi la roseraie (Rose Garden), l'allée des pommiers sauvages (crabapples), le jardin des herbes médicinales (Herb Garden), le jardin parfumé des aveugles (Fragrance Garden). Dans les serres sont conservés de nombreux exemples de flore tropicale et une rare collection de « bonsai » (arbres miniatures japonais).

Prospect Park ★ . — *Accès par le « subway » : descendre à la station Eastern Parkway (lignes 2, 3, 4).* L'entrée principale du parc se trouve sur Grand Army Plaza, place ovale ornée d'un arc de Triomphe à la mémoire des militaires nordistes morts pendant la guerre de Sécession et d'un monument dédié au président Kennedy. Cet harmonieux parc, aux pelouses coupées de bouquets d'arbres et de petits bois, s'étend sur plus de 210 ha.

Zoo ★ . — *Ouvert tous les jours de 11 h à 17 h. Accès par le « subway » : descendre à la station Prospect Park (lignes D, M, QB ou 5).*

Petit mais bien conçu, il s'ordonne autour d'une esplanade semi-circulaire au centre de laquelle un bassin offre asile à des otaries. A la périphérie s'alignent les pavillons des chameaux, tigres, lions, singes ainsi qu'une volière.

Leffers Homestead. – *Visite les mercredis, vendredis, samedis (sauf le 2ᵉ du mois, de novembre à mai), et dimanches de 13 h à 17 h. Fermé les jours fériés. Même station de métro que pour le Zoo.*

Cette ferme coloniale du 18ᵉ s. a été remontée dans le parc en 1918 et transformée en musée : elle renferme des meubles de l'époque coloniale.

Litchfield Villa. — *Visite du lundi au vendredi de 9 h à 17 h. Accès par le « subway » : descendre à la station Grand Army Plaza (lignes 2, 3, 4).*

Construit en 1855 ce manoir à l'italienne était la demeure de l'ancien propriétaire, donateur du parc. Il abrite maintenant les services administratifs du parc.

■ AUTRES CURIOSITÉS

Brooklyn Public Library. — *Plan p. 135. « Subway » : Eastern Parkway (lignes 2, 3, 4).*
Monumental édifice sur plan triangulaire, la Public Library a été achevée en 1941. Elle possède environ 10 millions de livres dont la quasi-totalité peut être prêtée ; 58 succursales en dépendent.

Plymouth Church of the Pilgrims. — *Plan p. 131. « Subway » : Clark Street (lignes 2, 3).*
Égise protestante « congregational », la Plymouth Church apparaît comme un bâtiment très simple, en briques, conçu pour servir surtout de lieu de réunion (Meetinghouse). Elle date de 1849. Henry Ward Beecher, frère de l'auteur de la Case de l'Oncle Tom, y milita pour l'abolition de l'esclavage ; Lincoln assista deux fois au culte, ici même, en 1860.

Brooklyn Children's Museum (BX M). — *145 Brooklyn Avenue. « Subway » : Kingston Avenue (ligne 2, 4, 5). Ouvert de 13 h à 17 h. Fermé le mardi. Renseignements, ☎ 7354432.*
Réinstallé dans Brower Park à l'endroit même où il ouvrit ses portes en 1899, le musée renferme des collections allant de l'histoire naturelle à l'art créatif. Les enfants trouveront des aires de jeux et sont invités à participer aux activités.

Brooklyn Academy of Music (BX A). — *30 Lafayette Street.* Située dans un imposant bâtiment de style Renaissance édifié en 1906, elle a accueilli des personnes, des plus célèbres. C'est ici que Stanley a rendu compte, pour la première fois en public, de sa rencontre avec Livingstone et qu'Enrico Caruso, le fameux ténor italien, a fait ses adieux à la scène. D'autres noms comme Arturo Toscanini, Isadora Duncan et Sarah Bernhardt restent liés à l'Académie. Centre culturel, la BAM offre chaque année une gamme étendue de programmes.

Park Slope. — *Plan p. 132.* A l'Ouest de Prospect Park, c'est l'un des plus beaux quartiers résidentiels de la ville. Avec ses rues larges bordées d'arbres, ponctuées de flèches d'églises et de maisons d'une hauteur uniforme, il illustre le Brooklyn du 19ᵉ s. Les demeures reflètent les tendances architecturales des années comprises entre la guerre de Sécession et la Première Guerre mondiale.

Fort Greene Park (BX). — Bordé au Nord par Myrtle Avenue et à l'Est par Washington Park, le parc est situé dans un quartier aux élégantes demeures du 19ᵉ s. L'impressionnant Monument des Martyrs , œuvre de Stanford White, a été érigé en hommage à ceux et celles qui ont donné leur vie pour la cause américaine, après avoir longtemps séjourné dans les bateaux-prisons britanniques, ancrés dans le Brooklyn Navy Yard d'aujourd'hui.

QUEENS

Queens, le plus vaste « borough » de New York, couvre une étendue de 290 km² soit à peu près le double de celle de Paris. Situé dans Long Island, à l'Est de Brooklyn, Queens s'étend de l'East River au Nord, à Jamaica au Sud. Il comporte une section populaire à l'Ouest autour de Long Island City et une aire résidentielle au Sud-Est du côté de Forest Hills ou de Jamaica.

Le nom Queens rappelle le souvenir de la reine d'Angleterre Catherine de Bragance, épouse de Charles II. Le « borough » a vu s'implanter deux aéroports, un champ de courses (Aqueduct Race Track, CZ) et deux stades (Shea Stadium, BX, pour le « football » et West Side Tennis Club of Forest Hills, BCY, où se déroulent les finales de coupe Davis pour le tennis).

■ CURIOSITÉS

Jamaica Bay Wildlife Refuge. — *Ouvert d'octobre à avril de 8 h à 16 h 30, le reste de l'année de 8 h à 18 h du lundi au vendredi, de 7 h à 19 h les samedis et dimanches. Accès par le « subway » (lignes A et CC), descendre à Broad Channel.*

Situé dans les îles de la **baie Jamaica** *(plan p. 25)* bordée à l'Est par Kennedy Airport, ce parc naturel, riche en oiseaux aquatiques et terrestres, la plupart migrateurs, est traversé en son milieu par le Cross Bay Boulevard, relié à Queens par des ponts.

Jamaica Arts Center (CZ). — *Ouvert de 10 h à 17 h. Fermé le dimanche. « Subway » : Parsons Boulevard (ligne E ou F).*

Centre culturel sur Jamaica Avenue, entre les 161e et 162e Rues, avec expositions artistiques, ateliers pour enfants et adultes, séances de cinéma et concerts.

Reformed Church of Newtown (BY). — 85-15 Broadway Elmshurst. *Ouverte du mardi au samedi de 9 h à 12 h.*

Église réformée néerlandaise fondée en 1731 et reconstruite en 1831 en style « Greek Revival » mêlé de Géorgien *(p. 33)*.

Flushing (CX). — Surtout connu de nos jours parce que c'est sur son territoire que se tiennent les grandes foires internationales (**World's Fair**) de New York, Flushing s'honore aussi d'un passé très ancien. En effet, il y avait, dès 1643, une petite agglomération portant le nom hollandais de Vlissingen, lequel se transforma plus tard en Flushing.

A partir de 1655, l'histoire locale fut illustrée par les **Quakers**, secte religieuse prônant un pacifisme total. Les Quakers furent souvent persécutés, notamment à Flushing même où leur chef, John Bowne résida quelque temps. Par la suite ils jouèrent un grand rôle dans la formation des États-Unis et l'un d'eux, William Penn, donna même son nom à l'État de Pennsylvanie. Le culte quaker, dépourvu de rites liturgiques, est pratiqué dans des édifices sans aucun ornement, les **Friends Meeting Houses** *(voir p. 79)* dont un spécimen de 1694 existe à Flushing, 137-16 Northern Boulevard près de Linden Place.

Au 137-15 Northern Boulevard, l'ancien hôtel de ville (**Town Hall**), construit en 1862 dans le style « Romanesque Revival » *(p. 33)*, a été restauré.

Bowne House (CX A). — *Visite les samedis et dimanches de 14 h 30 à 16 h 15. Accès par « subway », Main Street (ligne 7).*

Située 37-01 Bowne Street, entre les 37e et 38e Avenues, cette demeure date de 1661 dans ses parties les plus anciennes comme la cuisine à cheminée monumentale. Elle a été habitée jusqu'en 1946 par neuf générations de Bowne qui l'ont remaniée. Elle abrite un mobilier des 17e et 18e s., des étains, des peintures et des documents relatifs à l'histoire de Flushing.

Kingsland Homestead (CX D). — *Visite les samedis et dimanches de 14 h 30 à 16 h 30, le reste de la semaine de 11 h à 14 h. Fermé les lundis et jours fériés.*

Située dans Weeping Beech Park (Parsons Boulevard et 37e Avenue), cette vieille ferme de 1774 allie traditions hollandaise et anglaise, notamment par sa porte d'entrée et sa cheminée centrale. Des pièces avec du mobilier de style y ont été reconstituées.

Flushing Meadow Park (BCY). — Jadis marécage peuplé de canards, puis décharge publique, ce parc de 516 ha fut aménagé vers 1930 pour recevoir les foires de New York. De 1946 à 1949 l'Assemblée des Nations Unies y tint ses assises dans un bâtiment aujourd'hui détruit.

Le **Meadow Lake**, long de 1,2 km et large de 0,4 km, a été creusé à l'occasion de la foire de New York de 1939-40. De celle de 1964-65 subsistent le **Hall of Science** (B) qui abrite un musée de Science et Technologie, et l'**Unisphère** (C) (42 m de haut) composé d'un réseau d'acier figurant méridiens et parallèles et recouvert de plaques découpées représentant les continents.

Le **Queens Museum** (CY M) abrite une impressionnante maquette de New York avec ses cinq « boroughs », et présente sept expositions d'œuvres d'art par an. *Visite de 10 h (13 h le dimanche) à 17 h. Fermé les lundis et jours de fêtes.*

Au Nord de Flushing Meadow Park, **Shea Stadium** (BX) date aussi de la foire de 1964-65. Il est utilisé par les **New York Mets** et les **New York Jets**, fameuses équipes de base-ball et de football. Pouvant contenir 60 000 spectateurs, il est muni de 10 000 sièges sur rail, ce qui permet de modifier la configuration du terrain suivant le sport pratiqué.

John F. Kennedy International Airport★★ (CZ). — Aéroport le plus actif du monde, il couvre 2 000 ha (Orly, 1 530 ha; Charles de Gaulle à Roissy-en-France, 3 000 ha) à l'extrémité Sud-Est du Queens, le long de Jamaica Bay. Il assure surtout le trafic international mais aussi des vols intérieurs. C'est en 1942 que fut entreprise, à l'emplacement du golf d'Idlewild, la réalisation de ce complexe gigantesque, placé, à partir de 1947, sous l'égide du Port Authority of New York and New Jersey. Inauguré en 1948, le New York International Airport reçut son nom actuel en 1963, en hommage au président disparu.

Visite. — *Accès de Manhattan par les cars partant de East Side Terminal (4 $) ou par la ligne express de métro (JFK Express) partant de la 57e Rue et Avenue of Americas (de 6 h à 22 h) jusqu'à Howard Beach où des navettes (JFK Express buses) assurent la liaison avec l'aéroport.*

Central Terminal Area. — Cœur de l'aéroport, le Central Terminal comprend les aérogares, la tour de contrôle, les parcs de stationnement, trois chapelles et diverses installations. Nous décrivons ici les principaux bâtiments.

International Arrivals Building ★★. — Il a été conçu par l'équipe d'architectes Skidmore, Owings et Merrill. La partie centrale voûtée, est occupée par le hall d'arrivée. Les parties latérales sont réservées aux compagnies étrangères. Une plate-forme d'observation permet d'avoir une vue générale sur l'aéroport. La tour de contrôle contiguë de 11 étages, s'élève à 45,71 m au-dessus du sol.

A proximité de la tour, on aperçoit les trois lieux de culte du Terminal, respectivement destinés aux fidèles catholiques (N.-D.-des-Cieux), protestants, israélites (International Synagogue, avec un musée).

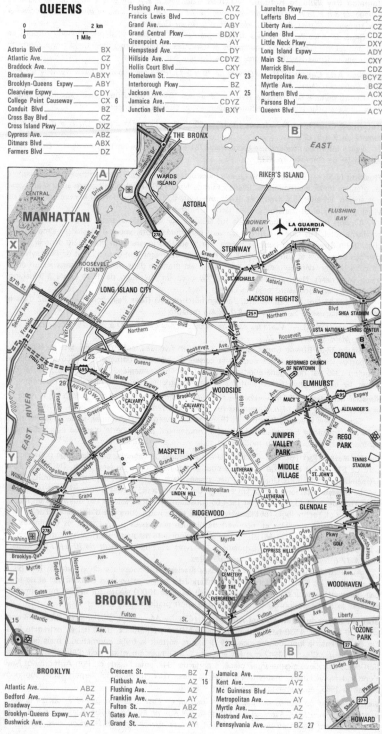

Pan Am Terminal ★★. — L'aérogare des Pan American Airways (1961) forme une sorte de parapluie renversé et ovale sous lequel les passagers sont à l'abri dès leur arrivée.

Le « Worldport » est une extension du parapluie, permettant de recevoir 16 avions à la fois dont 10 Boeing 747. Les visiteurs ayant accès au toit ont une vue sur les avions.

TWA Terminal ★★★. — Construit en 1962, cet édifice d'avant-garde constitue le chef-d'œuvre de l'architecte Eero Saarinen. Évoquant un grand oiseau aux ailes déployées, le bâtiment principal se compose de 4 voûtes en berceau qui s'interpénètrent et reposent sur 4 points.

Aéroport La Guardia (BX). Situé à 8 km de Manhattan, en bordure des baies Flushing et Bowery, **La Guardia Airport** fut établi en 1939, par son maire **Fiorello La Guardia** (1882-1947), surnommé par les New-Yorkais « la Petite Fleur ». En dépit de sa petite superficie (1/9e de celle de l'aéroport Kennedy), La Guardia est capable d'assurer la plupart des vols intérieurs.

Rockaway Blvd	BDZ	Woodhaven Blvd	BCYZ	**MANHATTAN**
Roosevelt Ave.	ACY	14th Ave.	CX	
Shore Pkwy	BZ	21st St.	AX	Franklin D. Roosevelt Drive — AXY
Southern Pkwy	CDZ	31st St.	AX	Second Ave. — AXY
Springfield Blvd	DYZ	46th St.	CX	57th St. — AX
Sunrise Hway	DZ	63rd Rd.	BY	
Sutphin Blvd	CZ	69th St.	BY	**NASSAU COUNTY**
Union Turnpike	CDY	94th St.	BX	
Utopia Pkwy	CXY	122nd St.	CX	North Hempstead Turnpike — DX
Van Wyck Expwy	CYZ	164th St.	CY	
Vernon Blvd	AXY	168th St.	CYZ	**BRIDGES AND TUNNELS**
Whitestone Expwy	CX	212th Pl.	DY	
Willets Point Blvd	CX	212th St.	DY	Bronx-Whitestone Bridge — CX 2
				Kosciuszko Bridge — AY
				Pulaski Bridge — AY 29
				Queensboro Bridge — AXY
				Queens-Midtown Tunnel — AY 30
				Throgs Neck Bridge — CX 33
				Triborough Bridge — AX
				Williamsburg Bridge — AY

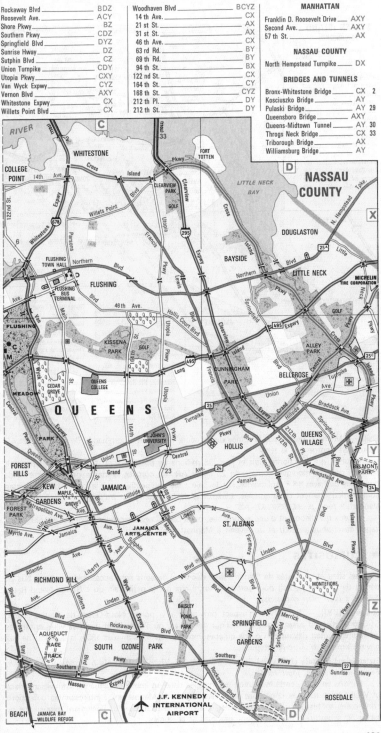

STATEN ISLAND

Cinquième « borough » de New York, encore relativement peu construit, à l'exception de St-George, son chef-lieu, Staten Island a conservé son caractère campagnard qui étonne à si peu de distance de Manhattan.

Peu accidentée, bien que possédant le point culminant de la Côte Atlantique des États-Unis, Todt Hill (120 m environ) (BY), l'île a été formée par la moraine frontale d'un glacier quaternaire. Elle s'étend sur environ 22 km de long et une douzaine de kilomètres dans sa plus grande largeur. Sur la côte Sud-Est se succèdent de vastes grèves dont la plus connue est South Beach *(baignade interdite)*. Des stations balnéaires sont en cours d'aménagement à Great Kills Harbor et Miller Field d'après les plans prévus par la Gateway National Recreation Area.

Staten Island tient son nom des États (Staten) Généraux hollandais tenus au 17e s. à la Haye. La population de Staten Island atteint 370 000 habitants parmi lesquels nombre d'Italiens d'origine, et aussi des familles installées ici depuis le 18e s.

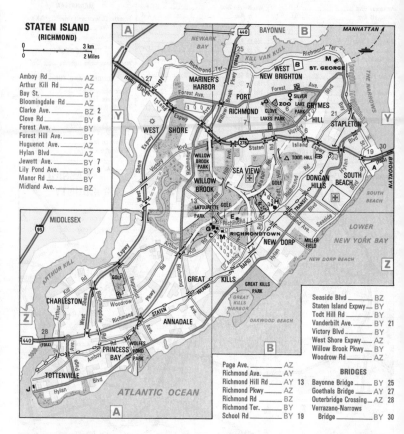

STATEN ISLAND
(RICHMOND)

Amboy Rd	AZ
Arthur Kill Rd	AZ
Bay St.	BY
Bloomingdale Rd	AZ
Clarke Ave.	BZ 2
Clove Rd	BY 6
Forest Ave.	BY
Forest Hill Ave.	BY
Huguenot Ave.	AZ
Hylan Blvd	AZ
Jewett Ave.	BY 7
Lily Pond Ave.	BY 9
Manor Rd	BY
Midland Ave.	BZ

Seaside Blvd	BZ
Staten Island Expwy	BY
Todt Hill Rd	BY
Vanderbilt Ave.	BY 21
Victory Blvd	BY
West Shore Expwy	AZ
Willow Brook Pkwy	BY
Woodrow Rd	AZ

Page Ave.	AZ
Richmond Ave.	AY
Richmond Hill Rd	AY 13
Richmond Pkwy	AZ
Richmond Rd	BZ
Richmond Ter.	BY
School Rd	BY 19

BRIDGES

Bayonne Bridge	BY 25
Goethals Bridge	AY 27
Outerbridge Crossing	AZ 28
Verrazano-Narrows Bridge	BY 30

Visite. — Même si on n'a pas le temps de parcourir l'île, il est recommandé de faire le trajet AR Battery-St-George par le ferry.

Celui-ci, qui fonctionne nuit et jour (18 millions de passagers et 700 000 voitures par an), permet, pour la modique somme de 25 cents AR, de côtoyer la statue de la Liberté et de découvrir des **vues ★★★** splendides sur la baie : les perspectives sur la pointe de Manhattan sont particulièrement remarquables. L'exploitation de ce ferry fut à l'origine de la fortune des Vanderbilt *(voir p. 74, 95, 143, 146)*.

A ceux qui disposent d'une automobile, nous conseillons d'accéder à l'île par le pont Verrazano *(description p. 133)* et de revenir à Manhattan par le ferry.

■ CURIOSITÉS

Les sites et curiosités de Staten Island décrits ci-dessous sont accessibles, soit par bus au départ de St-George, soit pour certains d'entre eux par le petit train du « Staten Island Rapid Transit » *(voir plan ci-dessus)*.

St-George (BY). — Petite ville d'aspect provincial à la pointe Nord-Ouest de Staten Island, St-George s'étend assez avant à l'intérieur des terres, où s'éparpillent de jolies villas entourées de jardins. C'était devant St-George qu'était imposée, dans les années 1850, la quarantaine aux navires arrivant d'outre-Atlantique.

Staten Island Institute of Arts and Sciences (BY M). — *Visite de 10 h (14 h le dimanche) à 17 h. Fermé les lundis et jours fériés.*

Fondée en 1881, cette institution est installée dans un immeuble situé sur Stuyvesant Place et Wall Street (ne pas confondre avec Wall Street de Manhattan) : intéressantes collections consacrées à l'histoire de l'île, sa géologie, sa flore, sa faune, etc. Également expositions de tableaux, sculptures, meubles, photographies et costumes

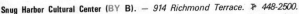

Snug Harbor Cultural Center (BY B). — *914 Richmond Terrace.* ℡ *448-2500.*

Cette ancienne maison de retraite pour marins, établie en 1801, comprend 26 bâtiments dont certains de style Greek Revival *(p. 33)* où à l'italienne, répartis sur 32 ha, et abritant un centre culturel (galerie d'art, musée pour enfants...).

Staten Island Zoo ★ (BY). — *Visite tous les jours de 10 h à 16 h 45. Entrée : 75 cents (enfants : 50 cents) du vendredi au dimanche. Zoo pour enfants (Children's Zoo).*

Aménagé dans Barrett Park, ce jardin zoologique n'est pas grand mais ne manque pas d'attrait ; son inauguration date de 1936. Il possède une **collection de serpents et de reptiles** dont la renommée est mondiale, surpassant celle du Bronx Zoo dans ce domaine.

Fort Wadsworth (BY A). — *Visite de 13 h (10 h le samedi) à 16 h. Fermé les mardis, mercredis et jours fériés.*

La petite maison fortifiée, construite par les Hollandais pour se protéger des Indiens, connut bien des transformations avec l'arrivée des Anglais, avant de devenir un véritable bastion vers 1812.

Aujourd'hui, Fort Wadsworth est la plus vieille installation militaire des États-Unis, encore occupée par l'armée. Le site est verdoyant et offre une **vue ★** splendide sur l'entrée du port de New York. Le musée retrace l'histoire du fort de 1663 à nos jours, et contient une importante collection d'insignes, uniformes, armes, etc.

Jacques Marchais Center of Tibetan Art (BZ E). — *338 Lighthouse Avenue. Visite de juin à fin août, les jeudis, vendredis, samedis et dimanches de 13 h à 17 h. Entrée : 1 $.*

Perché sur Lighthouse Hill dans des jardins enchanteurs, le musée renferme des collections artistiques liées à la culture, à la religion et à la science des mythes du Tibet, de la Chine ou de l'Inde. La bibliothèque, au mobilier chinois, conserve d'importants ouvrages sur le Tibet, le bouddhisme, les arts asiatiques, les parfums, etc.

High Rock Park Conservation Center (BY F). — *Ouvert de 9 h à 17 h.*

Forêt, à l'extrémité de Nevada Avenue, High Rock Park est préservé dans son état naturel. Le terrain varié, la flore, la faune rendent l'endroit particulièrement accueillant. Des programmes culturels sur l'environnement y sont organisés.

Richmondtown Restoration ★ (BZ). — Remis en valeur durant ces dernières années, ce petit village appelé Cocklestown en 1700 puis **Richmondtown** après la guerre d'Indépendance, dissémine ses coquettes demeures du 17ᵉ au 19ᵉ s. dans un voyage agreste, en lisière du parc Latourette, partiellement aménagé en golf.

Voorlezer House (C). — *63 Arthur Kill Road.* Construite par les Hollandais à la fin du 17ᵉ s., cette maison a été utilisée à l'origine comme église et comme école paroissiale. Son nom provient du mot « voorleezer » qui, en Néerlandais, signifie lecteur (des Saintes Écritures). Les voorlezers, enseignants laïques, habitaient l'école.

Staten Island Historical Society Museum (M). — *302 Center Street. Visite de 10 h à 17 h du mardi au samedi ; de 14 h à 17 h le dimanche. Entrée : 50 cents. Un billet combiné (1 $) permet en outre de visiter quelques maisons restaurées.*

Installé dans un bâtiment dont quelques parties remontent au milieu du 19ᵉ s., il rassemble documents et objets relatifs au passé de Staten Island : costumes, céramiques, outils d'artisans, reconstitution de boutiques... Section spéciale pour les enfants.

Treasure House (C). — Il s'agit d'une ancienne tannerie qui fut établie au début du 18ᵉ s. par un protestant français émigré. Elle tient son nom de la découverte d'un trésor dissimulé dans le mur : 7 000 dollars en or.

Church of St-Andrew (G). — Son origine remonte à 1713, mais elle a été reconstruite deux fois, la seconde dans le style « Gothic Revival ».

Moravian Cemetery (BY H). — Ce cimetière paisible, qui ressemble à un jardin, dépend d'une église des Frères Moraves, secte fondée au 15ᵉ s. en Bohême (Moravie) : ralliés au protestantisme durant le 17ᵉ s. les Frères Moraves professent une doctrine austère, basée sur la stricte observation des préceptes de la Bible.

A l'entrée, l'église a été reconstruite en 1845 et embellie par la famille Vanderbilt dont un des membres adhéra à la secte au 17ᵉ s. Dans le cimetière, on repérera des tombes remontant au 18ᵉ s. ; un mausolée, qui aurait coûté près d'un million de dollars, est dédié à la mémoire des Vanderbilt.

Conference House (AZ J). — *Visite de 13 h à 16 h (17 h en été). Entrée : 50 cents.*

A l'extrême pointe Sud-Ouest de Staten Island, Conference House est ainsi nommée parce que s'y déroulèrent en 1776, après la bataille de Long Island, des négociations entre Anglais et Américains, parmi ces derniers John Adams et Benjamin Franklin.

Le manoir, qui remonte au 17ᵉ s., a été restauré. A l'intérieur, meublé dans le style colonial, on peut voir des souvenirs de Benjamin Franklin.

Aux États-Unis les routes à très grand trafic (autoroutes) sont désignées, entre autres, par les appellations suivantes :

Highway	Parkway
Expressway	Thruway
Freeway	Turnpike

Le plus souvent elles sont à péage.

La vitesse autorisée sur la plupart d'entre elles est supérieure à celle qui est permise sur les autres routes.

ENVIRONS DE NEW YORK

La renommée de New York a quelque peu nui à la connaissance de ses environs que le touriste de passage a tendance à négliger. Et cependant ils offrent un air vivifiant et des paysages particulièrement variés, montagnes et forêts, vallées et lacs, îles et plages, forts et maisons historiques, églises et chapelles, que les New-Yorkais apprécient fort : les luxueuses propriétés de milliardaires à Long Island et au Westchester en témoignent, comme les innombrables cottages coquettement peints en blanc des « commuters » (banlieusards).

Par ailleurs l'équipement touristique de la région est très complet avec un réseau serré de routes et d'autoroutes, parmi lesquelles il faut mettre à part les autoroutes pittoresques, dites « Parkways », de nombreux hôtels et motels souvent accompagnés de piscines et une gamme étendue de distractions sportives comprenant golf, yachting et canotage, équitation, pêche à la ligne, ski, etc. qui en font un pays rêvé pour les week-ends ou les vacances.

Pour rester dans le cadre de ce guide, consacré essentiellement à New York, nous décrivons seulement ici, au départ de la grande cité, quelques promenades classiques qu'un automobiliste peut faire durant le week-end ou en une journée. Il va de soi que des excursions plus lointaines sont possibles, qui auraient pour but les chutes du Niagara, Catskill Park et Adirondack Park, Albany, Saratoga et New Haven.

■ VALLÉE DE L'HUDSON ★★★
(The Hudson River Valley)

Fleuve majestueux, qui fut une des grandes voies de pénétration des États-Unis en direction du St-Laurent et des Grands Lacs, l'Hudson coule entre les pentes rocheuses et boisées qui lui font un cadre romantique, parfois même grandiose.

Il a été célébré par les écrivains et surtout, au milieu du 19e s., par les peintres de l'école de l'Hudson (Thomas Cole, Kensett).

Long de près de 500 km, l'Hudson descend les monts Adirondacks situés à l'Ouest du lac Champlain. Navigable en aval d'Albany, il est relié aux Grands Lacs par le **canal Erié** qui met en communication Albany, capitale de l'État de New York, et Buffalo (sur le lac Érié, près du Niagara).

CIRCUIT AU DÉPART DE NEW YORK *167 miles (268 km) en auto AR — deux jours*

Nous ne traitons ici que du cours inférieur de l'Hudson qu'il faut longer de préférence à l'automne, lorsque « l'été indien » couvre d'or le manteau de forêts dévalant jusqu'au fleuve. Si l'excursion est faite en une journée seulement, nous conseillons de remonter la vallée par la rive Est et de revenir par la rive Ouest afin d'éviter d'avoir la lumière à contre-jour.

Croisière sur l'Hudson River.
— Remontée de la rivière jusqu'à Poughkeepsie en passant par Bear Mountain et West Point. *Embarquement quai 81, au pied de la 41e Rue Ouest. Départ à 10 h, retour à 19 h. Prix : 7,50 $ (8,50 $ les samedis et dimanches). Day Line, ☎ (212) 279.51.51.*

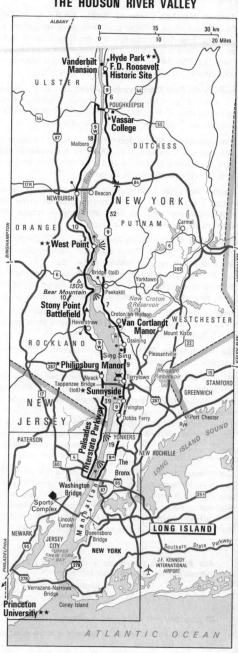

THE HUDSON RIVER VALLEY

Villes et curiosités

La route US n° 9 à l'aller et l'US n° 9 W au retour procurent de fréquentes échappées et perspectives plongeantes sur le fleuve.

Quitter New York par le Henry Hudson Parkway prolongé par le Saw Mill River Parkway. Celui-ci traverse Van Cortland Park et Yonkers : nous sommes dans le Westchester.

Passé Yonkers, tourner à gauche sur la route US n° 9 pour gagner Dobbs Ferry. Au-delà d'Irvington un chemin à gauche, permet d'atteindre Sunnyside au niveau de l'Hudson.

Sunnyside ★ . – *Visite tous les jours de 10 h à 17 h. Fermé le Thanksgiving Day, le 25 décembre et le 1ᵉʳ Janvier. Entrée 3 $; 5,25 $ avec Philisburg Manor; 7,50 $ avec les deux Manors suivants.*

Propriété de l'écrivain **Washington Irving** (1783-1859), humoriste et érudit, qui y vécut les 25 dernières années de sa vie, Sunnyside, rebâtie par Irving, offre une architecture assez disparate mais non sans charme. Elle contient de nombreux meubles et souvenirs de l'auteur de la Knickerbocker History of New York.

Le domaine de Sunnyside s'étend le long de la rive orientale de l'Hudson, et ses 8 ha ont été aménagés dans le style paysager du 19ᵉ s.

Philisburg Manor ★ . – *Mêmes horaires et tarifs que pour Sunnyside.*

Importante minoterie au bord de la rivière, au 18ᵉ s., le **manoir de Philisburg** n'a pas changé. Le moulin à eau broie toujours du blé et la demeure de pierre, construite en 1680 par Frederick Philipse, fondateur de l'entreprise commerciale et familiale, possède un mobilier de l'époque. Remarquer aussi la grange (1750) et le chêne géant.

Continuer l'US n° 9 qui passe à Ossining où est établi le pénitencier de **Sing-Sing** (officiellement Ossining Correctional Facility). Quitter l'autoroute après un pont important sur le Croton pour atteindre Van Cortlandt Manor.

Van Cortlandt Manor. – *Mêmes conditions de visite que pour Sunnyside.*

Ce manoir, résidence des Van Cortlandt pendant 260 années, apparaît tel qu'il était pendant la guerre d'Indépendance (1775-1783). Le propriétaire d'alors était Pierre Van Cortlandt, patriote et 1ᵉʳ lieutenant-gouverneur de l'État de New York qui exerçait son pouvoir sur 34 400 ha. Le manoir abrite le mobilier familial avec des peintures et des étains. L'ensemble des bâtiments dont la Ferry House, les prairies et les jardins recréent l'ambiance 18ᵉ s. de la vallée.

Franklin, La Fayette, Rochambeau séjournèrent en ces lieux.

Poursuivons toujours l'US n° 9 qui, après le comté de Putnam, pénètre dans celui de Dutchess, campagne aristocratique où beaucoup de riches New-Yorkais avaient, ou ont encore, leur gentilhommière. L'émigré français Févret de St-Mesmin *(voir p. 32)* y avait entrepris de créer une ville idéale, Tivoli, entre Poughkeepsie et l'Hudson. On arrive à Poughkeepsie, localité dont dépend le Vassar College.

Vassar College. – C'est le collège privé donnant une grande place aux arts, le plus distingué d'Amérique. Fondé en 1861, et réservé aux jeunes filles, il devint mixte en 1968. Il reçoit 2 250 étudiants. La bibliothèque possède 500 000 volumes. Les bâtiments reflètent l'architecture des cent dernières années.

A 10 km (6 miles) au Nord de Poughkeepsie, sur l'US n° 19, est situé Hyde Park.

Hyde Park ★★ . – Villégiature agréable, sur les bords de l'Hudson, on l'appelait la « Maison Blanche d'été » à l'époque où le président Roosevelt y passait ses vacances.

Franklin D. Roosevelt Home National Historic Site. – *Visite de 9 h à 17 h (18 h du 31 mai au 5 septembre). Entrée : 1,50 $ (billet valable pour l'entrée de Vanderbilt Mansion).*

Lieu de pèlerinage émouvant, ce domaine a été acheté en 1867 par James Roosevelt, père de Franklin Delano qui naquit ici en 1882. La maison remonte à 1826 mais a été remaniée et agrandie plusieurs fois. Elle renferme, de même que la bibliothèque et le musée, de nombreux souvenirs du président et de sa famille.

On verra la tombe du président et de sa femme Eleanor, simple dalle de marbre blanc du Vermont, placée dans l'ancienne roseraie.

Vanderbilt Mansion. – *Mêmes conditions de visite que le F.D. Roosevelt Home National Historic Site.*

A quelque distance au Nord de Hyde Park, Frederick W. Vanderbilt fit construire par McKim, Mead et White en 1898, une somptueuse résidence. La propriété avait appartenu au docteur **Hosack** *(détails p. 38)* qui avait fait planter des arbres exotiques. A l'intérieur du manoir, mobilier et œuvres d'art très variés du 16ᵉ au 19ᵉ s.

Revenir à Poughkeepsie et traverser l'Hudson; sur la rive droite prendre l'US n° 9 W en direction de West Point.

West Point ★★ . – Le nom de West Point est universellement connu en raison de son Académie militaire, le St-Cyr des États-Unis, qui occupe un site aéré et lumineux sur une colline dominant l'Hudson.

Une pépinière d'officiers. – Utilisé déjà au 18ᵉ s. comme poste militaire commandant la vallée de l'Hudson, West Point reçut en 1794 sa première école d'officiers, sur l'initiative du brigadier général Henry Knox. Mais c'est seulement en 1802 que le Congrès promulgua son statut officiel d'Académie Militaire des États-Unis.

A ses débuts, l'Académie Militaire comptait 5 officiers et 10 cadets, alors que ces derniers sont aujourd'hui 4 417 (hommes et femmes). Parmi les célébrités qui sont sorties de ses rangs ont peut citer les généraux Mac Arthur (promotion 1903), Patton (1909), Eisenhower (1915) et les astronautes Borman (1950), Aldrin (1951), Collins et White (1952), Scott (1954). La durée des études est de quatre ans; chaque cadet reçoit une paie de sous-lieutenant et une indemnité journalière de subsistance.

Les installations. — *Entrée principale au Sud de la Thayer Gate; voir plan ci-contre.*

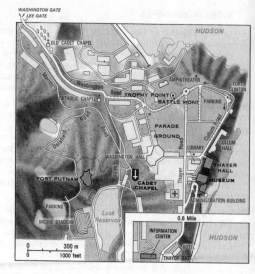

On peut voir le **musée de l'Académie** (Museum), installé dans une dépendance de l'ancien Manège Thayer Hall qui conserve l'épée de Napoléon et le bâton du Maréchal Goering *(visite de 10 h 30 à 16 h 15; fermé le 25 décembre et le 1er janvier);* la **chapelle des Cadets** (Cadet Chapel), exemple de « style gothique militaire », bâtie en 1910; le fort Putnam du 18e s. restauré en 1907 et 1976; le Trophy Point d'où les troupes révolutionnaires lancèrent les chaînes destinées à empêcher les vaisseaux anglais de remonter l'Hudson; le Battle Monument qui rappelle le souvenir des militaires américains tombés au cours de la guerre de Sécession.

Les parades. — En automne et en mai se déroulent sur le Parade Ground, des parades célèbres dans toute l'Amérique pour la précision avec laquelle les Cadets manœuvrent tout en conservant cette rigidité du buste et ce léger tic de la jambe qui caractérisent leur manière de défiler.

Pour tous renseignements s'adresser au Visitors Information Center (de 8 h 30 à 16 h 30) fermé les lundis et mardis en hiver), ou téléphoner à West Point (914) 938-3507.

Continuant vers le Sud à descendre la vallée, l'itinéraire côtoie la Montagne de l'Ours, **Bear Mountain**, point culminant avec ses 400 m (1 305 pieds) du Palisades Interstate Park et station de sports d'hiver fréquentée et distractions en toute saison.

Stony Point Battlefield. — *Ouvert du 15 avril au 31 octobre.*

Le champ de bataille de Stony Point commémore la prise en juillet 1779 d'une position fortifiée anglaise, par les troupes du Général Wayne. L'ensemble est aménagé en parc avec des aires de pique-nique. Belle vue sur l'Hudson.

Le **Palisades Interstate Parkway** suit la falaise du même nom, dont les abrupts de grès rouge dominent l'Hudson de près de 200 m, sur une dizaine de kilomètres de longueur. La route, jalonnée d'emplacement de camping et de pique-nique procure de superbes **vues**★★ plongeantes sur l'Hudson, le faubourg de Yonkers, sur le Bronx et Manhattan.

Par le George Washington Bridge *(description p. 125),* on rejoint New York.

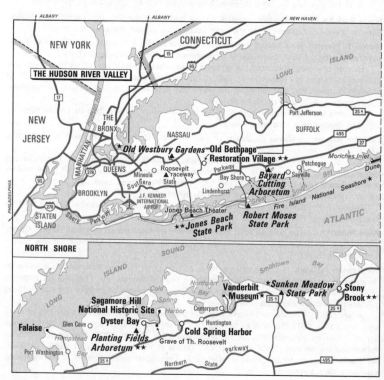

◼ LONG ISLAND★

Longue, verdoyante, parcourue des bouffées d'air marin, Long Island évoque pour le New-Yorkais à la fois une banlieue résidentielle et une région de détente.

Mesurant 190 km de long sur 40 de large, Long Island compte une population de 2 800 000 habitants si l'on en distrait les 5 millions de Brooklyn et de Queens, quartiers de la cité de New York mais faisant partie des quatre comtés de l'île, les deux autres étant Nassau et Suffolk.

L'île ne manque pas de personnalité, que l'on se promène dans la campagne légèrement ondulée, coupée de terrains de golf ou de cottages, ou que l'on suive la côte Nord, surnommée Côte d'or (Golden Coast) à cause de l'opulence de certains résidents, ou la côte Sud aux longues plages de sable blanc, à moins que l'on n'explore son extrémité orientale sauvage et découpée.

Les petites villes ont un charme rustique, telles Sag Harbor, East Hampton et Sousthampton, situées à l'Est de Long Island. L'activité économique de l'île est diversifiée ; plus industrialisée à l'Ouest, à cause de la proximité de la Cité, encore rurale à l'Est où un certain nombre de fermes subsistent, spécialisées dans les cultures maraîchères et les fruits, l'élevage (vaches pour le lait, succulents canards pour la dégustation).

Les fruits de mer sont exploités principalement sur la côte Est : huîtres, palourdes, coquilles St-Jacques, homards.

Des bateaux de pêche hauturière quittent chaque jour la côte Sud.

EXCURSIONS

CÔTE NORD (North Shore)

La **côte Nord**, bordée par le détroit de Long Island Sound, présente une alternance d'échancrures rocheuses, de plages, de bois touffus, de baies, de criques et de falaises abruptes ; elle se prolonge jusqu'à Orient Point par une péninsule de 40 km.

Falaise. — *Sands Point Park, Port Washington. Visite sur demande. ☎ 516 883 1612. Durée : 1 h. Prix : 2,5 $.*

Située dans un domaine de 83 ha, « Falaise » fut la demeure de l'aviateur **H.F. Guggenheim** qui donna un nom français à sa propriété et choisit de faire construire en 1923, un manoir de style normand. Son ami **Charles Lindbergh** écrivit chez lui un de ses livres. A l'intérieur mobilier et œuvres d'art français et espagnols des 16e et 17e s.

Planting Fields★★. — *Planting Fields Road, Oyster Bay. Visite de 10 h à 17 h. Fermé le 25 décembre.*

Ce vaste domaine de bois et prairies comprend un arboretum de 64 ha et un parc cultivé de 163 ha. Parmi les plantations, 600 espèces de rhododendrons et azalées *(floraison de mi-avril à mai)*; des camélias, les plus grands et les plus vieux étant sous verrières *(floraison février-mars)*; un Synoptic Garden, jardin de 2 ha groupant des arbustes d'agrément ; une serre d'orchidées, d'hibiscus, de bégonias et cactées.

Dans ce parc à l'anglaise, coupé de larges allées, se tient le Caw hall, résidence offrant un bel exemple d'architecture de style Elisabétain.

Oyster Bay. — Lieu de séjour, port de plaisance et résidence, Oyster Bay compte plus de 6 000 habitants. Sur la route de Sagamore Hill à hauteur de la bifurcation de la Cove Road, a été érigée la tombe de **Théodore Roosevelt** *(p. 81)*.

Raynham Hall. — *20 Ouest Main Street. Ouvert de 10 h à 12 h et de 13 h à 17 h. Fermé le dimanche matin et le mardi. Entrée : 50 cents.*

Cet ancien manoir-ferme colonial a joué un rôle important pendant la guerre d'Indépendance. C'était la demeure du père de Robert Townsend, agent des services secrets du général Washington. L'intérieur abrite un mobilier et des souvenirs de l'époque.

Sagamore Hill National Historic Site. — *Visite du 1er juillet au 1er lundi de septembre de 9 h 30 à 18 h (16 h 30 le reste de l'année). Fermée le Thanksgiving Day, les 25 décembre et 1er janvier. Entrée : 50 cents.*

Située à Cove Neck et distante de 3 km environ d'Oyster Bay, la maison de **Theodore Roosevelt** est maintenue dans l'état où elle se trouvait durant sa présidence de 1901 à 1909. Un musée situé sur l'emplacement du vieux verger (Old Orchard Museum) retrace la vie familiale et politique de Theodore Roosevelt.

Cold Spring Harbor. — De 1836 à 1862, ce port abritait neuf baleiniers prêts à appareiller sur les océans à la recherche de ces cétacés riches en huile et porteurs de fanons. Les patrons de ces bateaux étaient originaires de New Bedford (Massachusetts) ou Sag Harbor.

LONG ISLAND

The Whaling Museum ★ (Musée de la pêche à la baleine). — *Ouvert du 1ᵉʳ lundi de mai au 15 septembre de 11 h à 17 h. Entrée : 75 cents.*

Le centre d'attraction de ce musée à la pêche à la baleine, est l'équipement complet d'un baleinier tel qu'il était à bord du brick « Daisy » lors de son périple de 1912 à 1913, au départ de New Bedford, centre baleinier du Massachussets. A côté, diorama de Cold Spring Harbor, en 1840, à l'apogée de son exploitation.

Çà et là, on trouve également des harpons, instruments de navigation, maquettes de bâteaux, gravures et cartes anciennes. Noter en particulier la collection d'objets exécutés par les marins durant leur longue traversée.

Vanderbilt Museum ★. — *Little Neck Road, Centerport. Visite de mai à octobre du mardi au samedi, de 10 h à 16 h; le dimanche et jours fériés, de 12 h à 17 h. Entrée : 1 $.*

Ce musée est aménagé dans l'ancienne maison de campagne richement décorée de William Vanderbilt, arrière petit-fils du « commodore » Cornelius *(p. 95),* au sein d'un parc de 10 ha dominant la Northport Bay.

Les collections rassemblées par William Vanderbilt pendant ses voyages, évoquent un peu le bric à brac du Cousin Pons : curiosités d'histoire naturelle, modèles de bateau, armes et armures, têtes momifiées, etc.

Dans le domaine, il y a aussi un Planetarium. *Ouvert toute l'année. Entrée : 1.75 $; enfants : 1 $. Pour programme et horaire,* ☎ *516 757 7500.*

Sunken Meadow State Park ★★. — Vaste plage de sable fin descendant vers une baie presque toujours calme. L'équipement récréatif est particulièrement développé.

Stony Brook ★★. — Ce village de style colonial du 18ᵉ S., dissémine dans un cadre charmant de verdure et d'eau ses 19 bâtiments restaurés : ce sont notamment une forge, une école, une étable et des musées *(ouverts du mercredi au dimanche de 10 h à 17 h; entrée : 2 $).*

Carriage Museum ★★. — *Fermé en hiver.* Le musée abrite une collection exceptionnelle de voitures hippomobiles allant du cabriolet à la diligence et aux voitures de livraison. Une galerie est réservée aux pompes à incendie.

Arts Museum. — Peintures américaines du 19ᵉ s. en particulier de **William Sidney Mount,** né et mort dans la région (1807-1868) dont les **œuvres ★★** vivement appréciées des Américains, font revivre la société de cette époque et la vie à la campagne. Ses deux frères aînés ont également peint, surtout des portraits.

History Museum. — Costumes, meubles, jouets et leurres (canards) du 19ᵉ s.

CÔTE SUD (South Shore)

La **Côte Sud** frangée d'un chapelet de cordons littoraux protégeant la Great South Bay, forme d'admirables plages de sable fin très courues en fin de semaine et pendant les vacances. La partie ouverte sur l'océan Atlantique est favorable à la pratique du surf.

Jones Beach State Park ★★. — Une succession de plages atteignant la longueur de 18 km composent cette station balnéaire à double exposition qui, en saison, attire la foule des New-Yorkais.

Parfaitement équipée, Jones Beach comprend notamment le **Jones Beach Theater,** théâtre marin célèbre, un stade nautique, des piscines chauffées, des terrains de sport et d'attractions, Une « Water Tower », édifiée à l'imitation du Campanile de St-Marc de Venise, couvre le puits d'eau douce qui atteint la profondeur de 300 m.

Jones Beach tient son nom d'un certain Thomas Jones, shériff du comté de Queens, qui devint, à la fin du 17ᵉ s. et au début du siècle suivant, propriétaire d'immenses terrains sur la côte Sud de Long Island.

Old Westbury Gardens ★. — *Old Westbury Road. Ouvert de mai à octobre du mercredi au dimanche de 10 h à 17 h. Entrée : 2.50 $.*

Les jardins du Vieux Westbury furent la propriété d'un financier doublé d'un sportif, John S. Phipps. Au milieu d'un parc évoquant le 18ᵉ s., une majestueuse demeure de style géorgien *(entrée : 1.50 $),* a conservé un mobilier ancien, avec des toiles de maîtres anglais des 18ᵉ et 19ᵉ s. (Gainsborough, Reynolds, Raeburn), des miroirs dorés et des objets d'art.

Le domaine de 40 ha, comprend plusieurs jardins fleuris, un buis centenaire, des allées bordées de tilleuls et de hêtres, des pièces d'eau.

Old Bethpage Restoration Village ★★. — *Round Swamp Road. Ouvert de 10 h à 17 h (16 h en hiver), dernière admission 1 h avant la fermeture. Entrée : 2.75 $.*

Dans une vallée de 80 ha, le **Vieux Bethpage** est une active communauté rurale qui recrée la vie d'un village avant la guerre civile américaine (1861). Sauvées de la destruction due à l'extension des villes, 25 maisons ont été transportées sur le site de la ferme Powell (Powell Farm) qui existe encore.

En flânant dans le village, on peut voir les artisans au travail (forgeron, cordonnier, tailleur) et les fermiers aux champs.

Bayard Cutting Arboretum. — *Accès par route 27 A. Ouvert du mercredi au dimanche de 10 h à 17 h 30 (16 h 30 en hiver). Entrée : 1 $. Cassettes en français au bureau d'information du Reception Center.*

Etabli en 1887 par William Bayard Cutting sur les plans de l'architecte paysagiste Olmsted, l'Arboretum couvre 276 ha de bois et de plantations, de nombreux conifères datent de cette époque. Rhododendrons et azalées (floraison mai-juin) bordent les allées et des fleurs sauvages poussent à profusion.

Fire Island. — *Reliée à Long Island par des ponts en deux points : State Park et County Park (aucune autre route sur l'île). Accès également par ferry à partir de Patchogue, Sayville et Bay Shore (Fire Island Ferries, ☎ 665.50.45 ou Zee Line, ☎ 665.21.15).*

Cette île très étroite et longue de 51 km, possède une réserve naturelle, **National Seashore.**

Robert Moses State Park. — A la pointe Ouest de Fire Island, ce parc national évoque le souvenir d'un surintendant des parcs de l'État de New York. Aménagé dans les dunes, il forme une réserve d'oiseaux de mer.

The Hamptons★. — Des villages de pêcheurs se succédant sur 57 km de la côte Sud de Long Island, sont devenus des centres de vacances, depuis la plage de Southampton fermant la baie de Shinnecock, jusqu'à la ville d'Amagansett.

Westhampton Beach. — Station animée où de nombreux New-Yorkais parmi les musiciens, écrivains, artistes aiment passer leurs week-ends ou leurs vacances estivales. Des expositions artistiques ont lieu en plein air (premier week-end du mois d'août), c'est le Westhampton Beach Outdoor Art Show.

En longeant Dune Road, sur l'étroit cordon littoral, entre Moriches Inlet et Shinnecock Inlet, on peut voir sur 24 km, différents types d'habitations allant de la maison de style Nouvelle Angleterre, à bardeaux bruns et encadrements blancs, au simple bungalow.

Southampton. — Station balnéaire importante avec des plages de sable bien équipées, et de belles demeures. Au Nord-Ouest de la ville, Route 39, se trouve un musée.

Long Island Automotive Museum★. — *Ouvert de juin à septembre de 9 h à 17 h; le reste de l'année seulement les samedis et dimanches. Entrée : 2 $.*

Cet important musée de l'automobile comporte une centaine de modèles anciens.

East Hampton. — Charmante bourgade dont la rue principale, **Main Street★** est bordée de magnifiques ormes centenaires. Son « Village Green » avec l'étang entouré de jolies maisons anciennes, évoque un bourg anglais. De nombreux artistes et écrivains ont été attirés par le calme de cette petite ville.

Sag Harbor. — Cette ville côtière avec son port profond dans une anse abritée, ses docks et son bureau de douane (**Custom-House**), le premier installé dans l'État de New York *(ouvert tous les jours du dernier lundi de mai au premier lundi de septembre de 10 h à 17 h; les samedis et dimanches jusqu'au 15 octobre; fermé le reste de l'année; entrée : 1 $)*, fut appelée Port d'entrée aux États-Unis par George Whashington. Ses maisons coloniales lui confèrent le charme du passé *(Fête de la Baleine, début juin).*

Suffolk County Whaling Museum. — *Ouvert du 15 mai au 15 septembre de 10 h (13 h le dimanche) à 17 h. Entrée : 75 cents.*

Cet édifice de style Greek Revival (1845), abrite des objets concernant la pêche à la baleine, tout en recréant l'atmosphère d'une habitation de capitaine de baleinier.

Montauk. — Cette étroite péninsule s'allonge sur 16 km dans l'océan, couverte de bois, bordée de falaises, frangée de dunes et de grèves. C'est un centre d'attraction pour de nombreux sportifs amateurs de pêche en haute mer. A la pointe extrême se dresse le Montauk Lighthouse, phare construit en 1795; il est situé dans le Montauk State Park.

■ PRINCETON UNIVERSITY★★

A l'Ouest de l'État de New Jersey, l'Université de Princeton *(carte p. 24)* est le centre d'une petite ville résidentielle, dans un cadre aéré et verdoyant.

Accès. — *192 km (119 miles) en auto AR.* Un service de cars relie New York à **Princeton** : s'informer au Port Authority Bus Terminal. Par la route, quitter Manhattan par le Lincoln Tunnel. Prendre vers le Sud le New Jersey Turnpike jusqu'à la sortie n° 9. Tourner à droite et, après avoir franchi la rivière Lawrence, emprunter la route n° 1 en direction de Penns Neck.

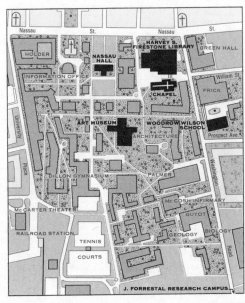

Un peu d'histoire. — C'est en 1746 qu'un petit groupe d'ecclésiastiques presbytériens entreprit de doter les colonies du centre d'un collège, qui prit le nom de College of New Jersey. Celui-ci, d'abord établi à Elizabeth puis à Newark, s'installa à l'endroit actuel en 1756, après l'achèvement du Nassau Hall.

Nassau Hall était alors le plus vaste bâtiment d'Amérique septentrionale à vocation éducative et il suffisait à lui seul à abriter tous les services du collège. Pendant la Révolution, il servit de caserne et d'hôpital successivement pour les troupes anglaises et américaines. Le 3 janvier 1777, sa prise par Washington mit fin à la bataille dite de Princeton, gagnée par l'armée révolutionnaire. En 1783, Princeton fut le siège du gouvernement fédéral durant six mois ; le traité de paix avec les Anglais mettant fin à la guerre d'Indépendance y fut signé.

A l'occasion du 150e anniversaire de sa fondation, le College of New Jersey fut érigé en Université.

Les études. — Autrefois réservées aux étudiants de sexe masculin, elles sont maintenant également ouvertes aux étudiantes. Elles sont couronnées par un diplôme qui ouvre beaucoup de portes. Princeton comme Yale et Harvard par exemple, fait en effet partie de l'Ivy League qui groupe les Universités les plus prestigieuses des États-Unis.

Depuis le 18e s., Princeton University est spécialisé dans la formation des hommes politiques et des scientifiques : la première chaire de chimie des États-Unis fut créée ici en 1795. Depuis Woodrow Wilson, qui fut président de l'Université de 1902 à 1910, on y étudie par groupes d'élèves de même affinité. Comme dans beaucoup d'autres établissements américains aucune surveillance n'est exercée les jours d'examen, confiance étant faite aux candidats.

Princeton University compte près de 750 professeurs et environ 5900 élèves, parmi lesquels 45 % disposent de bourses ou de prêts spéciaux.

Visite. — *Un service gratuit de guides est assuré toute l'année par les étudiants eux-mêmes : prévenir trois jours à l'avance si possible. S'adresser à l'Orange Key Guide Service, Stanhope Hall ; ☎ (609) 452-3603.* Les 144 bâtiments composant l'Université sont disséminés sur 1040 ha : nous décrivons ici seulement les plus importants.

Nassau Hall. — Ce majestueux édifice d'architecture classique doit son nom à la dynastie d'Orange Nassau qui régnait sur l'Angleterre au moment de la fondation du College. A partir de lui s'ordonne le Campus verdoyant et agréablement ombragé.

Nassau Hall abrite les services administratifs de Princeton University.

Harvey S. Firestone Library. — Avec 3 millions de volumes, elle est pourvue de 500 boxes d'étude individuels et de salles de conférences pour 12 disciplines différentes.

Chapelle. — Elle peut recevoir 2000 fidèles. On y voit une chaire en bois sculpté du 16e s. provenant du Nord de la France.

Musée des Beaux-Arts (Art Museum). — Une place d'honneur est réservée aux dessins italiens des 16e-17e-18e s. ; œuvres du Guerchin, de Salvator Rosa, de Tiepolo, etc.

Woodrow Wilson School. — Consacrée aux affaires publiques et internationales, cette école est une pépinière de diplomates, d'administrateurs et d'hommes d'État.

Centre de Recherches James Forrestal (J. Forrestal Research Campus). — Ses installations, situées un peu à l'écart du Campus, au-delà du lac Carnegie, ont été inaugurées en 1951. Elles sont principalement destinées aux recherches concernant l'aéronautique, les sciences chimiques et nucléaires.

INDEX ALPHABÉTIQUE

West Point, Bryant Park . — Villes, sites, curiosités.
Lincoln . . . . — Personnages historiques ou célèbres.
Brownstones . . . . — Termes faisant l'objet d'une explication.

MANUFACTURE FRANÇAISE DES PNEUMATIQUES MICHELIN

© Michelin et Cie, propriétaires-éditeurs, 1980
Société en commandite par actions au capital de 700 millions de francs
R.C. Clermont-Fd B 855 200 507 - Siège Social Clermont-Fd (France)
ISBN 2 06 005 480 - X

Photocompo. : Ateliers Typographiques à Châtillon-sous-Bagneux — Imp. Tardy Quercy à Bourges
Printed in France 6-80-30 — Dépôt légal 3ᵉ trim. 1980

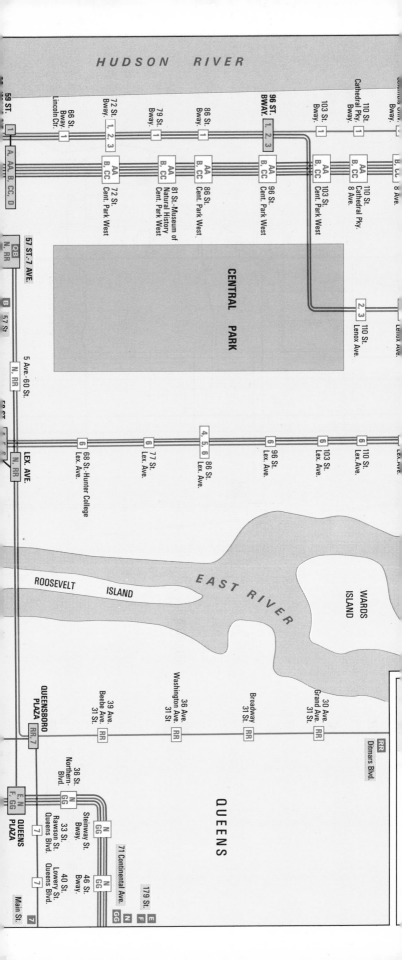

HUDSON RIVER

CENTRAL PARK

EAST RIVER

ROOSEVELT ISLAND

WARDS ISLAND

QUEENS

Columbia Univ.
Bway.

59 ST.
1

66 St.
Lincoln Ctr.
1

72 St.
Bway.
1, 2, 3

79 St.
Bway.
1

86 St.
Bway.
1

96 ST.
BWAY.
1, 2, 3

103 St.
Bway.
1

110 St.
Cathedral Pky.
Bway.
1

B, CC, 8 Ave.

A, AA, B, CC, D

72 St.
B, CC
Cent. Park West

81 St.–Museum of
Natural History
AA
B, CC
Cent. Park West

86 St.
AA
B, CC
Cent. Park West

96 St.
AA
B, CC
Cent. Park West

103 St.
AA
B, CC
Cent. Park West

110 St.
AA
B, CC
Cathedral Pky.
8 Ave.

57 ST.-7 AVE.
N, RR
QB

B 57 St

5 Ave.-60 St.
N, RR

LEX. AVE.
N, RR

68 St.–Hunter College
6
Lex. Ave.

77 St.
6
Lex. Ave.

86 St.
4, 5, 6
Lex. Ave.

96 St.
6
Lex. Ave.

103 St.
6
Lex. Ave.

110 St.
6
Lex. Ave.

LEX. AVE.

2, 3
110 St.
Lenox Ave.

Lenox Ave.

Lenox Ave.

QUEENSBORO
PLAZA
RR,7

39 Ave.
Beebe Ave.
31 St.
RR

36 Ave.
Washington Ave.
31 St.
RR

Broadway
31 St.
RR

30 Ave.
Grand Ave.
31 St.
RR

Ditmars Blvd.
RR

QUEENS
PLAZA
E, N
F, GG

36 St.
Northern-
Blvd.
N
GG

Steinway St.
Bway.
N
GG

33 St.
Rawson St.
Queens Blvd.
N
GG

46 St.
Bway.
N
GG

40 St.
Lowery St.
Queens Blvd.
7

71 Continental Ave.
7

179 St.
7

Main St.
7

E
F
N
GG

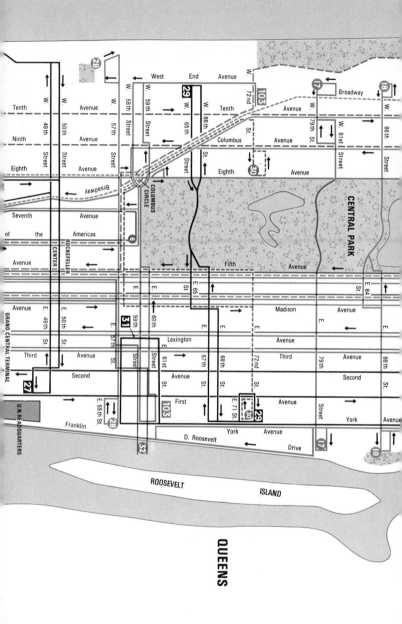

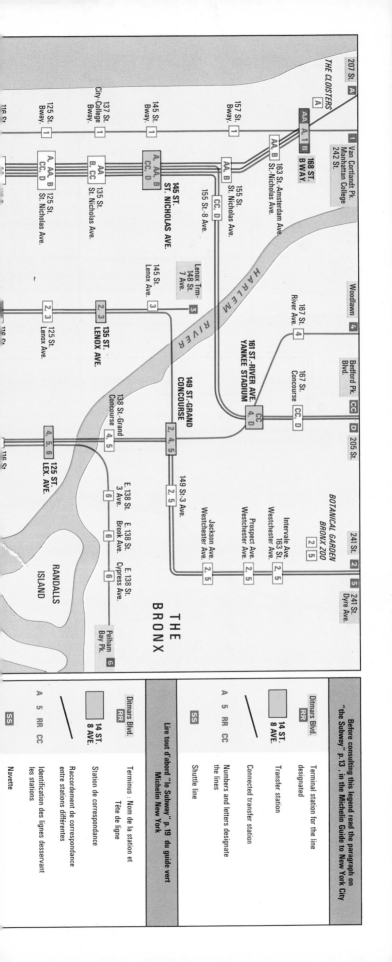

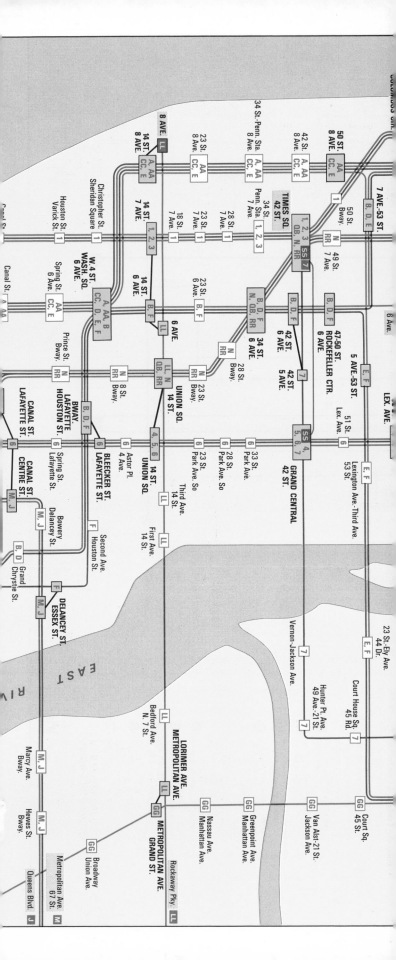

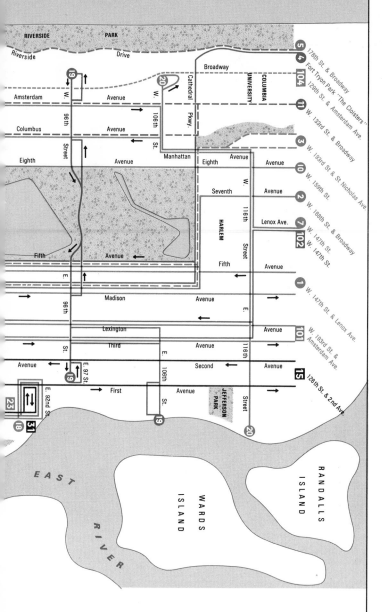

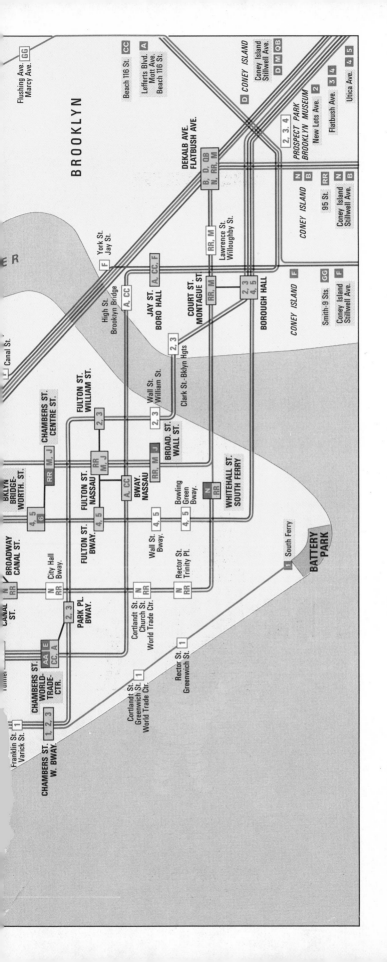

MICHELIN

Manhattan
Buses (Autobus)

PNEU MICHELIN
46, Av. de Breteuil 75341 PARIS CEDEX 07
Tél. (1) 539 25 00

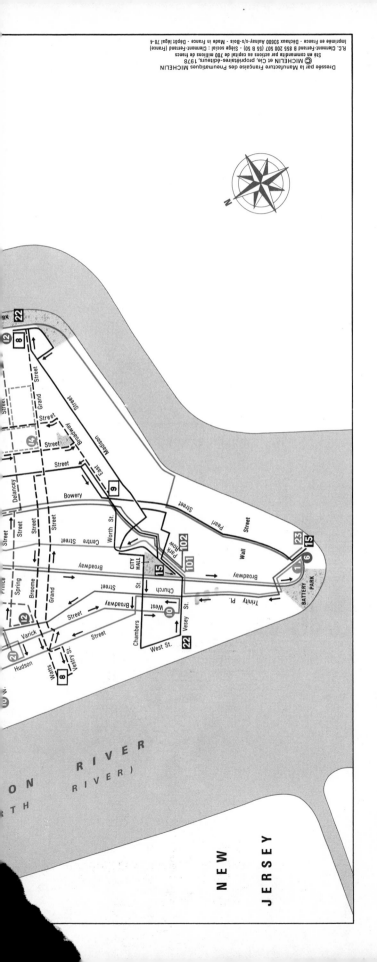

NEW

JERSEY

HUDSON RIVER
(NORTH RIVER)

Dressée par la Manufacture Française des Pneumatiques MICHELIN
© MICHELIN et Cie, propriétaires-éditeurs, 1978
Sté en commandite par actions au capital de 700 millions de francs
R.C. Clermont-Ferrand B 855 200 507 (55 B 50) - Siège social : Clermont-Ferrand (France)
Imprimée en France - Dechaux 93600 Aulnay-s/s-Bois - Made in France - Dépôt légal 78-4

MICHELIN

Manhattan
Subway (Métro)

MICHELIN TIRE CORPORATION
2500 Marcus Avenue
Lake Success, NEW YORK 11040